1/3/12

Grigorij Kanowicz
urodził się w 1929 roku
w Janowie, niedaleko Kowna.
Większość życia spędził
w Wilnie. Ukończył studia
filologiczne na Uniwersytecie
Wileńskim. W latach
1962-1972 pracował
w Litewskiej Wytwórni
Filmowej.
W 1993 roku opuścił Litwę
i zamieszkał w Izraelu.
Debiutował w 1959 roku
powieścią *Patrzę w gwiazdy*.
Jest autorem powieści:
Świece na wietrze, *Łzy
i modlitwy głupców*, *Koziołek
za dwa grosze*, *Uśmiechnij się
do nas, Panie*, *Nie ma raju dla
niewolników*, *Nie odwracaj
twarzy od śmierci*, *Park
Żydów*, *Zauroczenie diabłem*.
Pisze też scenariusze
filmowe, dramaty i wiersze.
Wieloletni prezes
Towarzystwa Żydów
na Litwie.

Znajduję to,
co łączy
i jest
jak wiersz
prowadzący
do spotkania.
Znajduję coś –
jak język –
niematerialnego,
terrestrycznego,
coś kołowatego,
poprzez
oba bieguny
powracającego
w sobie,
a przy tym –
w sposób
pogodny –
nawet
krzyżującego
tropy:
– znajduję...
Meridian.

Paul Celan

Przełożył
Feliks Przybylak

Seria **Meridian** pod redakcją
Krzysztofa Czyżewskiego

GRIGORIJ KANOWICZ

Nie odwracaj twarzy od śmierci

Przełożył
Aleksander Bogdański

POGRANICZE

SEJNY 2001

Wnukowi Noemu Kanowiczowi

Danuta-Hadassa

– Boże, Boże!... Jeżeli już nie mogłeś ofiarować słudze swojemu Szachnie Dudakowi szczęśliwego życia, ześlij mu przynajmniej lekką śmierć, o Panie!... Wargi jej dygotały i chcąc uspokoić to drżenie, zagryzała je starymi, wysłużonymi zębami.

W domu, poza umierającym, harcującymi bezczelnie myszami i Bogiem, nie było nikogo. Bóg i myszy sprawiały, iż dom nic wydawał się taki ciasny i nieprzytulny. Kiedy człowiek zwraca się do Najwyższego, zawsze rozszerza to i ściany, i duszę.

Danuta wpatrywała się uporczywie w ciemność suchymi, pozbawionymi łez oczami, czując, jak dyszące obok nieszczęście wzmaga ich czujność, i wsłuchiwała się w jęki Szachny.

Nie były to nawet jęki, ale krótkie, jakby mściwe westchnienia, powtarzające się w równych odstępach czasu, które nie trwały długo, może minutę, może dwie; przy łóżku umierającego ziemski czas spłaszcza się, zacieśnia się, a potem, przed samym końcem, rozpada się, kruszy, dzieli na oddzielne, niepowiązane ze sobą strzępy, dlatego Danuta nawet się nie zastanawiała, czy w tej chwili jest dzień, czy noc.

Wiedziała jedno: nadszedł czas śmierci.

Chwilami, kiedy myszy przestawały chrobotać w ciemności, kiedy nieubłagany Bóg odwracał od niej i od Szachny swoje wszechwidzące oczy – jako iż one też muszą odpocząć – Danuta przyłapywała się na dziwacznej i męczącej myśli, że w ciągu jej życia – czy to w okresie panieństwa, czy już jako dorosłej kobiety – CZASU ŻYCIA nie było wcale, był tylko długi, rozciągnięty na dziesięciolecia CZAS ŚMIERCI. Przez siedemdziesiąt lat Danuta nie żyła, lecz umierała: najpierw u ciotki Stefanii w Smorgoniach, potem pod słomianą strzechą teścia – starego Efraima, który przygarnął ją razem z małym Jakubem – w opustoszałym domu, po którym hulały nieszczęścia, gdzie po raz pierwszy ujrzała tego, który leży teraz zabalsamowany przez mrok na dębowym łóżku i czeka, kiedy Bóg ulituje się nad nim i w imię sprawiedliwości, w ciągu krótkiego zaledwie mgnienia, położy kres jego męczarniom.

I właśnie o niej, o tej sprawiedliwości, trwającej jedno mgnienie, myślała Danuta, wpatrując się w ciemność czarną jak smutek, i w duchu użalała się, iż Bóg zwleka, odsuwa swoją ostatnią łaskę nie tylko od umierającego Szachny, ale i od niej, przesyconej, jak powiedziane jest w Piśmie Świętym, dniami żywota. To nie bagatelka – ma za sobą siedemdziesiąt lat! I spośród owych lat niemal czterdzieści przeżyła na cmentarzu: ani Polka, ani Żydówka, ani żona, ani wdowa, która porodziła dwóch synów od dwóch braci.

Niewidoczny, zlewający się z ciemnością Szachna od czasu do czasu wzdychał w ciszy, i od tych westchnień, od tego bolesnego zdumienia cisza wydawała swąd niczym niedogaszone ognisko. I można się było nią zaczadzić; Danucie kręciło się w głowie, a może te zawroty powodowała bliskość śmierci; wspomnienia napływające jak obłoki w czas południa otulały ją, oblepiały; i jedynie one, te wspomnienia, różniły ją, czuwającą, od niego, umierającego, obdarzały wieczór lub dwa jakimś ułudnym życiem; Danuta przypominała sobie wszystko: i niemające kresu drogi, które bez ustanku przemierzali tryskającym energią, szaleńczo żywotnym Ezrą, i wileński szpital żydowski, gdzie Ezra, jej pierwszy mąż, umierał na galopujące suchoty i wydział żandarmerii, w którym przed utratą rozumu służył Szachna, jej drugi mąż, ten sam, który w tej chwili leży w ciemności i o nic nie prosi, nawet o krótką, niby mgnienie oka chwilę sprawiedliwości.

Danuta patrzyła na niego niewidocznego, rozpływającego się w mroku, a serce jej toczyła jakaś uparta, tępa zawiść: jeszcze dzień, jeszcze noc i skończą się męczarnie Szachny;

miłosierna ziemia przyjmie go w swoje objęcia, nie pytając o nic: cóż to dla niej za różnica, kim był: człowiekiem pobożnym czy grzesznikiem, strażnikiem więziennym, chrześcijaninem czy izraelitą, mędrcem czy człowiekiem wyzutym z rozumu.

Jeszcze noc, jeszcze dzień i Szachna, jej drugi mąż, ojciec Arona, pochwyci wreszcie motyla, na którego bezustannie polował przez całe swoje nieszczęsne życie.

Przez krótką chwilę, w której Bóg daje nam poznać swoją sprawiedliwość, Danucie wydawało się, że ten motyl rzeczywiście fruwa nad nieruchomym, omywanym przez mgłę jak przez wodę, którą myje się zmarłych przed pochówkiem, Szachną, drażni go i denerwuje. Wystarczy, żebym wyciągnęła rękę, a motyl zatrzepocze w moich dłoniach; posadzę go umierającemu na czole i na Szachnę spłynie wreszcie błogość i ukojenie; jego dusza, zanim uleci w niebiosa do promienistego pałacu Boga, uspokoi się, a on wytchnie ją z siebie cicho i radośnie.

Danuta miała ochotę zawołać: „Spójrz! Twój motyl! Spójrz!" Ale słowa rozkruszyły się jej w gardle. Szachna jeszcze sobie pomyśli, że naigrawa się z niego, że wypomina mu jego obłęd, z którego nie potrafi uleczyć ani miłość, ani śmierć.

Miłości Szachna już nie potrzebował, a na śmierć czekał z pełną pokory niecierpliwością, urażony, że ta, zamiast skończyć z nim jednym muśnięciem jego bezsilnego ciała, zagasłych oczu napełnionych już nie spojrzeniem, lecz szarym jak z pieca popiołem, urządza sobie długą, niepojętą zabawę. Śmierć, jak na złość, nie śpieszyła się, jakby pragnąc udowodnić, że nie jest posługaczką, lecz prawdziwą panią, nie jakąś nędzną dziadówką, lecz groźną łowczynią. Śmierć łaknęła walki, a nie daniny.

Szachna wzdychał. Jego westchnienia przeplatały się to z kaszlem, to z chrypieniem, i wówczas Danuta podrywała się i z lękiem przykładała ucho do jego piersi.

Całymi dniami, od świtu do wieczora, przesiadywała przy łóżku, łowiąc każdy dźwięk, każdą prośbę Szachny, jego najlżejszy ruch. Najgorzej było w ciągu jasnego dnia, kiedy słońce oświetlało wymizerowaną twarz umierającego, jego wielkie, uspokojone teraz dłonie skrzyżowane na zapadłej, niczym nie okrytej piersi, jego opadłe na czoło włosy, w których nie było nawet jednej siwej nitki. Nie pozwalał się czesać, jakby dotyk grzebienia mógł mu sprawić nieznośny ból. Lżej Danucie bywało w nocy. W nocy ciemność skrywała dębowe łóżko, twarz Szachny, nie uprzątnięty pokój i kamienie nagrobne, które niczym tłum napierających, muskularnych chłopów podchodziły do samego okna.

W nocy, z cmentarza do domu napływał chłód przesiąknięty wonią przywiędłych traw, sosnowego igliwia i koziego mleka (nie zważając na protesty Danuty, Jakub za przykładem dziadka Efraima hodował kozę; sam ją doił, na wiosnę strzygł, a w zimie zapędzał do sieni, gdzie pobekiwała żałośnie). Wdychając cmentarne powietrze, Danuta bez skrupułów zamykała czujne oczy, które nie tyle śledziły tlące się jeszcze życie Szachny, co starały się nie przeoczyć chwili, w której nadejdzie śmierć, zasypiała na kilka chwil, zapadała w słodkie, niedające się niczym porównać zapomnienie, po to, by natychmiast obudzić się z krzykiem. Krótki, niespokojny sen nie przynosił ulgi; był to sen pozbawiony majaków, widziadeł. A sen bez snów to tyle samo, co wyrąbana leśna gęstwina – ani świergotu ptaków, ani porykiwań zwierzyny. Danuta z jakimś cierpiętniczym uporem czekała nie na sny niosące spokój i wytchnienie, lecz na takie, które by przywracały pokusy i grzechy młodości. Może właśnie dlatego, jak przed czterdziestu laty, nosiła dziwaczny kapelusz z piórem – ten sam, w którym po raz pierwszy zjawiła się w domu kamieniarza Efraima Dudaka. W miasteczku ludzie nie mogli się nadziwić: po co staruszce taka wieża na głowie?

Długie, jaskrawo kolorowe pióro nęciło miasteczkowych łobuziaków. Czatowali na Danutę, kiedy wychodziła z kościoła i radośnie strzelali do rozłożonego jak wachlarz celu ze swoich bezlitosnych proc. Danuta wpadała we wściekłość, rzucała się na nich niczym kwoka na wrony-złodziejki, łase na cudzy pokarm, próbowała chwycić sprawców za kark i, unosząc perkalową spódnicę, pokazywała prześladowcom swój wychudzony tyłek.

Pewnego razu jej starszy syn Jakub, rozwścieczony kpinkami bezwstydnych zbytników, wsunął kapelusz matki za pazuchę, chwycił łopatę i ruszył w stronę muru cmentarnego, pod którym zazwyczaj grzebano obłąkanych i samobójców.

Jakub niewątpliwie zakopałby niezwykłe matczyne nakrycie głowy, ale Danuta zaczęła coś podejrzewać i wiedziona ciekawością, skierowała się w stronę ogrodzenia.

– Jakub? – zapytała podchodząc. – Co ty tam chowasz?

Danuta nie mogła sobie nawet wyobrazić, że Jakub – to jagniątko, ta chodząca dobroć, ten anioł w ludzkim ciele, może zakopać coś, co wiązało ją nie tylko z pierwszą miłością, która dawno przeszumiała, ale i z jej szlacheckim pochodzeniem. Przecież ten kapelusz ofiarowała Danucie, gdy stała się pełnoletnia, jaśnie wielmożna ciotka Stefania.

– Nic – odparł Jakub, purpurowiejąc.

– A mnie się wydaje, że masz zamiar pogrzebać tam prawdę.

Słowa matki wypowiedziane ni to z wyrzutem, ni to z pogróżką, a zwłaszcza jej spojrzenie, które jak mała żmijka prześlizgnęło się po jej wzdętej koszuli z grubego płótna, wprawiły Jakuba w zakłopotanie. Bo istotnie, nigdy dotąd jej nie okłamywał. Nie grzebał prawdy.

– Wybacz – powiedział i wyciągnął zza pazuchy maminy skarb.

– Dziękuję – powiedziała Danuta. – Kiedy umrę, zakopiesz nas razem – wygładziła kapelusz, końcami palców pogłaskała pióro.

Żydzi z miasteczka, którzy nie bardzo lubili Danutę i trochę się jej obawiali, wierzyli, iż jej kapelusz nie jest ot, taki sobie, zwyczajny, ale zaczarowany – inaczej przecież nie nosiłaby go przez tyle lat. Ich wiara umocniła się, kiedy się przekonali, że Danuta posiada dar przepowiadania wszelkich nieszczęść i klęsk. Przepowiedziała na przykład śmierć żony burmistrza Tarajły, chociaż ta właściwie na nic nie chorowała; wyprorokowała również, że w Niemnie utopi się młodszy syn właściciela fabryki mebli Bruchisa, Celik. Młody Bruchis zachłysnął się: skakał i skakał z pomostu do wody, aż za którymś razem więcej się nie wynurzył.

Ale najbardziej zdumiewające proroctwo Danuty dotyczyło Polski. Jeszcze na długo przedtem, zanim wojska niemieckie przekroczyły polską granicę, przepowiedziała, że w pierwszych dniach jesieni pomiędzy Niemcami a Polakami wybuchnie wojna na śmierć i życie, i że Niemcy szybko odniosą zwycięstwo. Nikt nie chciał w to wierzyć, wszyscy opędzali się od tych przepowiedni – że niby co innego śmierć żony burmistrza Tarajły, a co innego – los Polski, lecz stało się właśnie tak, jak Danuta przepowiedziała. Do miasteczka zaczęli napływać uciekinierzy z Polski; opowiadali nieprawdopodobne rzeczy o tym, jak czołgi miażdżyły gąsienicami dzieci; o tym, jak bohatersko umierali polscy żołnierze; jak płonęła Warszawa – dym było widać aż w Łodzi; jak w jedno miejsce spędzono wszystkich Żydów, od dzieci po starców, i jak im przyczepiano na plecach znamię hańby – żółte łaty.

– A co z nami? Co będzie z nami, Hadasso? – pytał ktoś Danuty, jakiś ciekawski rymarz czy cyrulik.

– Was też wszystkich spędzą – odpowiadała Hadassa. Bo tak, na żydowską modłę, przeinaczono w miasteczku jej chrześcijańskie imię.

W przepowiednie Danuty wierzyli wszyscy poza jej młodszym synem Aronem.

Wiara to opium dla narodu – mawiał.

Ale mało kto go słuchał, jako że nikt – włącznie z nim samym – nie miał pojęcia, co to takiego opium.

Kiedy nadeszła wieść o kapitulacji Polski, Danuta zamknęła się na klucz i przez dwa tygodnie nie wychodziła z domu, siedziała przy oknie, rozmazując po twarzy wielkie patriotyczne łzy. Pod koniec drugiego tygodnia wdziała czarną sukienkę, czarne pantofle, przyszpiliła do kapelusza czarną żałobną kokardę i wyruszyła do kościoła, by pomodlić się za poległych i wziętych do niewoli rodaków. Stała koło ambony i szeptała żarliwie jakieś słowa bez związku, które przypominały ni to płacz, ni to zaklęcia. Prosiła Świętego Kazimierza, orędownika Litwy i Polski, żeby ulitował się nad jej nieszczęsną ojczyzną, obdarzył ją wytrwałością i męstwem, i surowo pokarał butnych Niemców.

Po wyjściu z kościoła nie udała się do domu, ale skręciła w zaułek, do synagogi rzeczników. Wpatrzona w Arkę Przymierza dalej zanosiła gorące błagania do tegoż Świętego Kazimierza. Rabbi Hilel, którego wyczulone ucho natychmiast wyłowiło z pienistego potoku modlitwy nieżydowskie imię, nie przerywał jej: niech się modli do Kazimierza, niech się modli do Jahwe – czy to ważne, do kogo; nieszczęść na świecie jest mnóstwo, a bogów można policzyć na palcach.

Rabbi Hilel wiedział, że Danuta chodzi do dwóch świątyń w miasteczku. I nie miał jej tego za złe, nie wyganiał jej. Może dlatego, że odrobinę obawiał się jej czarów, a może dlatego, że prawdziwie ją szanował: no bo jak się tak dobrze zastanowić, Danuta-Hadassa warta jest dwóch Żydówek.

Nie potępiał jej również ksiądz Wajtkus. Czasami spoglądając spod swoich krzaczastych brwi, na oczach wszystkich zgromadzonych w kościele wiernych czynił znak krzyża świętego nad jej osobliwym, nieśmiertelnym kapeluszem.

Właśnie w nim, w tym oszałamiającym, zaczarowanym kapeluszu, Danuta przez całe dni i noce przesiadywała przy łożu umierającego Szachny, jakby wojownicze pióro mogło w nim jeszcze rozniecić chęć życia, wzmóc jego opór w obliczu nieuniknionej śmierci. Danuta-Hadassa nie chciała, żeby Szachna umierał, chociaż rozumiała, że to jest dla niego jedynym wybawieniem od samotności, od szaleństwa, od niechęci ludzi nawet najbliższych.

Myślała, że i tak Jakub niebawem wyciosze na jednym z kamieni jego imię. A potem, tą samą silną i bezlitosną ręką, również imię jej, grzesznej. Czy dzieci znają jej polskie nazwisko? Na pewno nie słyszały go. Trzeba uprzedzić Jakuba, żeby na jej nagrobku wyrył nie D U D A K, ale S K U J B Y S Z E W S K A. Bo ona jest Skuj-by-szew-ska!... Nazwisko Dudak nadaje się jedynie dla motłochu, dla pospólstwa, ale nie dla potomków szlachty! Boże, jak bardzo pragnie, żeby pochowano ją nie na obcej ziemi; Litwa, choć taka dla niej dobra, mimo wszystko jest obca – lecz w ojczyźnie, to znaczy w Polsce! O ile przyjemniej jest leżeć wśród swoich niż wśród obcych! W rodzinnej ziemi nawet kości wolniej butwieją!

Kiedy Szachna umrze, Danuta-Hadassa zamówi mszę w kościele, a potem pomodli się za spokój jego duszy w synagodze rzeźników. Rabbi Hilel jest jej krajanem. Pochodzi z Lidy. Czasami rozmawia z nim po polsku i – o rozkoszy! – deklamuje mu wyuczone w młodości na pamięć wiersze Słowackiego albo Mickiewicza:

Litwo! Ojczyzno moja! ty jesteś jak zdrowie...

Jak zdrowie? Jak kara boska!...

Siedzisz przy łóżku umierającego Szachny, a przed tobą w dziwnym korowodzie przesuwa się wszystko, co minęło, przepływają twarze ludzi, którzy dawno spoczęli w Bogu: chudego jak tyczka Awnera – żebraka, który żebrał o wspomnienia, listonosza – podoficera policji Ardaliona Ignatiewicza Niesterowicza, który nie doczekał się powrotu syna znad perskiej granicy, teścia-olbrzyma Efraima Dudaka, oraz tych, którzy żyją do dzisiaj: najlepszego z najlepszych rabbiego Hilela i sklepikarza Chaskiela Bregmana, zwanego „Żydowskie

Wiadomości", swojaka Gedalego Bankweczera, najlepszego krawca na całej Żmudzi, i bałaguły Pejsacha Hurwicza, którego konie są mądrzejsze niż ich właściciel; przed oczyma Danuty przemykali również możni tego świata – Daladier, Chamberlain, Hitler i Stalin, Rydz-Śmigły i prezydent Litwy Smetona; oni też byli mieszkańcami miasteczka. Młodszy syn Aron wycinał ich zdjęcia z kowieńskiej gazety żydowskiej, układał je w stosik, tasował i grał ze swoim przyjacielem piekarzem, Berlem Fajnem, w jakąś przedziwną, jedynie dla nich zrozumiałą grę, w której Stalin był zawsze czymś w rodzaju atutu i bez trudu mógł przebić i Chamberlaina, i Daladiera, i Hitlera, nie mówiąc już o prezydencie Litwy Smetonie.

Korowód ustawicznie się zmieniał: włączały się do niego wciąż nowe i nowe postacie – właściciel fabryki mebli Baruch Bruchis, w którego domu Danuta była przez jakiś czas służącą, i dobroduszne niedźwiedzisko policjant Tamulis ze swoją odwieczną towarzyszką – ćwiarteczką monopolowej wódki, którą nieraz osuszał wśród żydowskich nagrobków. Czasami policjant po bratersku trącał się z nimi, głośno wykrzykując czyjeś nazwisko: Sagałowski! Łantuch! Ajzykowicz!

Wszyscy oni wyłaniali się z ciemności bez jej woli, bezcieleśni, bezgłośni niczym obłoki; z nimi Danucie szybciej upływał czas; noc mijała niepostrzeżenie, nie pozostawiając po sobie ani uczucia przygnębienia, ani goryczy, czasami przynosząc nawet niezasłużoną ulgę.

Danuta-Hadassa nie miała wątpliwości, że te majaki, to pomieszanie nazw i osób, odzieży i rzemiosł, zadręczają również i Szachnę – niewątpliwie on też je widzi, chociaż szary popiół z piecyka coraz bardziej zaprósza jego oczy.

Prawie nie rozmawiał z Danutą, tylko patrzył na nią, marszcząc swoje wielkie i ciężkie jak nagrobek czoło, coś wskazywał długimi wychudzonymi palcami, a ona uśmiechała się ze zrozumieniem, pochylając ku niemu swoją zmęczoną, choć wciąż jeszcze piękną głowę.

– Wszystko zrobię, wszystko... – obiecywała nie rozumiejąc zupełnie, co kryje się w jego prośbie.

– Zawołaj ją – poprosił, kiedy się rozwidniło.

– Kogo?

Naprawdę nie mogła zrozumieć, kogo powinna zawołać. Może przypomniał sobie kobietę, która kiedyś była mu bliska? Albo znowu przywidział mu się ten przeklęty, niedostępny motyl? A może, tak jak jego ojciec, stary Efraim, prosi, żeby przed śmiercią przyprowadzić do niego kozę.

– Powiedz Jakubowi, niech wykopie grób... – przytomnie, w pełni świadomości mówił dalej Szachna.

I teraz Danuta domyśliła się, po kogo ją posyłał. Po śmierć. Po śmierć jak po kozę. Danuta wyjdzie na podwórze, odszuka ją wśród cmentarnej trawy, przyprowadzi do domu, podprowadzi do łóżka i biała jak śnieg śmierć zaprószy puchem wszystko dokoła.

Danuta czuła – Szachna nie chce dłużej żyć. Ani minuty. Ani sekundy. Po co mu ta napływająca przez wszystkie pory ciemność, w której nic nie widać – ani tego, co było, ani tego, co jest, ani tego, co będzie? Po co mu ta cisza, w której nic nie słychać – ani krakania wron, ani pobekiwania kozy, ani płaczu, ani błogosławieństwa? Po co mu to łoże, na którym już go nikt nie obejmie, do nikogo się nie przytuli?

– Niech wykopie grób koło opalonej sosny... Tam, gdzie leży ojciec... – powiedział Szachna i zabrakło mu tchu.

Nie wiedziała, co odpowiedzieć. Czy kto kiedy słyszał, żeby za życia kopać dla kogoś grób?! Nie, Danuta nawet nie wspomni Jakubowi o prośbie ojczyma. Trudno, na śmierć trzeba czekać tak samo jak na szczęście.

– Nie ma Jakuba, jest w Judgiriaj...

Ta odpowiedź jakby uspokoiła Szachnę. Zaczął oddychać równiej, przestał jęczeć, otworzył wypalone przez chorobę oczy, usiłując dojrzeć czy to Danutę, czy to Judgiriaj, czy też oddalający się od niego nie wiadomo dokąd świt. W pokoju znowu zapanowała cisza, znowu zaczęło wydzielać swąd ognisko samotności i Danucie, tak jak przedtem, zakręciło się w głowie.

Może jednak poprosić Jakuba, żeby wykopał grób, pomyślała, i przeraziła ją jej własna myśl. Szachna i tak ledwo żyje. Gdyby nie ona, dawno by oddał duszę Bogu, mniej więcej trzydzieści–czterdzieści lat temu, kiedy przyjechał z Wilna do ojca, starego Efraima, z siatką na motyle w ręce. (Boże! Kiedyż to było! Wilno w tym czasie należało do Rosji i o takim państwie jak Litwa, nikt nawet nie słyszał!). Wszyscy w miasteczku stronili wtedy od Szachny! No bo jakże – meszugener, wariat; jeszcze nie daj Bóg, można się zarazić: wałęsa się po okolicy z siatką i chwyta motyle. Chwyta i wypuszcza. I znowu chwyta. Nie je, nie pije, tylko wymachuje siatką, uśmiecha się i przygaduje: poczekaj, ja cię i tak złapię... złapię... złapię...

Początkowo Danuta w żaden sposób nie mogła sobie wyobrazić, co to za motyl, za którym dzień i noc ugania się starszy brat Ezry – wysoki, postawny Szachna. Kogokolwiek pytała, każdy odpowiadał jej żałosnym, wylęknionym uśmiechem: meszugener... najzwyklejszy meszugener...

– Wiem, gdzie jest twój motyl – powiedziała kiedyś i poprowadziła za sobą Szachnę do brzeźniaka bielejącego za cmentarzem. A on potulnie powlókł się za nią, o nic nie pytając, nie spuszczając wzroku z jej smagłego karku, na którym, niby dzika winorośl, wiły się i kręciły włosy, z jej niestrudzonych, opalonych nóg, z jej łopatek rysujących się pod perkalowym mchem sukienki. Danuta kogoś mu przypominała, ale kogo właściwie, tego nie mógł sobie przypomnieć – Juliana Gawrońska, jego pierwsza miłość, pozostała tam, poza granicą jego szaleństwa, w kraju, który zniknął na wieki, którego nazwa zatraciła się w jego chorym umyśle niczym promień słońca w zatęchłej piwnicy.

Szachna patrzył na nią, kiedy tak szła przed nim i aż go korciło, aby zakosztować tej winorośli, potrzymać winne grono w ustach, nadgryźć; pożądanie przenikało rozum, potęgowało jego niccierpliwość, pobudzało do działania – nagle zaczął łowić siatką ją, Danutę, a ona, uradowana z tego, rzuciła się do ucieczki.

– Złapię, złapię, złapię – mamrotał.

Siatka migała wśród zielonych brzozowych liści, Danuta kluczyła między drzewami do chwili, kiedy poczuła, że brak jej sił i padła na trawę; runęła, rozrzuciła ręce, jakby chcąc kogoś objąć, Szachna upuścił siatkę, padł na kolana, podpełznął po miękkim mchu do tej dzikiej winorośli, do tych opalonych, niestrudzonych nóg, co przypominały dwa zwierzątka, które zabłąkały się w trawie, dotknął ustami policzka Danuty i brzozy nagle zamknęły się nad nią, nad jej perkalową sukienką, nad jego koszulą z grubego samodziałowego płótna, tworząc weselny baldachim.

I pod tym baldachimem poczęty został Aron.

Boże, ile czasu upłynęło od tamtej chwili, ile wiosen, nieszczęść i snów! Jak daleko, jak straszliwie daleko jest od tej chaty na cmentarzu, od tych ponurych nagrobków, od tych nienasyconych wron, od tamtej przenikliwie rozdzwonionej brzozowej gęstwiny!

Wsłuchując się w słabnący oddech Szachny, Danuta nagle przypomniała sobie, jak wówczas następnego dnia zapukał do ich domu miasteczkowy pastuch Pranciszkus i czerwieniąc się, miętosząc w ręku czapkę, powiedział:

– Wasza siatka... znalazłem w brzeźniaku...

– Daj ją swojemu malcowi – wyszeptała Danuta. – On – wskazała na Szachnę – już schwytał swojego motyla!...

Ale Pranciszkus położył siatkę przed drzwiami i cicho odszedł.

Szachna poruszył się nagle.

– A gdzie jest młodszy... Aron?

Danuta wzdrygnęła się. Czyżby podsłuchał jej wspomnienia? Zawsze zdumiewało ją, jak Szachna potrafi odgadywać cudze myśli. Co prawda, nie chwalił się swoją domyślnością – może chciał ją, Danutę, oszczędzić. Przecież czasami człowiek pomyśli o sobie coś takiego, że aż strach się przyznać.

– Aron? A gdzieżby miał być? Siedzi u Bankweczera i dzieli świat.

Na Arona nie ma co liczyć. Aron kopie grób dla ogólnoświatowej burżuazji. Jeszcze mu było mało siedzenia w więzieniu – wrócił dopiero w zeszłym roku. Trzy lata odsiadki. Trzy lata poszły na marne. Reb Bankweczer chciał go wyrzucić. Krawiec powinien siedzieć w pracowni, a nie w kryminale. Kajdany krawca – to igła i nożyce. I Bankweczer wyrzuciłby go na złamanie karku, gdyby nie Rejzl. I czym ją ten lekkoduch tak oczarował? Zanim się znalazł za kratkami, wybierał się na koniec świata. Do Hiszpanii... Przyszedł na cmentarz i oświadczył Danucie: „Jadę do Hiszpanii..." Ale Danuta bynajmniej nie straciła głowy i zapytała: „A czemu nie do Ameryki?" Na co Aron odparł z uśmieszkiem: „A dlaczego do Ameryki?" – „Słyszałam, że w Ameryce ludzie robią pieniądze" – burknęła matka. „Ja nie jadę robić pieniędzy!" „A co?" – „Co? Bronić biedaków!" Danuta słuchała, słuchała, aż w końcu wybuchnęła: „Jeżeli, Aronku, będziesz potem lepiej szyć – to jedź!" Bojownik się znalazł! Po prostu ciągnie go do kryminału. Aron powiada, że w więzieniu jest lepiej niż na wolności. Niby dlaczego w więzieniu ma być lepiej? W więzieniu, powiada Aron, jest jeden dozorca, a na wolności tysiące... na każdym rogu... na każdym skrzyżowaniu... A poza tym w więzieniu można mówić swobodnie to, co się myśli. Możesz mówić, co chcesz i tak obudzisz się na pryczy. Mędrzec zakichany.

Dawniej też z nim nie było łatwo, ale teraz... Teraz po prostu nie można do niego podejść. Odkąd w Miszkine pojawiły się radzieckie czołgi, Arona jakby ktoś odmienił. Wybiegł na ulicę i rzucił się, wariat jeden, pancerz czołgu całować. Czołgu... Tfu! W ciągu całego życia nie pocałował ani ojca, ani matki. Co, może nie ma kogo całować? A Rejzl? To skarb, nie dziewczyna... znosi takiego... broni go... katorżnika...

Nie, od Arona nie można się spodziewać pomocy.

Co prawda, z początkiem jesieni przyprowadził na cmentarz jakiegoś Rosjanina w czapce z gwiazdą i powiedział:

– Poznajcie się, mamo. Doktor Fiszman.

Danuta nigdy nie widywała takich doktorów – w mundurze wojskowym, w chromowych butach, z dwiema biedronkami na naramiennikach.

– Bardzo mi miło, bardzo mi miło – zagadała zerkając na Arona.

– Doktor Fiszman zgodził się obejrzeć Szachnę.

– A co tu jest do oglądania?

– Radzieccy lekarze niewątpliwie są najlepsi na świecie – zapewnił Aron stanowczo. – Nieboszczyków potrafią postawić na nogi.

Doktor Fiszman speszył się, zamrugał wiśniowymi oczami, uśmiechnął się ze skruchą i wszedł za Danutą do chaty. W chacie długo i dokładnie opukiwał Szachnę, ale widocznie nie dosłuchał się niczego pocieszającego. Zadał choremu kilka pytań, ale gdy nie otrzymał na nie odpowiedzi, odwołał Arona na stronę i coś mu szepnął na ucho.

– Co on ci powiedział? – zapytała Danuta, kiedy zostali z młodszym synem sami.

– Powiedział, że radzieccy lekarze rzeczywiście są najlepsi na świecie, ale istnieją takie choroby, których nawet oni nie potrafią wyleczyć.

Danuta kochała Arona mniej niż Jakuba, chociaż w żaden sposób nie mogła się pogodzić z tym, że Jakub, tak samo jak jego dziadek, został grabarzem, zamiast wyuczyć się jakiegoś innego, godniejszego rzemiosła. W Aronie nie było tej spokojnej, urzekającej siły, która cechowała jego starszego brata – poza tym, że miał jasne, barwy dojrzałej pszenicy włosy, był stuprocentowym Żydem – gadatliwy, w miarę sprytny, w miarę niefrasobliwy, o szybkich niekontrolowanych ruchach, jak u jarmarcznej kukły. Aron łatwo nawiązywał znajomości i równie łatwo, w przeciwieństwie do Jakuba, rozstawał się z ludźmi.

Danuta była niemal pewna, że jej Aronek zakończy żywot na szubienicy, tak samo jak jego stryjek Hirsz Dudak, który targnął się na życie wileńskiego generała-gubernatora i został skazany przez wojskowy sąd polowy na karę śmierci przez powieszenie. Danuty nie pocieszał nawet fakt, że na Litwie, jak słyszała, jeszcze nikogo nie powieszono, że tu nie Sybir i że istnieje tylko jedno ciężkie więzienie – w Kownie, a i tam można jakoś wytrzymać.

Mimo iż Danuta na wszelkie sposoby próbowała przekonać swego młodszego syna, że w ich rodzinie wystarczy jeden powieszony – stryjek Hirsz – lepiej nie wymieniać przed nocą jego imienia! – Aron nawet słuchać tego nie chciał.

Kiedy dowiedział się o swoim przodku-męczenniku od Mejłacha Blocha, wodza i nauczyciela miejscowego proletariatu, czym prędzej pośpieszył podzielić się niezwykłą nowiną z wszystkimi w miasteczku, nawet z policjantem Tamulisem, który pogratulował mu takiego pokrewieństwa, jako że bardzo nie lubił Rosji i jej generałów-gubernatorów.

Jedynie teściowi Arona – Gedalemu Bankweczerowi – nie spodobała się nowina o Hirszu Dudaku.

– Żyd w żadnej sytuacji nie powinien strzelać do generałów-gubernatorów, Żyd w ogóle nie powinien strzelać.

– Dlaczego? – zapytał urażony Aron.

– Dlaczego? Dlatego, że jeden strzał oddany przez Żyda może się zmienić w dwa pogromy.

Danuta wstała, przeszła się po pokoju, spojrzała tam, gdzie w mroku można było odgadnąć okno.

Ani jednego szelestu, ani dźwięku. Sosny cmentarne ucichły, jakby w obawie, że swoim szumem odstraszą skradającą się śmierć, i wiatr nie przemykał między grobami, wiatr też musi się przespać, dosyć się natrudził w ciągu dnia, biedaczysko.

A może Arona znowu zabrali? Ugania się po miasteczku jak zwariowany i wychwala Armię Czerwoną, wynosi ją pod niebiosa.

Wolność! Równość! Braterstwo!

Dureń, dureń! Danuta aż się skuliła ze strachu. Równości nie ma nawet wśród nieboszczyków.... Braterstwo też nie istnieje... Dobrze to wie, tyle lat przeżyła na cmentarzu!... A jeśli mowa o wolności, to nie jest ona warta nawet funta kłaków, jeżeli na świecie istnieje śmierć... Nikt jej nie uniknie... Nikt...

Myśl o śmierci wypchnęła na powierzchnię myśl o całunie. Co będzie z całunem?

Aron sam zaofiarował się kupić płótno. Że niby nie ma sensu czekać do ostatniej chwili, a potem uganiać się z wywieszonym językiem... Wpadnę, mówił, do sklepiku Chaskiela Bregmana i kupię...

– Ile?...

– Dwa i pół metra!

Wczoraj Aron zmierzył ojca, gdy ten wpadł w kolejny stan nieświadomości.

Boże, Danuta nigdy nie myślała, że Szachna jest aż taki wysoki. Ciocia Stefania zapewniała, że wysocy mężczyźni służą w kawalerii.

Szachna Dudak – ułanem?

– Cha! Cha!

Jeżeli Arona zabrali, mógłby się chociaż domyślić, żeby przekazać płótno przez policjanta. Tamulis to dobry człowiek, traktuje Danutę z szacunkiem, przyniesie.

Nagle wyobraziła sobie, jak do chaty wchodzi Tamulis, jak rozpakowuje zawiniątko, podchodzi do łóżka Szachny i narzuca na niego białą płachtę, zszytą przez czeladników reb Gedalego Bankweczera. Całun bieleje w mroku niczym biała bryła lodu i na wszystkie strony, we wszystkie kąty, rozpryskują się od niej śliskie, zimne okruchy; uderzają o jej, Danuty, boki, aż w końcu zamienia się w lód.

Ani Tamulisa, ani Arona.

Nikogo.

Gdzież on jest, ten jej wyskrobek?

Koleżkowie Arona pewnie już dawno rozeszli się po domach, odłożyli igły i naparstki, przestali – przynajmniej do rana – obalać rządy i ustanawiać na świecie swoje krawieckie porządki. Chaskiel Bregman o przezwisku „Żydowskie Wiadomości" zamknął swój sklepik na siedem spustów, rozebrał się i zakopał w ciepłym, wygrzanym przez żonę łóżku, niczym w piasku Ziemu Obiecanej; u niego już do samego rana nic się nie kupi – ani świec żałobnych, ani taniego płótna na całun.

Gdzie jest Aron?

U swojego wodza i nauczyciela Mejłacha Blocha?

A może na rynku?

Jaki to dzień dzisiaj? Czwartek?

W czwartki na rynku, naprzeciwko kościoła, przygrywała rosyjska orkiestra wojskowa i tańczyli żołnierze. Całe miasteczko schodzi się, żeby ich oglądać. Niektórzy patrzą na nich z obawą i nienawiścią, inni z nadzicją, a nawet z miłością; Aron nie omija ani jednego występu, siada jak można najbliżej drewnianej estrady i z całej siły klaszcze w dłonie. Klaszcze i śpiewa, wtórując czerwonoarmistom:

Ej, kalinka, kalinka, kalinka moja...

Albo sam puszcza się w tany. Ujmie się pod boki i dależe wystukiwać takt obcasami. Proletariusze wszystkich krajów, którzy śpiewacie i tańczycie, łączcie się. I Aron łączy się z nimi, póki noc nie zapadnie.

Oczywiście, niewielka to przyjemność siedzieć przy łóżku umierającego ojca, słuchać, jak chrapie, jak głośno, z wysiłkiem charczy, mamrocze coś w krótkich chwilach zbawiennej maligny, ale gapić się na wojsko, nawet na takie, które nie strzela, lecz zabawia się na cudzej ziemi, wytańcowywać z nimi kozaka, też się nie godzi.

Pst! Ktoś idzie!

Danuta nadstawiła uszu.

Dziki, czy co?

Zgłodniałe zwierzęta raz po raz zabiegały na cmentarz. Chrumkając, obwąchując nagrobki, poszturchiwały ryjami świeżo usypane pagórki grobów, i cała rodzina, Jakub, Aron, Szachna i ona, Danuta, wybiegali z izby z pochodniami z płonących pakuł, próbując odstraszyć zwierzęta.

Danuta podeszła do okna i wbiła wzrok w rozświetloną gwiazdami ciemność.

Nie, nie. Dzięki Bogu, to nie dziki.

Do jej czujnych, wskutek samotnego przebywania na cmentarzu uszu, dobiegł odgłos kroków – tym razem bardzo wyraźny i donośny.

Jakub, stwierdziła Danuta.

Młodszy syn chodzi lekko, skocznie, za to Jakub stąpa tak, jakby wdeptywał w ziemię kamienie.

– To ty? – zapytała ciemności.

– Uhm.

– Zjesz coś?

– Nie.

Nie miało sensu dopytywać się, gdzie był. Ostatnio Jakub często wychodził z domu i Danuta nie bez podstaw zaczęła podejrzewać, że i on, podobnie jak Aron, zagląda do wodza i nauczyciela miejscowego proletariatu, Mejłacha Blocha. Jednakże podejrzenia Danuty nie potwierdziły się. Udało jej się jedynie dowiedzieć, że Jakub razem z drugą córką Gedalego Bankweczera, nie wiadomo po co, dwa razy w tygodniu jeździ do Judgiriaj, do jakiegoś chłopa. Ale i to wystarczyło, żeby Danuta doznała czegoś w rodzaju wstrząsu. Boże, czy musiało się tak stać, żeby dwaj bracia ubrali się w dwie siostrzyczki? Czy poza Eliszebą nie ma już w miasteczku innych dziewczyn? Młodszy związał się z Rejzł, a starszy z tą chudziną, która ma tylko jedno w głowie – Palestynę. Z Palestyną w głowie kładzie się spać, z Palestyną wstaje. My nie mamy tu co robić, powiada, dopóki nas wszystkich co do jednego nie powyrzynali, trzeba brać nogi za pas.

My? To znaczy kto „my"? Danuta bynajmniej nie jest Żydówką. I jej synowie są ani tacy, ani siacy. I połap się tu, kim są. Dla jednych – to Żydzi, dla innych – Polacy. Zależy z której strony na to spojrzeć. Jakuba Eliszeba może jeszcze namówi na wyjazd, ale Aron... Aron nigdzie się stąd nie ruszy. Dla niego Palestyna – to Moskwa, gdzie wszyscy są równi i gdzie, wedle tego co mówi, nawet grabarze rządzą państwem. Jeśli idzie o państwo, to młodszy syn wyraźnie przesadzał, ale jak się tak dobrze zastanowić, to przecież obojętne, gdzie się szyje spodnie i chowa nieboszczyków.

– Żyje jeszcze? – zapytał Jakub i ucałował mezuzę.

– Żyje – odparła Danuta.

Raptem poczuła się dotknięta, że Jakub najpierw ucałował nie ją, ale zaślinioną mezuzę przybitą do framugi drzwi.

Jakaś nieznana, nieprzeparta siła porwała Danutę i uniosła z tego domu, z tej ciemnicy, z tego już nie dla niej przeznaczonego czasu, do innego domu, do innego mroku, do innego niepojętego wymiaru, kiedy to została sama, samiuteńka w Północno-Zachodnim Kraju, w środku Rosji, w środku ziemi, bez grosza przy duszy, bez dachu nad głową – ani wędrowna aktorka, ani chłopka, ani żona, ani kochanka – po prostu jak ten dmuchawiec w polu, tułająca się żebraczka z ogromnym, odbijającym dźwięki niby cygański bęben brzuchem. Gotowa była się podjąć każdej pracy – sprzątania, kopania, plewienia, rąbania drzewa, ale wszyscy, do których się zwracała, opędzali się przed nią; w jej uszach dzwoniło wciąż to samo monotonne, bezlitosne: „Nie!" Nie miała już ani sił, ani ochoty żyć dłużej. Nienawidziła wszystkich – i Ezry, który wywabił ją z przytulnego gniazdka w Smorgoniach, i dziecka, które nosiła pod sercem, i ciągnącego się bez końca traktu pełnego dziur i wybojów, i zapluskwionej fałszywej przytulności zajazdów; nienawidziła Polaków, którzy ją odepchnęli, Żydów, którzy jej nie przyjęli na łono żydostwa, Litwinów, którzy nie byli chętni do udzielania jałmużny, i Rosjan przejeżdżających obok w powozach i wolantach.

Półtora miesiąca przed przyjściem na świat Jakuba postanowiła Danuta rozstać się z życiem.

Wydawało się, że nikt nie może jej przeszkodzić w urzeczywistnieniu tego zamiaru.

A jednak znalazł się ktoś taki.

Danuta zapomniała już, jak się nazywał. Chyba Pinkus.

Do dzisiaj pamięta jego przekrzywioną na bok ze starości karczmę ze zmurszałą kalenicą i jego niski, zachrypnięty głos, i zatłuszczony surdut, i siwe, aż białe skręcone niczym wióry pejsy.

Przygarnął ją, nie pytając o nic, ulokował w przesiąkniętym zapachem kapuśniaku i gotowanych kartofli pokoiku, sąsiadującym z zakopconą kuchenką, w pokoiku, który zapewne kosztował grosze.

– Mieszkaj sobie – powiedział i wyszedł.

Podziękowała mu, zdecydowana jeszcze tego samego wieczoru skończyć ze sobą. I na pewno by to zrobiła, gdyby nie przyszło jej do głowy po raz ostatni pójść do kościoła pomodlić się.

Wybrawszy stosowną chwilę, kiedy jego dziwnej lokatorki nie było w domu, karczmarz zaczął porządkować jej pokój: podmiatać, wietrzyć, wzbijać poduszki, prześcielać łóżko – niech nowy człowiek przyjdzie na świat w czystym, przytulnym miejscu.

Prześcielając łóżko stary Pinkus, pod wypchaną słomą poduszką, znalazł maleńką buteleczkę z podejrzanym płynem.

Karczmarz odkorkował buteleczkę, powąchał płyn i krzyknął:

– Arszenik!

Niewiele się zastanawiając, chlusnął zawartość buteleczki przez okno, wrzątkiem przepłukał naczyńko i zamiast trucizny wlał do niego paschalną nalewkę na miodzie. (Działo się to akurat w przeddzień Paschy).

Danuta wróciła z kościoła i w ubraniu położyła się na łóżku – jutro inni ją rozbiorą! – pogładziła się po brzuchu jakby prosząc o wybaczenie, wyjęła spod poduszki buteleczkę, zamknęła oczy, wyszeptała modlitwę i – o Boże, wybacz i zmiłuj się! – wlała całą zawartość do wyschniętego z podniecenia gardła.

Leżała i z jakąś pełną szczęścia pokorą czekała, kiedy chwycą ją bóle, kiedy kupiony za ostatnie grosze płyn wypali w niej wszystko: i Smorgonie, i Wilno, i żmudzką głuszę – Miszkine, dokąd zakochany Ezra woził ją do swojego ojca – kamieniarza.

Ale ani kolek, ani palenia, ani boleści nie czuła. Po ciele rozpływało się jakieś błogie ciepło.

Zaraz, zaraz, uspokajała się Danuta nie mogąc się doczekać końca.

Ciepło jednak przerodziło się nie w ból, lecz w lekki zawrót głowy.

Boże, a może wypiłam nie to, co trzeba?

Może sklepikarz – Grek ją oszukał? Zamiast arszeniku podsunął jej jakąś wodę różaną?

Przecież wydrapie mu za to te jego bezwstydne kupieckie oczy! Rozerwie go na strzępy! Powiedziała mu wyraźnie: myszy się rozmnożyły... Myszy nie dają jej spokoju... nie dają żyć...

Wszędzie dokoła myszy! Mysz Judl Krapiwnikow, ekonom hrabiego Zawadzkiego, który spijał ją szampanem i ofiarował jej swoją lokajską miłość.

Mysz Ezra, który wodził ją po miastach i wsiach, i zmuszał do zabawiania gawiedzi.

Łzy ją dławiły.

Danuta wąchała pustą buteleczkę. Nie wiedziała, jak pachnie arszenik, ale z wąskiej szyjki wionęło nie zbawieniem, lecz dotychczasową niewolą, nie śmiercią, lecz niedorzecznym, nikomu niepotrzebnym świętem.

Danuta zaczęła lamentować, cisnęła buteleczką o ścianę i po kątach rozpełzły się szkliste mrówki.

Stary Pinkus przybiegł usłyszawszy krzyk, stanął w progu i rozwlekając słowa zadał wyuczone pytanie:

– Co panienka rozkaże?

Chciała rzucić karczmarzowi w twarz: „Talerz śmierci! I kęs zguby na dodatek!" Ale jej zdecydowanie jakoś osłabło. Niewidzącymi oczyma patrzyła na staruszka, na szklane mrówki, które wcisnęły się w kąt.

– Dlaczegoście to zrobili? Dlaczego? – wykrztusiła wreszcie.

– To nie ja zrobiłem. To Pan Bóg.

– Tak?

– Bóg daje, Bóg do stołu podaje. Powiedzmy, że człowiek czeka na kawałek mięsa, a Najwyższy kładzie mu do miski tylko kość. Albo na odwrót. Temu, kto by się mógł udławić kością, podsuwa polędwicę. – Pomilczał chwilę i dodał: – Nie ma takiej śmierci, która by była lepsza od życia.

To on, Pinkus, zmusił ją do pozostania w karczmie, zrobił z niej swoją pomocnicę; to on przyprowadził do niej Rudą Sorł, z którą wspólnie przyjmowali poród; to on wezwał z synagogi mohela, żeby dokonał obrzezania nowo narodzonego Jakuba, ale Danuta kategorycznie się temu sprzeciwiła. Jak można sprawiać taki ból małemu dziecięciu?

Stary Pinkus ani razu nie zapytał, kim ona jest, czyje to dziecko. Gdyby nie karczmarz, nie byłoby na świecie ani jej, ani Jakuba, ani Arona.

Danuta przemieszkała w karczmie prawie dwa lata, dopóki Jakub nie podrósł. Stary Pinkus szukał nawet dla swojej służącej narzeczonego, próbował ją wydać za wdowca-garncarza, ale chyba niezbyt energicznie ją swatał, a może wdowiec, który był staroobrzędowcem, nie chciał się żenić z katoliczką.

Przez całe życie zamierzała wybrać się do tej przekrzywionej przydrożnej karczmy, odwiedzić swojego zbawcę, ale jakoś się nie wybrała. Okazało się, że karczma jest w jednym państwie – w Polsce, a Danuta w innym – na Litwie.

Tylko wówczas, kiedy Danuta myślała o Bogu, nie wiadomo dlaczego zawsze przypominał się jej ten karczmarz, jego pejsy jak wióry wysuwające się spod aksamitnej jarmułki, jego bystre, przenikliwe spojrzenie, niski zachrypnięty głos... „Nie ma takiej śmierci, która by była lepsza od życia". Czy aby nie wtedy Danuta przekonała się o prostej, pobudzającej wyobraźnię prawdzie, że człowiek w takim stopniu jest Bogiem, w jakim chce nim być?

– On prosi, żebyś wykopał grób – powiedziała do starszego syna.

– Ja żywych nie grzebię – odburknął Jakub.

– On ma już dosyć... Ma dosyć tych męczarni – wyszeptała Danuta, nie patrząc na łóżko.

– Nie on jeden się męczy – burknął Jakub.

Stał przy oknie i patrzył na płomień zapalonej lampy, który, jakby się mogło wydawać, ściga ciemność niczym lis kury – w pokoju migotały purpurowe postrzępione rozbłyski.

– Kiedy Szachna umrze, będzie ci lżej.

Danuta nie zaprzeczała synowi. Może istotnie będzie lżej. Naturalnie, ale śmierci, śmierci mu nie życzyła; Bogu dzięki, przyzwyczaiła się do udręki. Niech żyje, póki sam się męczy i męczy ją... Pustka i samotność są straszniejsze niż z trudem oddychające obok nieszczęście, niż żywe, głośno wołające cierpienie. Nieszczęścia można dotknąć, usłyszeć jego głos. Kiedy w chacie, poza myszami i Bogiem nie ma nikogo, nawet bliskość śmierci sprawia, że człowiekowi jest jakoś cieplej na duszy i mniej jest przerażony otaczającą pustką.

– Jak to jest przedziwnie urządzone: kto chce umrzeć, ten za nic nie może – powiedziała. – Za to, jeśli ktoś pragnie żyć, musi umrzeć...

– A czy według ciebie, on chce żyć? – poruszył Jakub wargami w ciemności.

– Nie wiem.

Jakub wiedział, że nie można się z nią spierać, ale milczeć też nie chciał. Matka nie lubi milczków. Mów, o czym ci się żywnie podoba – byleś nie milczał. Milczenie, twierdziła matka, jest głębsze niż mogiła, a milczek bardziej skryty niż nagrobek.

On, Jakub, widocznie był takim milczkiem.

– Gdybyś był wtedy zakopał mój kapelusz – tego samego dnia bym umarła...

– Jakoś nie słyszałem, żeby człowiek umierał z powodu kapelusza...

– Człowiek, Jakubie, umiera wtedy, kiedy grzebie się coś, co jest mu drogie: kapelusz... przyjaciela... nadzieję... – powiedziała.

Twój kapelusz jest cały w dziurach... już dawno mole go pocięły... ludzie się śmieją – rzekł z wyrzutem.

– Nieprawda... cicho, z przejęciem zaprotestowała Danuta.

– Śmieją się – upierał się Jakub.

– To prawda, że się śmieją, ale nieprawda, że jest cały w dziurach... że go mole pocięły... Codziennie go obsypuję... a ty, Jakubie, nigdy się nie domyślisz czym... bo masz nieczułe serce... Nigdy!

Nawet nie starał się odgadnąć zagadki. Co go obchodzi, czym matka obsypuje swój skarb: naftaliną czy wypalonym piaskiem, przewiędłymi liśćmi kaliny czy starymi kasztanami. Ale kapelusza, jej słynnego kapelusza, nic nie uratuje przed starością. Handlarz starzyzną Motł nie da zań złamanego grosza.

– Ja go, Jakubie, posypuję miłością – powiedziała, zniżając głos, jakby zwierzała mu się z największej, najściślej strzeżonej tajemnicy. – A to, mój synu, co jest obsypane miłością, nie starzeje się, nie ulega zniszczeniu... Nigdy!... Jeżeli chcesz wiedzieć, to ja ciebie też całe życie obsypywałam... i dlatego taki wyrosłeś...

Zwinny lis wciąż uganiał się za kurami i w ciemności raz po raz trzepotało bezbarwne skrzydełko knota.

– I jego, Szachnę – Danuta dotknęła palcem łóżka – obsypywałam, kiedy polował na swojego motyla, kiedy był stary i kiedy był młody, i krzyczałam za nim: Meszugener! Meszugene kopf!

Co prawda, to prawda: Danuta uczyniła dla Szachny więcej niż dla kogokolwiek. Przywróciła go do życia, uro-

28

dziła mu syna Arona, ponownie nauczyła pracować. Zanim się Aron urodził, Szachna nie robił nic; dzień w dzień wałęsał się po cmentarzu albo po zagajniku brzozowym i wymachiwał swoją siatką; nieróbstwo wlokło się za jego obłędem, niczym wierny pies za swoim panem. Danuta obudziła w nim chęć do pracy, chęć, która go opuściła; włożyła mu do ręki łopatę, a on wyczyniał z nią cuda. Początkowo w miasteczku obawiano się tego (gdzie, kto, kiedy o tym słyszał?), żeby wariat kopał dla zmarłych mogiły, ale kiedy ludzie zobaczyli, jak on k o p i e, jak troskliwie okopuje wzgórek, jak go wygładza, najwięksi krzykacze umilkli. No bo i jakże! Szachna prawie nie brał pieniędzy od pogrążonych w bólu rodzin, a jeżeli brał, to tylko na nową łopatę.

– I twojego ojca... Ezrę... Panie świeć nad jego duszą, obsypywałam. I twojego brata Arona... – Danuta nie mogła przestać mówić. – Ty po prostu nie jesteś w stanie pojąć, ile jej miałam.

– Czego?

– Miłości.

Nigdy dotąd matka nie rozmawiała z nim w sposób tak tajemniczy i zawiły. Jego słownik składał się z innych słów – prostych i zrozumiałych: „łopata", „chleb", „koza", „kamień", „dół". I całkowicie one mu wystarczały. Grabarz to nie rabin: za niego przemawia szpadel.

Zamiłowanie do pięknych słów pozostało Danucie z czasów młodości, kiedy wraz z Ezrą wędrowała po miasteczkach i wsiach Północno-Zachodniego Kraju. Śpiewała i tańczyła na placach i w stodołach, na polskich i żydowskich świętach, przed chłopami i stójkowymi, przed szewcami i takimi krawczykami jak Aron...

Jakub słuchał jej i wydawało mu się, że to nie ona sama wymyślała te słowa, lecz zapożyczała je z jakiejś starodawnej książki czy sztuki, w której niegdyś grała główną rolę, gdzie były i przysięgi, i czułe wyznania, i nawet tragiczna śmierć.

Nieraz widywał, jak matka, kiedy zostawała sama wśród nagrobków, ni z tego, ni z owego zaczynała wygłaszać wzniosłe tyrady, powtarzać dziwaczne, niczym pióro przy jej kapeluszu, słowa, których nie rozumiał nawet brat Aron, mimo iż nałykał się z gazet najróżniejszych mądrości.

– Milady! Hidalgo! Ambrozja! O, mój kardynale!

Tymi słowy zwracała się do cmentarnych sosen, do wron przelatujących nad jej głową, do nagrobków i nawet do kozy, która chodziła za swoją panią i żałosnym bekiem wtórowała jej tkliwym wynurzeniom.

– Hrabino! – wyciągała matka ręce do prostodusznej kozy, której wiatr rozwiewał lnianą bródkę. – Pojmuję pani ból!

Te okrzyki, te nieoczekiwane wybuchy szaleńczej, zapożyczonej namiętności, to nieskończone wędrowanie uroczystym krokiem po cmentarzu, to uginanie kolan przed nagrobkami napawały Jakuba coraz większym przerażeniem. Najbardziej się obawiał, żeby o tych matczynych wędrówkach nie dowiedzieli się miasteczkowi plotkarze. Dowiedzą się i roztrąbią na cały świat. I wtedy człowiek spali się ze wstydu.

Pewnego razu, zastawszy matkę w takim podniosłym nastroju, Jakub nie wytrzymał i zapytał, z kim prowadzi taką ożywioną rozmowę.

– Z Filipem, królem Hiszpanii... – odparła matka, jakby chodziło o krawca Gedalego Bankweczera, teścia Arona, albo o policjanta Tamulisa... – Żądam zmiany królewskiego edyktu.

– Jakiego edyktu? – usiłując zachować spokój, dopytywał się Jakub.

– O wysiedleniu z królestwa wszystkich Żydów.

– Tak, ale ja tu nie widzę żadnego Filipa.

– Ty, Jakubie, widzisz jedynie to, co jest.

– A co trzeba widzieć?

– Wszystko. To, co było i to, co będzie. Dusza widzi o wiele więcej niż oczy. – Danuta roześmiała się, ale natychmiast zamilkła.

Poczęli nasłuchiwać.

– Połóż się, matko, odpocznij... a ja go dopilnuję... – Jakub wytarł ręce o spodnie i podszedł do cicho leżącego Szachny. Kiedy bezgłośnie, niby woda, przelał się z jednej ciemności, skąpo oświetlonej przez knot lampy, w drugą, nietkniętą żadnym błyskiem światła, pierwsze, co usłyszał, to był jęk Szachny, który najwidoczniej usiłował zespolić w jedną harmonijną, pożegnalną wypowiedź rozsypujące się w proch słowa.

– Jakubie? – cicho wyrzekł umierający.

– Jestem.

– Poznałem... Po oddechu...

– Wszyscy ludzie oddychają jednakowo.

– Nie. Niektórzy, Jakubie, oddychają dobrem, a niektórym z ust..., z nozdrzy cuchnie złem.

Szachna mówił, robiąc między słowami długie, ciemne i tajemne niczym mysie norki pauzy, łykając gęste cmentarne powietrze otwartymi ustami, jak ryba przynętę.

– Czy... matka ci powiedziała?

Jakub udał, że nie słyszy. Nie miał ochoty mówić o śmierci; w ogóle nie czuł najmniejszej chęci do mówienia; już dość nagadał się z matką; słowa męczyły go bardziej niż machanie łopatą; przypominały natrętne muchy, co bezsensownie, ogłupiająco bzyczą. Wystarczy uchylić drzwi i zlecą się zewsząd – ze śmietnika, z rynku, spomiędzy stron gazet.

– Ja chcę obok... ojca... twojego dziadka... – jęknął Szachna.

Jakub też zamierzał wykopać dla Szachny grób koło opalonej sosny. Co prawda, nie ma tam wolnego miejsca, ale pochowa Szachnę naprzeciwko, pod dziuplastym klonem, po którym śmigają wiewiórki i który czarny dzięcioł ostukuje niestrudzonym dziobem jak szewc młotkiem. Tam, pod klonem, legnie i matka, kiedy nadejdzie jej pora, chociaż kto wie, co może jej przyjść do głowy; uprze się, powie: „Pochowaj mnie na cmentarzu katolickim"; przecież zachowała nawet krzyżyk od chrztu: ukrywa go przed obcymi oczami i tylko z rzadka wyjmuje, przeciera szmatką – żeby nie zardzewiał.

– Pamiętasz? – zwrócił się Szachna do Jakuba.

Brakowało mu tchu, żeby dokończyć to, co chciał powiedzieć. O co pytał? O to, czy Jakub pamięta, gdzie jest opalona sosna? Zabawne. Grabarz wszystko pamięta – każdą ścieżynę, każdy kącik, każdy kamyczek.

On, Jakub, wszystko pamięta. Pamięta, jak Szachna uratował ich od sieroctwa, jak się postawił, kiedy przewodniczący gminy, Serejski, chciał ich wyrzucić z cmentarza. No bo jakże – nie-Żydówka i jeszcze na dodatek z bękartem.

Kim by był bez Szachny? Nikim.

Szachna nie tylko go wychował, ale odkrył mu cały rozpościerający się za ogrodzeniem cmentarza świat. Bywało, że ojczym brał go ze sobą nad rzekę albo do lasu brzozowego i opowiadał mu najdziwniejsze rzeczy i dziwy o bazarach Niniwy lub o fenickich górach, a królu Artakserksesie i dzielnej Esterze, i udręczonym cierpieniami Hiobie, i przemądrym Izajaszu. Na brzegu Niemna czy w lasku brzozowym brzęczały dzwoneczki mułów, pokrzykiwali poganiacze, psalmiści wyśpiewywali psalmy.

Szachna nauczył też Jakuba pisać: kreślił na mokrej glinie hebrajskie litery, podobne do koników polnych, zwinnych jaszczurek i biedronek. Ożywały one w dziecięcych snach Jakuba, skrzeczały, bzykały, a on aż do świtu krążył między nimi, niby po ogrodzie w lecie.

– Pamiętasz? – nie ustępował Szachna.

– Tak – ulżył Jakub jego cierpieniom.

Szachna był dobry nie tylko dla niego, ale i dla matki; nawet wziął z nią ślub w synagodze rzeźników – dopiero co przysłany do miasteczka rabbi Hilel nie zdążył się nawet zorientować, czy pan młody jest szaleńcem, czy nie. Wszyscy żonaci to szaleńcy.

Jakub nie miał ochoty na żadne wspominki. Wspomnienia mogły jedynie obciążyć duszę umierającego.

– Mane, tekel, fares – wycedził z trudem Szachna. – Pamiętasz?

Jakub wzdrygnął się. Nie rozumiał, po co Szachna wypowiada słowa zaklęcia rozbrzmiewające w niepamiętnych czasach, w dumnej Jerozolimie. Może miał nadzieję „zamówić" swoją chorobę? Co tam chorobę – samą śmierć.

– A czy pamiętasz lwią jamę? – ciągnął Szachna.

– Lwią jamę, lwią jamę... No jakże... Król Dariusz wrzucił pomiędzy lwy nieszczęsnego Daniela.

– I król podszedł do jamy... – wytchnął Szachna.

Ciemność połyskiwała w kątach niby woda w odmęcie.

Jakuba zdumiewał upór Szachny. Umicrając jakby wzywał go do zawodów – kto sobie więcej przypomni, kto szybciej przeniesie się tam, do Jerozolimy. Albo do Niniwy. Albo do gajów fenickich. Do kraju, w którym sną rzeki mlekiem i miodem płynące.

Wydawać by się mogło, że Szachna nie leży na łożu śmierci, ale w wysokiej cmentarnej trawie, jak wiele lat temu, i pogryza jakieś ździebełko; ździebełko chrzęści mu w zębach i poprzez ten chrzęst, poprzez gęstwę bujnej, wyrosłej na kościach trawy, do jego uszu dobiega głos królów, krzyki poganiaczy mułów i błogosławieństwo Boga.

– „Mój Bóg posłał swego anioła i on zamknął paszczę lwom" – wyrecytował Jakub, pragnąc zrobić przyjemność swemu wychowawcy i opiekunowi. – „Nie wyrządziły mi one krzywdy, ponieważ On uznał mnie za niewinnego..."

– Niewinnego – wyszeptał rozpromieniony Szachna, a Jakub aż zadrżał..

– „A także wobec ciebie nie uczyniłem nic złego..."[1]

– Ani wobec ciebie... ani wobec innych – powtarzał Szachna, wyzwalając się od ziemskich trosk.

W ciszy rozległ się płacz. Danuta szlochała, zachłystując się i czkając, a łzy, niby słowa Pisma Świętego, skapy-

---

1 Księga Daniela 6,23

wały w ciemność na jej męża Szachnę, na jej syna Jakuba, na pacholę Dawida, którego król Dariusz wtrącił do jamy na pożarcie lwom. Skapywały i nie wysychały.

Po łzach, jak po drabinie, Daniel wyszedł z jamy pełnej lwów bez jednego draśnięcia, jako że wierzył w Boga.

Jakub zamilkł, oblizał wyschnięte wargi. Przez chwilę wydawało mu się, iż ciszy w chacie zrobiło się więcej niż ciemności.

– Szachna! – zawołał.

– Szachna! – zawołała Danuta-Hadassa.

Ciszy zrobiło się jeszcze więcej. Jeszcze nigdy nie było jej tak wiele pod tym dachem.

– Szachna! – krzyknął Jakub na ciszę. Ale cisza nie odpowiedziała – ani głosem, ani echem.

Jakub podszedł do łóżka, namacał w ciemności rękę Szachny i natychmiast, jakby to była deszczułka, odłożył ją z powrotem.

Szachna Dudak, wychowanek szkoły rabinackiej, tłumacz wileńskiego wydziału żandarmerii, szaleniec, który przez wiele lat ścigał swoją winę niby motyla, dawny poddany Imperium Rosyjskiego, a w tej chwili obywatel niepodległej Litwy, był martwy.

Leżał na łóżku, niczym w jamie, a królewskie lwy szarpały jego pozbawione oddechu ciało. Ale Jakubowi się wydawało, iż Szachna, mimo że jest martwy, czuje ból.

Aron

O śmierci Szachny (Aron nie nazywał go ojcem, lecz jak matka, po imieniu) dowiedział się zupełnie przypadkowo.

Sklepikarz Chaskiel Bregman, o przezwisku „Żydowskie Wiadomości" (Aron przedwczoraj kupił u niego dwa i pół metra płótna na całun), zatrzymał go na środku ulicy i z życzliwą natarczywością, do której są zdolni jedynie handlarze i policjanci, zapytał: kiedy pogrzeb? bo podobno brat Jakub przychodził po żałobne świece.

No bo istotnie, skąd Chaskiel miał wiedzieć, że Szachna oddał duszę Bogu? Od czasu, gdy Aron ożenił się z Rejzł i prawie się nie pokazywał na cmentarzu, starając się raz na zawsze zapomnieć o tym m i e ś c i e s n u, jak mama nazywała cmentarz, o tych sosnach opaskudzonych wronim pomiotem, o tej szeleszczącej trawie przesyconej zapachem zgnilizny, o milczących kamieniach na nagrobkach ze starymi, wyblakłymi napisami, o tej odwiecznej ciszy, którą tylko z rzadka naruszał jęk i płacz – o tej chacie-ruinie, którą otrzymali w spadku po dziadku Efraimie, i gdzie on, Aron, przyszedł na świat i do swojej barmicwy – osiągnięcia pełnoletności – mieszkał razem z czujnymi pająkami, które wydawały się tkać nie pajęczynę, lecz sam czas, z cicho szemrzącymi kornikami, z płochliwymi szarymi myszami w piwnicy i z leniwym, zakochanym w sobie kotem; jego wąsy przypominały konika polnego, który oduczył się latać. Już wówczas Aron przyjmował to życie jako jakieś nierzeczywiste, fantastyczne – raz po raz wymykało mu się, ukrywało w szczelinach, w norach, uchodziło pod ziemię. Taką wydawała mu się nawet śmierć, która – z powodu swej powszedniości, powtarzalności nieskomplikowanego obrzędu pochówku – nie wstrząsała ani nie napawała przerażeniem, ale napełniała gorzką i nieznośną nudą.

Jeszcze na długo przed tym, zanim Aron został uczniem u Gedalego Bankweczera, najlepszego krawca na całej Żmudzi, dwa razy próbował uciec z rodzicielskiego domu, chociaż określenie „dom rodzicielski" najmniej nadawało się do miejsca wiecznego spoczynku. Najpierw z flisakami dotarł prawie do Kowna, które przejściowo było stolicą Litwy, a z Cyganami aż do Rosień, i może zostałby takim samym koczownikiem jak oni, gdyby nie ich dziwaczny, do żadnego innego niepodobny język i nieprzeparta skłonność do kradzieży.

Arona nieraz ogarniało jakieś dziwne, przejmujące chłodem wzburzenie na myśl, że urodził się nie tam, gdzie wszyscy, ale na cmentarzu, wśród martwych. Bez przerwy prześladowało go uczucie, że on sam też długo nie pożyje albo pewnego pięknego dnia dostanie bzika, jak Szachna. Już w chwili urodzin śmierć oznakowała Arona, jak konia-jednolatka, swoim niezatartym piętnem i dlatego od samego dzieciństwa, odkąd pamięta, marzył za wszelką cenę o jednym: by zmyć to piętno. Niech brat Jakub pracuje łopatą, tak samo jak dziadek Efraim dźwiga głazy i wykuwa na nich hebrajskie litery, anioły ze złamanymi skrzydłami albo lwy trzymające w chwytliwych pazurach czasze pełne miłości i mądrości. On, Aron, znajdzie sobie inną pracę; może nie będzie tak miła Bogu jak praca Jakuba, ale na pewno lżejsza, czystsza; zostanie fryzjerem albo rymarzem, garncarzem czy krawcem – byle nie zajmować się kopaniem grobów!

– Ojciec umarł – powiedział Aron wróciwszy do domu teścia, Gedalego Bankweczera.

Każde słowo o śmierci wprawiało reb Gedalego w dziecięcy paniczny strach, ponieważ, jak sądził, przybliżało go ono do własnej śmierci. A Bankweczer chciał żyć wiecznie. Nie dlatego, iż tak podobało mu się życie, ale dlatego, że dla dobrego krawca jedno życie to za mało.

– Niech odpoczywa w spokoju! – wymamrotał reb Gedali szczerze przejęty, starając się jak można najprędzej wyrzucić tę wiadomość z pamięci.

Co prawda, reb Gedali Bankweczer zdenerwował się nie tylko z powodu śmierci teścia swojej córki.

Miał po temu o wiele bardziej ważką przyczynę.

Chodziło o to, że Bankweczer był człowiekiem słownym. Kiedy dał słowo – musiał go dotrzymać, nawet gdyby miał „paść trupem". Łgarzem, zapewniał sam siebie reb Gedali, może być każdy, ale nigdy krawiec. Bóg może nie dotrzymać swojej obietnicy, ale krawiec, choćby miał skonać, musi wykonać to, do czego się zobowiązał. I bezwarunkowo w terminie – ani o dzień wcześniej, ani o dzień później. Oszukany przez Boga wierny i tak przyjdzie do rabina, ale obrażony klient nie przyjdzie po raz drugi do tego samego krawca, choćby ten mu obiecywał złote góry. Nie przyjdzie.

Reb Gedali obiecał święcie burmistrzowi Miszkine, panu Tarajle, że do piętnastego uszyje mu garnitur, w którym burmistrz miał wystąpić w sejmie. Pan Tarajła ma przewodniczyć na jednym z posiedzeń – i koniecznie musi mieć nowy garnitur. A do tej pory, nie mówiąc już o marynarce, nawet spodnie nie były gotowe. Gdyby Gedali Bankweczer był prezydentem republiki, odwołałby posiedzenie albo przesunął je o tydzień. Wojny, Bogu dzięki, nie ma; rząd się trzyma. Po co taki pośpiech?

Całe szczęście, że pan Tarajła wyjechał służbowo za granicę do Niemiec. Może Bóg da, że zatrzyma się w Berlinie.

Och, nie w porę umarł Szachna, jak bardzo nie w porę! Mógłby się jeszcze troszeczkę wstrzymać. I wtedy reb Gedali uszyłby garnitur w terminie. W najgorszym razie Tarajła może pojechać do Kowna w starym garniturze, w tym beżowym, który reb Gedali uszył mu przed dwoma laty. Jeżeli człowiek chce zrobić karierę, mawiał pan Tarajła, musi się ubierać jak Ribbentrop albo Eden.

Reb Gedali nie wie, kto to jest Ribbentrop ani Eden. Aron, o ten zna wszystkich. Musi go zapytać przy okazji.

I co robić, o Boże!

Szachna, ojciec Arona, był obłąkany. Ale przecież obłąkany to też ojciec.

Teraz przez siedem dni Aron nie przyjdzie do pracy. Daj Boże, żeby tylko siedem. A nuż strzeli mu do głowy, by odsiadywać sziwe nie siedem dni, ale siedem razy po siedem. Kogo innego można by jakoś przekonać, ale jego... Licho wie, co za numer wytnie za chwilę.

Reb Gedali dałby Aronowi pieniądze. Calutką należność za uszycie garnituru. A to nie w kij dmuchać – dwadzieścia pięć litów. Ale czy on zechce je przyjąć, ten łazęga?

Nie przyjmie!

Zdaniem zięciunia, pieniądze to największe zło na świecie. Naj-więk-sze!

Ojcze niebieski, obyśmy mieli więcej takiego zła.

A co by było, gdyby tak podejść go okrężną drogą – przez Rejzł? Dla Rejzł Aron zrobi wszystko. Ale Rejzł nie będzie go namawiała. Aron ma prawo pomodlić się za spokój duszy ojca tak, jak to jest przyjęte u wszystkich pożądnych ludzi. Szachna Dudak był wprawdzie obłąkany, ale był też najuczciwszym człowiekiem w miasteczku.

– Posłuchaj – Bankweczer zaczął błagać Arona. – Co tu dużo mówić, spotkało cię nieszczęście, prawdziwe nieszczęście. Ale może, Aronie, wystarczy ci na stypę dwa dni. Odsiedzisz sziwe, porozpaczasz i... do piętnastego uszyjemy garnitur... Przecież ty... no, jak się to nazywa... jesteś ateistą... nie wierzysz ani w raj, ani w piekło... Ja ci zapłacę...

– Za co?

– Za to, żebyś zamiast siedmiu odsiadywał sziwe dwa dni.

– Nie – uciął krótko Aron.

– W takim razie mam inny pomysł – ożywił się reb Gedali. – Gdybyś był stolarzem czy jakimś kowalem, nic by z tego nie wyszło... nie miałbym nawet odwagi cię prosić... Ale krawiec nie musi walić młotem w kowadło. Krawiec może pracować wszędzie...

– Czy chcecie, żebym szył... przy zmarłym? – oburzył się zięć.

– Przecież twojemu nieboszczykowi nic się nie stanie. Igła nie wyrządzi nic złego ani żywemu, ani umarłemu... Zrozum: dałem panu Tarajle słowo. Pan Tarajło to nasz poseł.

– Wasz poseł – poprawił go Aron.

– On ma zamiar wysunąć pod adresem rządu żądanie.

– Jakie żądanie?

– Żeby w Miszkine założyli wodociąg.

– Nam jest potrzebna sprawiedliwość.

– Lepsza, Aronku, sprawiedliwość z wodociągiem niż bez. Ale Aron nawet nie chciał słuchać. Poseł, poseł... Niedługo takich posłów kopną w tyłek! Reb Gedali po prostu nie chce dostrzec, co się dokoła dzieje. Na Litwie jest Armia Czerwona. A tam, gdzie jest Armia Czerwona, lud pracujący będzie odprawiał stypę po wszystkich burżujach i ich „dupolizach".

Aron rozłożył na stole kupione u Chaskiela Bregmana płótno, rozkroił je i naprędce obrębił całun dla Szachny.

– Rejzł! – krzyknął do żony, kiedy skończył robotę. Wychodzę... Wrócę za tydzień...

Aron starał się nie zabierać żony na cmentarz – nie ma sensu wprawiać jej w smutny nastrój, przyuczać do myśli o śmierci, ale dzisiaj, w dzień śmierci Szachny, nie mógł pojawić się tam sam. Mama i Jakub nie zrozumieją tego i niesnaski pomiędzy nimi a opływającym w dostatki Gedalim Bankweczerem, jeszcze się pogłębią.

Całun będzie uszyty na czas. Szachna jest prawie takiego samego wzrostu jak on. Co prawda, Aron jest odrobinkę wyższy, ale kiedy stali obok siebie, nikt nie mógł odróżnić, który to ojciec, a który syn.

Rejzł oczywiście słyszała, że ją wołają, ale się nie pokazywała: jak zawsze była zajęta w kuchni, gotowała obiad dla ojca, siostry, męża i starszego czeladnika Juozasa.

Dopóki nie ugotuje obiadu, nikt jej z kuchni nie wyciągnie – złościł się Aron.

Śmierć Szachny wbrew oczekiwaniom nie wzbudziła w jego duszy takiej reakcji, jaką zazwyczaj rodzi odejście bliskiego człowieka. Nie można powiedzieć, że Aron go nie kochał. Kochał, ale jakąś niezobowiązującą, zanikającą okresowo miłością, jaką się darzy nieożywiony przedmiot – drzewo ofiarowujące w czasie upału upragniony chłód albo rzekę, która nie tylko poi, ale już w dzieciństwie wpływa do serca i pluska w nim do grobowej deski.

Odczuwał wobec Szachny jakąś nieuciążliwą wdzięczność za to, iż ten dał mu życie – choćby na poły sieroce, nieuporządkowane – jak mógł, próbował je upiększyć, wypełnić jakimś niejasno przeczuwanym sensem. W popiele szaleństwa raz po raz zaczynały się jarzyć palące węgielki smutku i mądrości, i wówczas Aron wpatrywał się w Szachnę jak zaczarowany; w takich chwilach ojciec wydawał się nie tylko najwspanialszym i najlepszym człowiekiem na świecie, ale i najpiękniejszym, a utrata rozumu nie tyle go poniżała, wprost przeciwnie – wynosiła i wywyższała ponad szarzyznę otaczającej rzeczywistości, ponad wszystkich żywych i martwych, którzy byli odpychający w swojej identyczności.

Co prawda, zdarzały się dni, kiedy Aron wstydził się jego obłędu, jego przeszłości; w końcu ojciec był żandarmeryjnym fagasem, tłumaczem ochrany. Dotkliwego poczucia wstydu nie pomniejszało wówczas ani współczucie, ani wdzięczność za naukę.

Aron często w strachu właził na strych albo chował się w piwnicy, żeby nie widzieć, jak bezradny Szachna ugania się po cmentarzu w poszukiwaniu swego nieistniejącego motyla. Bywało, że matka biegła w ślad za nim i wołała: „Zatrzymaj się! Poczekaj!" A on pędził na oślep wśród powalonych burzą drzew, wśród nagrobków, potykał się, padał i krew – gęsta, czerwona jak zachód słońca – ściekała mu po twarzy niby żywica po poskręcanym pniu sosny. Matka nachylała się nad nim, ocierała go wielkim białym ręcznikiem. A rano zaczynało się wszystko od początku: bieg, krew, utrata przytomności...

Aron słyszał, jak doktor Wulf Klebański, przygarbiony, w okularach o grubych szkłach, które upodabniały go do łąkowej wypukłookiej żaby, ten sam Wulf Klebański, który sprzedał swój dom i w zeszłym roku wyjechał do Ameryki, powiedział do udręczonej matki:

– Mimo że to bardzo smutne, łaskawa pani, medycyna na pomieszanie zmysłów zna tylko jedno lekarstwo – śmierć.

Patrząc na siwego, rozczochranego Szachnę, Aron czuł, jak powiększa się jego małe, nienawykłe do nieszczęść serce, jak wlewa się doń niewyobrażalne współczucie nie tylko dla chorego ojca, ale dla wszystkiego, co żywe.

Jedyne lekarstwo – śmierć. Do licha! Niech diabli wezmą takie lekarstwa! Już lepiej niech Szachna będzie chory, niech się potyka i upada!...

Pragnąc mu pomóc, Aron całymi dniami polował na barwne motyle, przylatujące na cmentarz, zaciskał je w dłoni i co sił w nogach pędził do chaty, żeby je pokazać swojemu biednemu ojcu.

– Ten? – pytał podsuwając przed oczy Szachny na wpół żywego, jeszcze trzepoczącego się w dłoni motyla.

Szachna wbijał przeciągły, ciężki wzrok w polnego pięknisia i cmoknąwszy grubymi jak gąsienica wargami, odpowiadał krótko:

– Nie!

Ale niepowodzenie jedynie podniecało Arona. Wybiegał z chaty, wypatrywał w powietrzu kolejną ofiarę i w nadziei, że dogodzi ojcu, znowu przynosił ją w garści.

– Lepiej, Aronku, nakosiłbyś trawy – mówiła Danuta. – J e g o motyla i tak nie schwycisz. On nie lata w powietrzu.

– A gdzie?

Danuta postukała się palcem w skroń.

Aron za nic nie mógł sobie wyobrazić, co to za motyl, który lata w ludzkiej głowie i nie zaprzestawał swoich polowań. Chciał udowodnić matce, sobie i całemu światu, że motyl, z powodu którego Szachna zbzikował, fruwa gdzieś niedaleko: jeżeli nie nad cmentarzem, to nad pastwiskiem, a jeśli nie nad pastwiskiem, to nad czyimś ogrodem; kiedyś wleci przez okno, a on, szczęśliwy, uwolniony od pogoni, ofiaruje go choremu ojcu; ojciec przyjmie z jego rąk podarunek, przyłoży go jak kompres do czoła i szaleństwo, które przez tyle lat spalało na popiół jego mózg, cofnie się nie na dzień, nie na dwa, jak to czasem bywało, ale na zawsze.

Na zawsze!

Potem, kiedy Aron podrósł, miał już dość chwytania motyli, znudziło mu się. Coraz rzadziej przynosił je do chaty, starając się nie patrzyć na Szachnę, który na jego widok, jak dawniej, powtarzał fatalne słowa:

– Nie ten... nie ten... nie ten!

Pewnego razu, oglądając delikatne, jakby posypane cynamonem skrzydełka schwytanego motyla, ojciec zdecydowanie i wyraźnie powiedział:

– Dziękuję, Aronie... Jesteś dobry.

Jego szara, pokryta kępkami szczeciny niby małymi chmurkami twarz, na jedno krótkie mgnienie ożywiła się, rozświetlił ją uśmiech, ale momentalnie zgasł.

– Dobry jesteś, Aronie. Ale ona jest lepsza.

– Mama?

– Śmierć – odparł Szachna.

W tym czasie, jeżeli Aron nawet zastanawiał się nad śmiercią, to nie odczuwał wobec niej ani lęku, ani szacunku, ani strachu. Śmierć dotyczyła wszystkich poza nim, ale słowa Szachny – może nawet nie słowa, lecz ton, jakim zostały wypowiedziane – przeniknęły mu pod skórę, odezwały się w duszy krótkim, onieśmielającym echem.

Rejzł wciąż nie nadchodziła, więc Aron, owinięty całunem, stał przy krawieckim stole niczym przy bimie w bóżnicy i w dalszym ciągu oddawał się wspomnieniom.

Nikt mu nie przeszkadzał – ani zrozpaczony Gedali Bankweczer, który sam się chwycił za igłę i trudził się nad spodniami pana Tarajły, ani milczące, bezgłowe manekiny z odciętymi rękami, ani kot, który nieruchomy niczym kolorowy wazonik obojętnie obserwował główną ulicę miasteczka. Nie działo się na niej nic szczególnego: rosyjskie czołgi stały dziewięć kilometrów od miasteczka – w Gajżunach; na maszcie powiewała trójkolorowa flaga, subiekci Chaskiela Bregmana, którego przezywano „Żydowskie Wiadomości" wyładowywali z furgonu świece; zbliżała się połowa roku czterdziestego.

Widok Arona w całunie wyraźnie drażnił reb Gedalego – zamiast pracować, nieróbʼ jeden, urządza jakieś przedstawienie. Boże miłosierny, zatrzymaj pana Tarajłę w Berlinie bodaj do przyszłej niedzicli! Kto jak kto, ale krawcy, o Boże, rzadko naprzykrzają ci się swoimi prośbami. Pomóż!

Bankweczer wzniósł oczy do nieba, potem przeniósł wzrok na Arona. Czego można od niego wymagać? Ojciec wariat i on wariat. I wnuk też będzie wariatem. A jeżeli urodzą się bliźniaki?... Jeżeli od razu przyjdzie na świat dwójka wariatów?

– Zdejmij z siebie ten całun – burknął reb Gedali. – Nie mogę na ciebie patrzeć.

Ale Aronowi nawet źrenica nie drgnęła.

Wygładził całun i myślał, że teraz, po śmierci ojca, nigdzie już nie wyjedzie. Matka też się może uprzeć, mam gdzieś, powie, twój Birobidżan; cóż to, Żydów nie widziałam? Żydzi wszędzie są Żydami – i na Litwie, i w Ameryce, i w twoim Związku Radzieckim, który tak wychwalasz pod niebiosa.

Ale matka się myli. W Związku Radzieckim, o którym Aronowi tyle opowiadał Mejłach Bloch, nawet słońce inaczej świeci i wiatr nigdy nie wieje w twarz, lecz w plecy, a ludzie żyją w idealnej zgodzie, śpiewają takie same piosenki, to samo jedzą. Nie ma tam ani Bankweczerów, ani Tarajłów.

Chociaż, prawdę mówiąc, Mejłach Bloch zakosztował tamtejszego życia bardzo niewiele. No, ale co z tego... W Ameryce też mało kto był i od razu usłyszysz: raj. Tylko że raj dla bogatych. A on, Aron, szuka raju dla biednych. I takim rajem jest Kraj Rad!

Na samą wzmiankę o Kraju Rad Aronowi aż dech zapierało w piersi. No bo jest taki szczęśliwy kraj na świecie! A on musiał się urodzić tu, na Litwie, i w dodatku jeszcze na cmentarzu! Na cmentarzu rodzą się tylko wrony i nieboszczycy.

Nie, jego dzieci powinny ujrzeć światło dzienne w Birobidżanie, w Kraju Rad.

Ale Rejzł kategorycznie odmawia, mówi: – Mnie i tu, na Litwie, jest dobrze, nie potrzebuję żadnego Kraju Rad, a poza tym, cóż to takiego raj dla biednych? Miejsce, gdzie się stają jeszcze biedniejsi?

Gęś! Głupia gęś, dumał Aron i jego myśli przenosiły się od Rejzł do zmarłego Szachny, przekraczały granice państwa: najpierw z Łotwą (Mejłach Bloch zapewnia: najbardziej niebezpiecznie jest przez Łotwę!), potem ze Związkiem Radzieckim, a stamtąd ponownie wracały tu, do Miszkine, do rodzinnych nagrobków, do znieruchomiałego w łóżku ojca, do nieszczęsnej matki, która, jak się mogło wydawać, przywykła do swoich nieszczęść, niczym drzewo nawykłe do swojego cienia.

– Rejzł! – zawołał Aron, sam dziwiąc się swojej stanowczości. – Idziesz?

Milczenie.

– Rejzł!

Ale żona jakby się pod ziemię zapadła.

Reb Gedali bez słowa przyszywał do spodni pana Tarajły guziki; igła drżała w jego dostojnej ręce, niby trawka na wietrze. Teść od czasu do czasu unosił głowę, odrywał się od szycia, wybałuszał oczy na swojego pechowego zięcia w białym całunie – jedynej odzieży, w której nie ma kieszeni – i myśli o marności wszystkiego co istnieje, zasnuwały cieniem jego majestatyczne czoło i duszę. Nie cieszył reb Gedalego jego zięć, oj, nie cieszył! Że też Rejzł musiała się zakochać w tym łachmycie, w takiej marnocie! Przecież mogła spojrzeć łaskawym okiem na syna piekarza Berla Fajna albo na wnuka handlarza drzewem Markusa Fradkina. A ją, głupią, ciągnęło do tego łgarza, do tego bałamuta, do tego dzikusa z cmentarza. Żeby był przynajmniej stuprocentowym Żydem – no, niech tam! Ale jaki z niego Żyd, jeżeli jego matka jest Polką, a ojciec – wariatem? Niech mu, Bankweczerowi, Najwyższy wybaczy, ale ten, kto nie ma wszystkich klepek w głowie, nie jest Żydem, choćby go trzy razy obrzezano; obłąkany pozostanie obłąkanym, choćby należał do nie wiadomo jakiego plemienia. No bo tak szczerze mówiąc, czym ten Szachna różni się od pętającego się przy kościele przygłupa Stanislowikasa? Niczym. I jeden nie wie, do kogo się modli, i drugi.

Jedyną rzeczą, jaką reb Gedali musiał przyznać swojemu zięciowi, była ta, że potrafił pracować: igła śmigała w jego ręce z taką szybkością, że aż w oczach ćmiło. Ale ta umiejętność nie dawała jeszcze podstaw do tego, żeby się spowinowacać.

Reb Gedali był przeciwny małżeństwu Arona z Rejzł.

– Jego noga w moim domu nie postanie – groził stary. – Wygonię! Oboje wygonię!

– No to wyganiaj! – uparła się Rejzł. – Ja za nim pójdę na koniec świata...

– Na koniec świata?... Tfu!

– Albo skoczę do Niemna!

Przed udzieleniem rodzicielskiego błogosławieństwa reb Gedali postanowił poradzić się rabbiego Hilela. Rabbi Hilel łata dziury nie igłą, lecz myślą. Może zaceruje i jego dziurę, Bankweczera. Może przerobi los Rejzł?

– Powiadacie, że matka narzeczonego nie jest Żydówką? – wysłuchawszy gościa zapytał rabbi Hilel.

– Tak.

– I co z tego?

– A czy wy, rabbi ożenilibyście się z nie-Żydówką?

– Nie – odparł pasterz.

– No widzicie! – reb Gedali uchwycił się skrawka nadziei niby skrawka nitki.

– A oto dlaczego bym się nie ożenił – rabbi Hilel nie zmieszał się ani trochę. – Po pierwsze, już jestem żonaty. Po drugie, żadna chrześcijanka by za mnie nie wyszła, a po trzecie, reb Gedali, jeżeli żona jest wiedźmą, to co za różnica z jakiego pochodzi plemienia?

Reb Gedalego bardzo rozczarowały słowa pasterza. Rabbiemu Hilelowi łatwo sobie stroić żarty – nie ma córek, ale co ma robić ten, kto ma ich dwie? Oczywiście, nie sposób się spierać z losem, za drzwi się go nie wyrzuci. Jeżeli przybył – otwieraj. Nie wpuścisz przez drzwi – wpakuje się przez okno.

Och, gdyby dwanaście lat temu wiedział, jaka groźba zawisła nad jego domem, może by się przeniósł do innego miasteczka, może odmówiłby nauki czternastoletniemu Aronowi Dudakowi, który miał zamiar zostać krawcem, posłałby go terminować do innego majstra. A on mu tylko powiedział:

– Chłopcze! Damskim krawcem człowiek się staje, ale męskim trzeba się urodzić. Czy jesteś pewien, że urodziłeś się męskim krawcem?

– Jestem pewien – zapewnił czternastoletni Aron Dudak.

Reb Gedali Bankweczer, o którym mówiono, że urodził się z igłą w ręce i z centymetrem na szyi, speszył się. Pewność siebie chłopaka po prostu zbiła majstra z tropu.

– No cóż – bąknął reb Gedali. – Jeżeli nawleczesz igłę, zanim zdążę kichnąć, jesteś przyjęty. No, Juozas, daj temu samochwale wszystko, co jest potrzebne do próby.

Starszy czeladnik Juozas podał Aronowi długą, wijącą się jak dżdżownica nitkę, maleńką, grubości włoska ze świńskiej szczeciny igłę, a reb Gedali sięgnął do kieszeni, wyjął z niej atłasowy kapciuch, dwoma palcami wygrzebał z niego szczyptę tabaki i podsunął pod mięsisty nos.

– Nawlokłem! – zawołał Aron.

Apsik! Apsik! Apsik! – grzmotnęło jak na paradzie wojskowej.

Starszy czeladnik Juozas i domownicy – żona Bankweczera Pnina oraz córki Rejzł i Eliszeba znieruchomieli w zdumieniu: nitka powiewała w igle uroczyście jak flaga narodowa w Dniu Niepodległości.

– Kto był pierwszy? – zapytał reb Gedali, chytrze mrużąc oczy, nieprzyzwyczajony, by przegrywać we własnym domu.

– Ty – z trudem wykrztusiła żona.

Ale reb Gedalemu nie wystarczało jej poparcie. Ona zawsze mu potakiwała – najczęściej zupełnie nie w porę i wtedy reb Gedali wściekał się, czynił jej wyrzuty, żądając prawdy. Ale żona Bankweczera nawet kotu nie mówiła prawdy. Powiesz, a on parsknie!

– On! – zawołała Rejzł.

W odróżnieniu od matki, starsza córka lubiła wszystkiemu przeczyć. Zgoda panująca w domu sprawiała, że było potwornie nudno i Rejzł, chcąc się choć odrobinę rozerwać, wszystkim po kolei zaprzeczała.

– A co ty powiesz? – zwrócił się gospodarz do starszego czeladnika Juozasa.

Znając usposobienie Bankweczera, a jednocześnie starając się nie rozgniewać cichej jak myszka żony, Juozas małodusznie zakaszlał w kułak. Dla niego nie było na świecie ani zwyciężonych, ani zwycięzców. Wszystkich dzielił na tych, którzy płacą, oraz tych, którym płacą.

– Obaj jednocześnie – odparł wykrętnie czeladnik.

– Wygrałeś – powiedział reb Gedali i schował kapciuch do kieszeni. – Albo tabaka zwilgotniała, albo rzeczywiście zuch z ciebie. Jak się nazywasz?

– Aron.

– To znaczy Arn.

– Nie, Aron.

– Pięć litów na tydzień. Zgoda?

To nie bagatela – pięć litów na tydzień, to dwadzieścia litów na miesiąc. Przecież w ten sposób w ciągu roku uzbiera na rower.

Aron nikomu tak nie zazdrościł, jak miasteczkowym rowerzystom – wychowankowi pocztmistrza Klumbisa oraz synowi właściciela fabryki mebli Bruchisa, Calikowi. Żyd na rowerze, uważał Aron, to Żyd szczęśliwy i skrycie snuł marzenia, kiedy to wszyscy Żydzi w Miszkine – na całej Litwie – powsiadają na rowery i każdy dokądś pojedzie: jeden do pracy, drugi do Rosień, a jeszcze inny do Ziemi Obiecanej – Erec Izrael, o której tyle mu opowiadał Szachna. Młodemu Aronowi wydawało się, że jeżeli dobrze rozpędzi się koła, to na rowerze można wjechać nawet na najwyższą górę, z góry do samego nieba, a tam już pojedzie się nie po kocich łbach, nie po drewnianym trotuarze, ale po chmurach, ku gwiazdom...

– Zgoda? – raz jeszcze zapytał ucznia reb Gedali.

– Tak – jednym tchem odpowiedział Aron.

– Ale wiedz jedno – ostudził reb Gedali jego zapał. – Krawiec to nie grabarz. Grabarz, cóż mu tam? Lepiej wykopał, gorzej wykopał – klient nie odezwie się słowem. – Bankweczer wszystkich na świecie, nawet zmarłych, nazywał klientami. – No bo jaka to różnica dla klienta grabarza, czy dół jest o centymetr głębszy, czy o centymetr płytszy?... Rozumiesz?

– Tak – usłużnie bąknął Aron.

A w naszym, krawieckim zawodzie, centymetr decyduje o wszystkim. Skrócisz o centymetr – i zrobisz z klienta potwora. Zwęzisz o centymetr – i będzie chłopak jak malowanie. Rozumiesz?

– Uhm.

Im reb Gedali dłużej mówił, tym jego uczniowi bardziej się wydawało niziszczalne marzenie o rowerze. Widać z tego, że znowu trzeba będzie drałować na piechotę, pomagać bratu Jakubowi wgryzać się w zamarzniętą glinę. A szkoda.

– W przeciwieństwie do grabarza krawiec przez całe życie powinien się uczyć. Myślisz, że jak przewlokłeś nitkę przez igłę, to już jesteś krawcem? O nie-e-e-e! Prawdziwy krawiec nie zaczyna od igły. Jeżeli mi powiesz, od czego zaczyna, dodam ci jeszcze dwa lity.

– Od skórobicia – wypalił Aron.

– Nie. Nie od skórobicia, ale od żelazka. Czy wiesz, za co nas najbardziej nie lubią?

– Kogo – krawców?

– Nie krawców, tylko Żydów.

– Nie...

– Za to, że zawsze przegrzewamy żelazko. Za to, że rozdmuchujemy w nim węgiel, kiedy prasujemy cudze ubranie.

– Reb Gedali wyniośle splunął na podłogę, jak na rozpaloną powierzchnię żeliwnego czółenka. – Jeszcze w Królewcu – tam zaczynałem przy Silbergerstrasse – mój nauczyciel Hans Hepke mawiał: „Herz! (mówił do mnie nie Gedali, ale po ichniemu) Herz, mówił, najważniejsze to nie przegrzewać żelazka, kiedy prasujesz cudze ubranie... cudzy los... cudzy kraj...

Aron słuchał z roztargnieniem. Od tych pouczeń reb Gedalego-Herza zaczynała go morzyć senność. Dobrze jeszcze, że po pracowni krążyła Rejzł. Aron przenosił wzrok na jej grube czarne warkocze, które jakby walczyły o lepsze za jej plecami.

Jeżeli reb Gedali Bankweczer przyjmie go jako ucznia, myślał Aron, i rzeczywiście zapłaci mu dwadzieścia litów miesięcznie, to kupi nie jeden rower, ale dwa – dla siebie i dla Rejzł, i pewnego pięknego dnia wyjadą z miasteczka i już nigdy więcej nie wrócą – ani do szycia, ani do kopania, ani do żelazka, które, nie daj Boże, się przegrzeje. Przecież musi być na świecie taki zakątek, gdzie nikt nie pyta, kim jesteś i gdzie można bez strachu przepalić miłością serca.

– No cóż – podsumował reb Gedali. – Widocznie naprawdę jest ci sądzone, żebyś został męskim krawcem. Stawiam tylko jeden warunek: kiedy umrę ja albo Pnina, niech twój braciszek uszyje nam przyzwoity pogrzeb.

– Uszyje – przysiągł Aron. – Możecie być spokojni.

Jak to było przyjęte w pracowni przy ulicy Rybackiej, terminator Aron Dudak zaczął od rozpalania żelazka.

Żelazko było stare, ciężkie, z jakiegoś uralskiego żeliwa. Reb Gedali zapewniał, że kupił je w dwudziestym roku od jednego oficera, który uciekł z Rosji na Litwę. Może i naprawdę tak było, ale Aron, podobnie jak starszy czeladnik Juozas, żywili wątpliwości: dlaczego oficer miałby taszczyć ze sobą na obczyznę nie karabin, nie szablę, nie jedzenie, ale ciężkie, pokryte liszajami rdzy żelazko?

Przez pierwszy tydzień Aron pracował z godnym pozazdroszczenia zapałem – ani na chwilę nie odchodził od żelazka, raz po raz podnosił żelazną pokrywę, starając się z jej temperatury odgadnąć, czy należy dosypać węgla, czy nie; rzadko kiedy należało je ostudzić i wtedy polewał żelazko wodą z cynowego kubka, która syczała jak kot; popluwał na gładki wypolerowany spód czółenka i usłyszawszy głos reb Gedalego albo starszego czeladnika Juozasa, pędził do zasłanego kawałkami materiału stołu. Reb Gedali Bankweczer nie mógł się nacieszyć swoim bystrym i obrotnym uczniem. Coś podobnego – wychował się na cmentarzu, wśród wron i nieboszczyków, a taki jest zmyślny, taki pojętny.

Wszystko szło jak po maśle do końca tygodnia.

Kiedy w piątek Aron dowiedział się, że obiecane półtora lita otrzyma dopiero wtedy, kiedy ze stanowiska palacza przejdzie do następnej grupy – szyjącego spodnie, wściekł się. Tego dnia po raz pierwszy ogarnęła go chęć, aby sprawić ból obcemu człowiekowi.

W tamten odległy piątek (w każdym razie od tego dnia liczy się staż Arona jako bojownika i rewolucjonisty) przyłączył się do kółka buntowników i burzycieli zasad; kierował nim były zesłaniec carski Mejłach Bloch, który zarabiał na życie, oprawiając stare i rzadkie książki. Mejłach Bloch przyjaźnił się jakoby z samym Włodzimierzem Leninem, wodzem światowego proletariatu, i nawet był razem z nim na zesłaniu w Turuchańskim Kraju z jego wiernym współbojownikiem Józefem Stalinem, który – na szczęście wszystkich ludzi pracy – cieszył się dobrym zdrowiem i jasnym umysłem.

Mejłach Bloch, z którym Aron nawiązał znajomość zupełnie przypadkowo, był od niego starszy o prawie czterdzieści lat. Był nieprawdopodobnie wychudzony; w zimie i w lecie nosił swoją sto razy łataną kapotę i chodził w rosyjskich butach z wysokimi cholewami; wszystkie zarobione pieniądze wydawał na książki oraz na pomoc dla biednych i sierot; płynnie mówił po rosyjsku i po niemiecku (niemieckiego nauczył się nie w Berlinie, ale w dalekim Turuchańskim Kraju): nie jadał mięsa; był starym kawalerem, nie miał ani żony, ani dzieci; żona i dzieci, zapewniał, to jedynie kłopot dla prawdziwego rewolucjonisty. Żoną prawdziwego rewolucjonisty jest walka o wolność, a dzieci – to robotnicy uwolnieni z okowów i ucisku.

Aron szczególnie cenił umiejętność, z jaką Mejłach Bloch błyskawicznie, z pasją, demaskował panów, jak ich nazywał, kapitalistów.

Gedali Bankweczer, mówił introligator, to przedstawiciel światowego kapitalizmu, który wysysa krew z ludzi pracy i odmawia Aronowi wypłaty wynagrodzenia, natomiast sam Aron – to najemna siła robocza; pomiędzy pracą najemną a kapitałem toczy się walka na śmierć i życie, ale nadejdzie czas (w Rosji już nadszedł!) kiedy proletariat, rozżarzywszy żelazko do czerwoności tak wyprasuje ziemię, że nie ostoi się na niej ani jeden Bankweczer.

Aron nie we wszystkim zgadzał się z nieprzejednanym Mejłachem. Reb Gedali niech sobie zostanie. Po pierwsze, to jego teść. Po drugie, majster, jakiego świat nie widział. Po trzecie... Właściwie po co ma być jakieś „po trzecie", jeżeli jest po pierwsze i po drugie?

Mejłach Bloch z wściekłością atakował Arona za jego mięczakowatość, nazywał go socjal-ugodowcem, oportunistą, wbijał mu do głowy, że proletariusze winni uczyć się nie rzemiosła, ale, jak nauczał Lenin, rządzenia państwem. Na to Aron odpowiadał swojemu nauczycielowi, że on osobiście wcale nie ma zamiaru rządzić państwem, bo przecież i bez niego znajdą się chętni, ale introligator w dalszym ciągu uparcie powoływał się na swoich znajomków – Lenina i Stalina.

– Masz typowo drobnomieszczańską mentalność – wyrzucał mu Mejłach Bloch. – Od razu widać, że nie przeczytałeś ani jednej linijki z Marksa. Masz, poczytaj. – I podsuwał Aronowi książeczkę obłożoną dla konspiracji w papier po śledziach.

Od Marksa zalatywało śledziami i za każdym razem, kiedy Aron zaczynał kartkować książkę, dostawał wilczego apetytu.

– „Widmo krąży po Europie – widmo komunizmu!" Żując posmarowaną masłem kromkę chleba, Aron starał się przeniknąć sens mądrych Marksowskich słów, na własne oczy ujrzeć to widmo, ale mimo że bardzo się o to starał, zawsze jawił mu się Mejłach Bloch. W białym odzieniu, w drewnianych chodakach niby litewski pastuch, krążył dawny carski zesłaniec po okolicznych łąkach i łęgach, czyli po tutejszej Europie, a stuk jego chodaków rozlegał się w nocnej ciszy jak dźwięk dzwonu.

Rozmowy z Mejłachem Blochem stanowiły dla Arona swoistą nagrodę za długie dni pracy, za monotonię jego zajęcia. Wiele z tego, co z młodzieńczym zapałem tłumaczył mu introligator, młody krawczyk nie rozumiał. Ale słuchał Mejłacha z nieukrywanym, niemal modlitewnym zachwytem. Zażenowany swoją niewiedzą, starał się ją zrekompensować bezgraniczną wiernością i uwagą.

W ciasnej izdebce Mejłacha Blocha, w której prawie nie było mebli i która przypominała raczej więzienną izolatkę (podobieństwo to podkreślało również żelazne łóżko z wypchanym słomą materacem oraz maleńkie okratowane okienko, wychodzące na głuche i zatęchłe podwórze sklepu ze spirytualiami), Aron znajdował schronienie przed codzienną nudą, zgiełkiem sklepików czyniących z miasteczka jeden wielki niemilknący bazar, przed surową cmentarną powszedniością. Dopóki nie ożenił się z Rejzł, cmentarz był nie tylko jego domem, ale i wzorem życia. Naprawdę biada temu, dla kogo cmentarz stanowi kołyskę.

Słuchając piorunujących przemówień Mejłacha Blocha, wpatrując się w jego płonące wściekłością oczy, coraz większe, jak się zapalał, oczy, w których można było odnaleźć i zaśnieżone syberyjskie przestrzenie, i środkoworosyjskie

równiny (Mejłach siedział kiedyś w więzieniu we Włodzimie-
rzu) i eleganckie ulice Berlina, gdzie przed objęciem przez
Hitlera władzy pracował w tajnej drukarni, dostarczającej
podziemne gazety na Litwę, Aron czuł się nieomal wolny; do
nikogo nie należał, nikomu nie musiał się z niczego tłumaczyć ani od nikogo (chyba tylko od Lenina i Stalina) nie zależał. Jego wolność wiązała się z niemałymi brakami, ale na
przykład Mejłachowi Blochowi zupełnie one nie doskwierały.
Czym jest niedojadanie, czym brak przytulnego kąta w porównaniu z poczuciem wolności, z tym współuczestnicze-
niem w tajemnicach, które już same w sobie napełniają życie
niepojętym sensem?

Aron próbował namówić również i Rejzł, żeby chodziła na
zebranie kółka Mejłacha Blocha. I tak ją namawiał i siak –
wyliczał jej wszystkie korzyści i plusy, jakie by to przyniosło.
Że niby od Mejłacha dowie się takich rzeczy, o których
w życiu nie słyszała. Ale Rejzł ucinała krótko: „Ale ja wcale
nie chcę wiedzieć tego, o czym w życiu nigdy nie słyszałam!"
Aron był speszony. Długo, w zagmatwanych słowach zaczynał się rozwodzić o ciemiężcach i uciemiężonych, o świetlanej przyszłości wszystkich narodów, o widmie, które
krąży po Europie, o niedalekich już szczęśliwych czasach,
kiedy dzieci kucharek będą rządziły państwem.

– I tu, na Litwie, też?

– I tu, i wszędzie – dziarsko zapewniał Aron.

– To znaczy, że prezydent będzie gotował kapustę, a ku-
charki będą wydawały dekrety. Nie daj Bóg, żebym dożyła takiej chwili!

Mejłach Bloch wychwalał Arona, że usiłuje „zwerbować
do szeregów bojowników o sprawę proletariatu nowe siły",
ale na temat kobiet miał zdecydowane i surowe poglądy.
Żonę, mówił introligator, należy wybierać nie do łóżka, ale do
przyszłych bojów o uwolnienie ludzkości i dopiero wówczas,
kiedy proletariusze odniosą zwycięstwo na całym świecie,
każdy z nich będzie mógł znaleźć małżonkę do innych celów.

53

Jeśli idzie o drażliwy temat kobiet, Aron i Mejłach Bloch zasadniczo różnili się w poglądach. Krawczyk gorąco zapewniał, że łóżko w przyszłych bojach o oswobodzenie ludzkości bynajmniej nie stanowi przeszkody, natomiast jego nauczyciel – wręcz odwrotnie – twierdził, że łóżko jeszcze bardziej ujarzmia uciemiężonych.

Aron najbardziej lubił słuchać opowieści o Rosji, o tej, która była, i o tej, która jest obecnie. Gdy się słuchało opowiadań Mejłacha Blocha, człowiekowi aż dech zapierało: terminator Bankweczera jak gdyby zatrzymywał czas, zespalał przestrzenie, grzązł po pas w zaspach, błąkał się po bezkresnych syberyjskich śniegach; jechał psim zaprzęgiem przez tundrę, jadał surową rybę, odstraszał głodne niedźwiedzie podchodzące pod jarang, chodził z Nieńcami na polowanie, pasł reny o rosochatych porożach, uciekał, krył się przed żandarmami w cerkiewkach starowierców.

Z dalekiej przeszłości, z Turuchańskiego Kraju, znad rzeki Jenisej, Mejłach Bloch przenosił Arona w dzień dzisiejszy, do białokamiennej Moskwy, na Kreml, gdzie mieszkał i pracował najmądrzejszy człowiek na świecie, Józef Stalin – towarzysz Koba.

Aron przysiadał się do biurka w kremlowskim gabinecie i nie spuszczając oczu z przyjaciela Mejłacha Blocha obserwował, jak ten nabija swoją fajkę.

Czasami Mejłach Bloch wyciągał skądś paczkę wyblakłych fotografii, na których widniały bezkresne pola, olbrzymie piece do wytapiania stali, lotnicy, którzy dokonali niesłychanego wyczynu – przelecieli przez Ocean Lodowaty do Ameryki, tkaczki w białych jak śnieg chustkach, z zakasanymi rękami. Aron badawczo wpatrywał się w te zdjęcia, starając się wypatrzyć takie, na których był uwieczniony choć jeden Żyd albo krawiec.

– Krawcy też są – uspokajał go wszechwiedzący Mejłach Bloch. – Są też Żydzi. Ale to Żydzi szczególni.

– Szczególni?

– Szczęśliwi. Dlatego właśnie szczególni.

Mejłach Bloch przerzucał dźwignię i znowu znajdowali się w katorżniczej, zasypanej śniegiem Rosji, w Turuchańskim Kraju, na zesłaniu, gdzie towarzysz Stalin, podówczas jeszcze nie wódz ludu pracującego świata, ale zwykły więzień, podarował jemu, Mejłachowi, zrobioną z jodłowego drzewa fajkę ozdobioną bezcennym napisem: „Drogiemu przyjacielowi M. B. od Koby".

Samej fajki Aron nigdy na oczy nie oglądał. Mejłach nikomu jej nie pokazywał. Wydawało się, że taka fajka w ogóle nie istnieje, a introligator ją wymyślił, chcąc dodać sobie ważności.

– I po co on ją wam ofiarował, przecież nie palicie? – odważył się zwątpić w prawdziwość jego słów Aron.

– Teraz nie palę. Ale wtedy zajmowałem w partii drugie miejsce. Oczywiście wśród palaczy.

– A kto zajmował pierwsze?

– Koba – bez zająknięcia odparł Mejłach Bloch.

Arona nic a nic nie obchodziło, kto wśród bolszewików zajmował pierwsze miejsce, jeśli idzie o palenie. Sam nie zamierzał zacząć palić – u reb Gadalego Bankweczera człowiek sobie nie popali! Najważniejszą rzeczą, która interesowała krawczyka, była jodłowa fajka z zagadkowym napisem „M. B." No bo czy mało na świecie jest takich „M. B."? W samym Miszkine trzech: Motł Berger, Mejer Bersztański, brat fryzjera Bersztańskiego, który zmarł w drodze na Sybir, oraz Mojsze Barenbojm.

Niech Mejłach pokaże fajkę – wtedy Aron uwierzy we wszystko: w to, że Bloch zajmował w partii drugie miejsce, jeśli idzie o palenie, w to, że widmo krąży po Europie i w to, że proletariat poza swoimi kajdanami nie ma nic do stracenia.

Pragnąc jeszcze bardziej zbliżyć Arona do siebie, pewnego razu Mejłach Bloch wyjął z komody, która została po poprzednim właścicielu, zawiniętą w chusteczkę do nosa fajkę i pokazał swojemu zwolennikowi.

– „Drogiemu towarzyszowi M. B. od Koby. 19..." – widniał wydrapany na mundsztuku napis.

– Nie przyjacielowi, ale towarzyszowi – czujny Aron przyłapał nauczyciela na kłamstwie.

– Towarzyszowi, towarzyszowi – zgodził się Mejłach Bloch.

– A Koba – to pseudonim partyjny. Wszyscy mieliśmy pseudonimy. Mnie, na przykład, nazywali Siwy.

Mejłach Bloch-Siwy zwilżył językiem wargi i dodał, że kiedyś (w przypadku zwycięstwa rewolucji światowej) odwiedzi Moskwę, spotka się z ofiarodawcą, a Koba, wzruszony, obejmie go, ucałuje i własnymi rękami wytnie dwie starte, brakujące cyfry... A potem on, Mejłach, może spokojnie umrzeć.

Aron nie był w stanie zrozumieć, po co umierać z powodu dwóch cyfr. Co tu dużo gadać – prezent od człowieka, o którym mówi dzisiaj cały świat, to wielki zaszczyt. Ale żeby zaraz umierać? Jeżeli dla M. B. tak drogie są te dwie cyfry, sam może je wyciąć albo poprosić o to grawera. Zresztą, Jakub też może mu je bezpłatnie wyryć – nie takie napisy wyciosuje na nagrobkach.

– Jeżeli nie dożyję tego szczęśliwego dnia, to proszę cię... spełnij moją prośbę – poprosił Mejłach Bloch.

– Zrobię wszystko, o co poprosicie – tylko żyjcie w dobrym zdrowiu.

– Proszę cię o jedną łaskę... tylko o jedną: oddaj tę fajkę, gdzie należy.

– A gdzie należy?

– Do muzeum. Niech wszyscy wiedzą, niech wszyscy wiedzą, jakim przyjacielem prostych ludzi był Stalin.

– Dobrze – zapewnił go Aron. – Oddam ją, możecie być spokojni. Przez doktora Fiszmana... Albo przez kogokolwiek innego... Tylko pozwólcie mi się raz zaciągnąć!

Gotujący się na śmierć Mejłach Bloch nie mógł odmówić swojemu współtowarzyszowi.

Aron rozkruszył kilka papierosów „Aroma", nabił historyczną fajkę, zapalił i pierwszy raz się zaciągnął.

Niebawem ciasną izdebkę Mejłacha Blocha zasnuł białawy, pachnący Sybirem obłoczek.

– No i jak? – z zazdrością zapytał introligator, obserwując, jak chmurka unosi się pod niemalowany zakopcony sufit.

Aron aprobująco skinął głową. Palił fajkę z jakąś błogą rozkoszą, jakby wypuszczał z niej nie dym, ale białe nici wiążące go z najodleglejszymi dalami, z Turuchańskim Krajem, z Kremlem, z wszystkimi krawcami na całym świecie, którzy tak samo jak on, Aron, gną sobie grzbiety po to, by nabić kabzy angielskich, chińskich, niemieckich Bankweczerów. Chciał, żeby w fajce nigdy nie skończył się tytoń; zagryzłszy mundsztuk, dotykał palcem starego napisu, a jego wyobraźnia powiększała każdą literę, zwłaszcza słowo „Koba".

– Koba, Koba, Koba – powtarzał z szacunkiem, jakby składał jakąś przysięgę.

Mejłach Bloch nie spuszczał zaognionych oczu z fajki, ze zręcznego palca Arona ślizgającego się po bezcennych literach i cieszył się, że ten nie ot, tak sobie pyka, ale dopełnia jakby jakiegoś zagadkowego misterium, dokonuje mającego głębszy sens wtajemniczenia w rolę następcy, kontynuatora młodości jego i Stalina, ich ofiarnej służby dla narodu, ich nieustannej walki w imię jutra światowego proletariatu.

– Posłuchaj – zwrócił się nagle do Arona Mejłach Bloch. – Czy ty naprawdę nazywasz się Dudak?

– Dudak – zdumiał się Aron. – A bo co?

– Czy wiesz, że w Związku Radzieckim jest ulica Hirsza Dudaka?

– Naprawdę? – Aron zupełnie zbaraniał.

– Nie wiem, w Mińsku, w Bobrujsku, a może w samej Moskwie.

– Hirsza Dudaka? Przecież to mój stryj – zawołał zdumiony krawczyk. Przed rewolucją strzelał do generała-gubernatora. Mama mi opowiadała. Cała ulica?

Mejłach Bloch rozwiał jego wątpliwości: jest ulica, może nawet całe miasto. No, nie miasto – miasteczko; takie jak Miszkine, gdzieś na Białorusi albo na Ukrainie...
– Wyobraź sobie: przyjeżdżasz do miasta, które nosi twoje imię. Hm? Wszyscy rzucają się do ciebie z pytaniami – czy jesteś bratem, czy swatem tego właśnie Hirsza... Każdy chce ci uścisnąć rękę. Ach, gdyby na świecie było miasto Bloch! Zaraz jutro wybrałbym się tam na piechotę. Ale niestety, jest Nowy Jork, jest Berlin, jest Wiedeń, jest Kowno, ale nie ma miasta Bloch. No bo i cóż w tym dziwnego? Cóż ja, Mejłach Bloch, uczyniłem dla światowej rewolucji? Absolutnie nic. Na miasto trzeba zapracować. Waszyngton!... Leningrad!... Swierdłowsk!... Stalingrad!... Wellington!... – Introligator odsapnął i mówił dalej: – Drugiego miasta chyba nie nazwą Dudak, ale jeżeli przeżyjesz życie równie zasłużone jak twój stryj, to zupełnie możliwe, że nazwą twoim nazwiskiem jakiś plac czy skwer.

Aron nie protestował, chociaż, szczerze mówiąc, wolałby nie plac, raczej coś skromniejszego. To śmieszne, kiedy plac targowy nazywają twoim nazwiskiem. Lecz najważniejszy problem to nie miejsce, tylko to, że nowej nazwy najczęściej nie nadaje się za życia, ale po śmierci. A kto ma ochotę umierać, mając dwadzieścia cztery lata?

Żyć tak, jak żył stryj Hirsz, myślał Aron, nie jest znowu tak bardzo trudno. Stryj szył buty, Aron szyje serdaki i siermięgi – to niewielka różnica. Stryj Hirsz walczył z ciemięzcami o wolność narodu, a on, jego krewniak, wojuje z bogaczami i krwiopijcami o sprawiedliwość i przyzwoitą płacę.

Dla niego przyzwoite wynagrodzenie jest chyba nawet ważniejsze niż sprawiedliwość. Chaskielowi Bregmanowi – sklepikarzowi o przezwisku „Żydowskie Wiadomości", trzeba płacić litami, sprawiedliwość w jego oczach nie jest żadną monetą; nic ci za nią nie da.

Oczywiście dobrze by było, gdyby w Miszkine – poza ulicą Kudirkos i Basanawicziusa – była jeszcze ulica Arona

Dudaka. Nawet bardzo dobrze. Idziesz sobie z Rejzł pod rękę i na każdym kroku po litewsku i po żydowsku woła do ciebie własne imię i nazwisko: Arona Dudaka dziesięć... Arona Dudaka czternaście... Arona Dudaka dwadzieścia sześć – od wieży strażackiej aż po Niemen. Nad sklepikami, nad fryzjerniami, nad czesalnią wełny: Dudak! Wszędzie Dudak!

Tak, radość by była wielka, ale za piękne oczy nikt nie zmieni nazwy ulicy. Malarze za dobrze uszytą odzież nie zaczną przemalowywać tablic z nazwami ulic, zmieniając Basanawicziusa i Kudirkos na Dudaka. Rzecz jasna, że tego nie zrobią.

Trzeba, tak samo jak stryj Hirsz, mieć generała-gubernatora, który by czymś zawinił wobec ludu pracującego – wydał jakieś haniebne zarządzenie albo kazał żandarmom wychłostać krawców na oczach całej ludności wyłącznie za to, że domagają się podwyżki wynagrodzenia.

Burmistrz Tarajła – to spokojny człowiek. Nie ma za co do niego strzelać.

A poza tym do tego, żeby strzelać, trzeba mieć pistolet.

Załóżmy, że pistolet by Aron zdobył. Ma kolegę – Lejzora Glezera, stolarza meblowego, który służy w Rosieniach w Szóstym Pułku Piechoty. Mógłby pożyczyć...

Ale, o Boże, czy w ogóle warto strzelać do człowieka po to, żeby twoim nazwiskiem nazwano jakąś ulicę? Niech sobie choć sto lat nosi starą nazwę – Kudirkos czy Basanawicziusa. Bo oni chyba niczyjej krwi nie przelewali.

– Nie ma rewolucji bez rozlewu krwi – tłumaczył mu Mejłach Bloch.

– W takim razie niech diabli wezmą rewolucje! Niech diabli wezmą!... Przelana krew to zawsze niesprawiedliwość.

– Czy nie można przeżyć całego życia spokojnie?... Z igłą w ręce? – dopytywał się Aron introligatora.

– Można. Ale tylko niewolnicze.

– Ja wolę niewolnicze niż krwawe – gorączkował się młody krawczyk.

– Marksa czytaj! Lenina! – nacierał na niego doświadczony Mejłach Bloch.

– Łatwo powiedzieć: czytaj!

Dopóki się nie ożenił, Aron mógł robić, co mu się żywnie podobało. Zwłaszcza kiedy miał wolny czas. Szedł do brzeźniaka albo świerkowego lasu, wyciągał z zanadrza książkę, otwierał na byle jakiej stronicy i nudząc się śmiertelnie czytał to, co mu wsunięto do ręki. Ale kiedy się ożenił, Rejzł zaczęła śledzić każdy jego krok; kradła mężowi Marksa i Lenina, zdzierała okładki, wyrywała stronice i, ku przerażeniu i oburzeniu Arona, wieszała je na gwoździu w ustępie. Nieszczęsny stronnik Mejłacha Blocha nie wiedział, co robić – czy rozwalić klozet, czy rozwieść się z żoną.

Rejzł oduczyła go również czytania po nocach. I tu okazała się silniejsza od Marksa i Lenina. Zanurzała swoje miękkie białe ręce we włosach Arona i zaczynała je wichrzyć, jakby próbowała znaleźć tam ścieżkę wiodącą do jego najtajniejszych myśli i pragnień, potem w białą, miękką niewolę dostawała się jego szyja, plecy, pierś i Pan Bóg, który stworzył Adama i Ewę, jak gdyby pogrążał jego zmęczone ciało w kruchą, rozedrganą amforę napełnioną miodem i do samego świtu wszystko tonęło w miodzie: i mrok, i ściany, i pierzyna nabita lekkim gęsim puchem, i splecione ręce, i nienasycone usta.

Aron dalej stał przy stole w całunie, z ponurą obojętnością myśląc o tym, co się stało na cmentarzu, nie będąc w stanie zrozumieć, czy śmierć Szachny jest karą, czy nagrodą – najprędzej niewesołym wybawieniem dla matki, która tyle się wycierpiała z tym nieszczęśnikiem; natomiast dla nich – dla Arona i Jakuba – Szachna jak gdyby już dawno umarł, jako że krainę, do której jeszcze w młodości przeniósł się ojciec, zamieszkiwali nie żywi ludzie, lecz ci, których śmierć nie zabierała, lecz do czasu wypuszczała poza granice życia; i oto on, wyzwoleniec, znów powracał we władzę kostuchy na krótkie mgnienie (pogrzeby zawsze trwają bardzo krótko), aby zakończyć swoja ziemską wędrówkę dokładnie tak samo, jak ją rozpoczynał w dniu swoich urodzin – nie jako szaleniec, nie jako grzesznik, lecz człowiek niewinny, niczym nie różniący się od wszystkich dokoła.

Teraz w miasteczku, myślał Aron, zupełnie zapominając, że stoi w całunie koło stołu, pozostanie tylko jeden człowiek, któremu Bóg odebrał rozum – syn karczmarza Joszuy Mandla, pryszczaty Siemion (wałęsający się przy kościele głuptak Stanislowikas się nie liczy). Siemion mimo swoich siedemdziesięciu lat nie opuścił rozstajów – do tej pory czeka tam na nadejście Mesjasza, aby inni wcześniej go nie powitali. Może wysłannik Boga właśnie dlatego nie przybywa, że potrzebują go wszyscy. A ten, którego potrzebują wszyscy naprawdę nie jest potrzebny nikomu.

Zaprzątnięty niewesołymi myślami o rozstajnych drogach, Aron nawet nie zauważył, kiedy weszła Rejzł. Z wyrzutem popatrzyła na jego strój, skrzywiła w uśmiechu duże zmysłowe usta i Aron, nie czekając, aż żona oparzy go swoimi słowami, natychmiast zdjął z siebie całun, zwinął go, w klapę marynarki wetknął igłę, do kieszeni włożył motek nici, i zanim wyszedł, zwrócił się do teścia, który wciąż jeszcze odprawiał czary nad spodniami pana Tarajły.

– A wy... wy, reb Gedali, na pogrzeb nie pójdziecie?

Bankweczer oderwał się od szycia, spojrzał na zięcia krótkowzrocznymi oczami, westchnął (zawsze wzdychał, kiedy ktoś go o coś prosił) i szybko, z lekkim westchnieniem zapytał:

– A cóż z panem burmistrzem?...

Znowu pan burmistrz, obraził się Aron. Prawdę mówiąc, gdyby nie było pana Tarajły, reb Gedali i tak by się nie wybrał na cmentarz.

Unikał kontaktów ze swoimi powinowatymi z cmentarza i nie czynił wyjątku nawet dla zmarłych. Bankweczer nalegał, żeby nawet na ślubie się nie pojawili. Jeżeli już samemu nie można nie dopuścić do ślubu (reb Gedali byłby szczęśliwy, gdyby ten szidech – małżeństwo, rozleciało się), to niech przynajmniej nie będzie na nim obłąkanego. Ale tu zabrała głos Rejzł. Bardzo proszę, wybieraj: albo urządzimy wesele tutaj, na Rybackiej, albo u Arona na cmentarzu. Reb Gedali ulękł się i ustąpił.

Aron przypomniał sobie nagle, jaki smutny i cichy siedział Szachna na weselu, jak w jego wyschniętej żylastej ręce połyskiwał srebrny kieliszek z nalewką na miodzie, a potem, ku zdumieniu wszystkich gości, równie cicho i smutno zapłakał, i ten stłumiony płacz, raczej podobny do męczącej czkawki, nie ustawał do chwili, kiedy Danuta-Hadassa wstała od stołu i ująwszy męża za łokieć wyprowadziła go na podwórze. Ale i na podwórzu Szachna dalej skamlał jak szczenię. Nikt nie pojmował, dlaczego płacze. Rabbi Hilel, który udzielał błogosławieństwa młodej parze, powiedział, pragnąc najwidoczniej uspokoić niezadowolonego, nadętego Bankweczera:

– Szaleniec niekiedy widzi dalej niż mędrzec. Może biedaczysko zrozumiał to, czego nam nie dane jest pojąć.

– Ale co on może zrozumieć? Co? – zaatakował duchownego reb Gedali.

– To tajemnica – spokojnie odparł rabbi Hilel. – Ale jeżeli ktoś na ziemi płacze, to grzechem jest wyrzucać za drzwi jego łzy.

Z Rybackiej na cmentarz było półtorej wiorsty, a nawet może mniej.

Aron i Rejzł minęli zalane słońcem miasteczko, skręcili na szarą, ścielącą się jak chłopska siermięga, polną drogę, potem, chcąc pójść na skróty – ruszyli przez pole żyta, płosząc przytajone wśród dorodnych kłosów przepiórki, które ze świstem wzbijały się w bezchmurne niebo.

Rejzł od czasu do czasu przystawała, zrywała zielone kłoski i wsuwała je do zmysłowych ust. Aron popatrywał na nią dumny ze swojej pracy – nie wiadomo dlaczego był przekonany, że Rejzł urodzi mu bliźniaki, chłopczyka i dziewczynkę, i już zawczasu, w tajemnicy przed żoną, nadał im imiona pradziadka i prababki – Efraim i Lea. Starszy czeladnik Juozas, chcąc dopiec Aronowi, rzucił dość ordynarnie:

– Żydzi nie miewają bliźniaków.

– Dlaczego? – rozzłościł się Aron.

– Bo mają za krótki pędzelek. Za jednym razem mogą zmalować tylko jednego.

– A skąd wiesz: krótszy czy nie krótszy?

– Bo wam go jeszcze w dzieciństwie obrzezują – zachichotał starszy czeladnik Juozas, zadowolony ze swojego dowcipu.

Będą bliźniaki, będą. I koniecznie Efraim i Lea, przekonywał sam siebie, idąc wolno przez pole żyta, Aron. Na złość Juozasowi, na przekór losowi, z zemsty na teściu Gedalim Bankweczerze, który w ogóle nie chciał mieć wnuków od tego hołysza.

Z daleka ukazało się kamienne ogrodzenie żydowskiego cmentarza. M I A S T O   S N U – zaświtało mu w głowie.

Wysokie kosmate sosny szumiały nad nagrobkami, tworząc jakby ogromny namiot lub, jak mawiał Szachna w chwilach, gdy mu się rozjaśniało w głowie, Arkę Przymierza.

Przy samym cmentarzu, w pobliżu bramy, nad którą wyciągały do siebie łapy grzywiaste – wyciosane przez dziadka Efraima – lwy, Aron zdał sobie sprawę, że nie powiadomił o śmierci Szachny rabbiego Hilela, chociaż sklepikarz Chaskiel Bregman zwany „Żydowskie Wiadomości" na pewno obwieścił już o tym całemu miasteczku. Chaskiel Bregman, chodząca gazeta, której nie trzeba abonować i za którą nie trzeba płacić ani grosza. Wejdziesz do sklepiku, spotkasz go na ulicy, i pierwszą rzeczą, jaką usłyszysz, będzie: „Czy wiecie?"

W „Żydowskich Wiadomościach" przeczytasz to, o czym nigdzie na świecie nie piszą. Na przykład o tym, że właściciel fabryki mebli Bruchis raz w roku przegrywa we Francji w ruletkę tysiąc litów, o tym, że w drodze do Palestyny na Morzu

Śródziemnym zatonął parostatek z emigrantami. (Chaskiel Bregman był przeciwnikiem emigracji; przecież nie emigrują zwykli ludzie, lecz k l i e n c i). Lub o tym, co się jeszcze nie wydarzyło, ale co niewątpliwie nastąpi: wykolei się pociąg, spali się tartak Landmana, zbankrutuje kamienicznik Kaper, burmistrz, pan Tarajła, przegra następne wybory.

Od Chaskiela Bregmana nie można było usłyszeć ani jednej dobrej nowiny; wszystko, o czym donosił, to były złe albo bardzo złe wiadomości. Chaskiel Bregman sam przyjdzie na cmentarz i przyprowadzi ze sobą dziesięciu pobożnych ludzi. Pogrzeb jest wydarzeniem smutnym, niemniej wydarzeniem. Chaskiel Bregman uważał, że Żydów należy codziennie przyprowadzać na cmentarz, żeby nie gniewali Boga, nie sarkali na swój los, by pamiętali, że na świecie jest miejsce, gdzie bogaty otrzymuje dokładnie tyle samo co biedny, a mądry tyle co głupiec – a więc, czy warto chełpić się swoim rozumem i bogactwem? Wszystko to marność nad marnościami, jako że pogrzebią i tego, co grzebie, i nadejdzie dzień, gdy zapłaczą nad płaczącym.

Cmentarne lwy przybliżyły się na tyle, że można już było rozróżnić nie tylko ich grzywy, ale i łapy, w których uroczyście dzierżyły rogi napełnione czy to boską łaską, czy gorzkim zielem przeznaczonym dla odstępców od wiary i grzeszników.

– Ty nie wchodź do chaty – powiedział Aron do Rejzł.

Poza zmarłą matką Rejzł nie widziała ani jednego nieboszczyka. Nie to, co on. Bywało, że w ciągu roku umierało dziesięciu, dwudziestu ludzi i każdego trzeba było obmyć, obrządzić.

Aron nigdy nie zapomni tego chłopaczka, który się otruł grzybami. Nazywał się chyba Owadiusz. Leżał na stole nagi, miał długie ręce i wspaniałe włosy, na jego nogach skóra była spękana; brązowe pięty miał twarde jak kora. Wydawało się, iż zalatuje od niego wonią grzybów, którymi się struł.

Myła go matka, Danuta; on, Aron, donosił tylko wodę. Boże, jakież ciężkie były te wiadra, jakby pluskała w nich nie woda, lecz ołów!

Danuta wytarła chłopca, wyjęła z komody grzebień, przyczesała go, jakby Owadiusz wybierał się w gości albo gotował do swojego pierwszego wielkiego święta: osiągnięcia pełnoletności – barmicwy.

Jego rodzice pokrzykiwali przy każdym dotknięciu grzebieniem wspaniałych, kasztanowych włosów chłopca.

Ojciec Owadiusza bez ustanku się modlił, a matka powtarzała tępo:

– Nakryjcie go... nakryjcie... jemu jest zimno... zimno...

Po śmierci syna nie pożyli długo – nie zdążyli mu nawet postawić nagrobka. Należy dziękować Jakubowi: przydźwigał z pola kamień, wyciosał imię malca, postawił nagrobek na mogile.

Kiedy Aron przechodził koło tego nagrobka, zawsze miał ochotę owinąć ten skromny pomniczek Owadiusza w coś ciepłego i wyzwolić chłopaczka z lodowych oków śmierci.

Ujrzawszy brata Jakuba, który nieopodal dziuplastego klonu wykopywał dół, Aron zaczął się wspinać na wzgórek, gdzie byli pochowani dziadek Efraim i babka Lea.

– Daj, ja trochę pokopię – poprosił Jakuba.

– Dzień dobry – powiedziała Rejzł, przekonana, że Jakub nie przerwie swojej pracy.

– No daj łopatę, daj. – Aron próbował przypochlebić się bratu. – I wyłaź z tego dołu.

– Idź lepiej do chaty. Tam czekają na całun – wymamrotał Jakub.

Aron wsunął Rejzł zawiniątko – ostatni przyodziewek Szachny, wskoczył do dołu, gwałtownie wypchnął stamtąd brata i sam zaczął kopać.

Jakub stał na skraju dołu, przestępował z nogi na nogę i w milczeniu obserwował, jak brat pracuje.

– Żebyś chociaż zapytał Rejzł o Eliszebę – zawstydził go Aron.

Milczenie Jakuba drażniło go. Skąd się wziął taki milczek w rodzinie – matka lubi sobie pogadać i Ezra, jak ludzie opowiadają, nie był milczkiem; zawód komedianta zobowiązuje: chcesz zarobić, no to miel ozorem. A z takim milczkiem żadna dziewczyna nie pójdzie do łóżka.

Próby nawiązania z bratem rozmowy do niczego nie doprowadziły. Jakub nie miał ochoty rozmawiać o niczym. Zwłaszcza o siostrze Rejzł – Eliszebie. Dopóki reb Gedali Bankweczer żyje – a niech żyje do stu dwudziestu lat! – nigdy nie wyda swojej młodszej córki za grabarza. Rodzinie Bankweczera wystarczy jeden Dudak – ten przerabiacz świata, ten łatacz obyczajów, który próbuje załatać wrogość braterstwem, brak równości – sprawiedliwością, ten pleciuga-marzyciel, który wierzy, że władzę można zmienić jak spodnie – nie podobają się w kratę, to znaczy z więziennymi kratkami, uszyje w paski, to znaczy z drogami wiodącymi do świetlanego jutra.

Żyd nie potrzebuje świetlanego jutra. Żyd potrzebuje po prostu j u t r a, żeby mógł rano spokojnie wstać, bez obawy zabrać się do roboty i żeby mu nikt nie wykręcał rąk, nie szarpał go za brodę i nie nazywał parchatym Żydem, nie rozbijał jego sklepiku i nie gwałcił córek.

– Wyłaź z tego dołu!... Jak będziesz tak kopał, do wieczora nie skończysz! – ofuknął szczupłego Arona Jakub.

Ale Aron nie słuchał.

– Wyłaź!

– Zaraz, zaraz... Przecież to mój ojciec, nie twój – burknął krawczyk.

– Twój.

– Niech wszyscy wiedzą, że i ja dodałem cegiełkę do jego ostatniego domu... i moją grudkę gliny... – cicho powiedział Aron, otarł pot i wygramolił się z dołu.

W bramie cmentarza pojawili się już ludzie. Były to staruszki z miasteczka – zawsze wielkodusznie smutne; najlepiej czuły się nie w domu, gdzie trudno jest się opędzić od trosk, lecz na cmentarzu, gdzie dba się wyłącznie o jedno – żeby cierpieć i płakać. Na cmentarzu ból jest wspólny i płacze się tu nie domowymi łzami, lecz jakby nieziemskimi.

Na początku kroczył Chaskiel Bregman o przezwisku „Żydowskie Wiadomości" i już dzisiaj, zaraz po pogrzebie, całe miasteczko się dowie, kto i ile razy mdlał przy grobie. Spojrzenie Arona wyłowiło również siwą głowę rabbiego Hilela. W całej jego postawie, w twardym, niecierpliwym kroku wyczuwało się coś z zachowania dawnych proroków i królów.

Aron otrząsnął z siebie przesyconą, kojącą nieziemską wilgocią ziemię, wyprostował się i ruszył naprzeciwko i tych staruszek-płaczek, i tego łowcy złych wiadomości Chaskiela Bregmana, i tego uczonego, postawnego pasterza, który ukończył wiedeńską szkołę dla duchownych, doznając jakiegoś zadziwiającego, niepojętego uczucia, bliskiego smutnej radości, że Szachny nie będą chować samotnie, że nie powierzą go ziemi jak szaleńca, lecz jak kogoś równego sobie, kto zaznał cierpienia i udręki.

Niechaj spoczywa w spokoju!

Jakub

Nie wiadomo, czym Eliszeba zauroczyła drugiego wnuka kamieniarza Efraima Dudaka – Jakuba. Nie była żadną pięknością: maleńka, chudziutka, podobna do młodziutkiego parobka-pastuszka, z wielkimi zadumanymi oczyma, w których po nocy nigdy nie następował świt, z niepozorną, usypaną piegami jak bułeczka cynamonem twarzyczką i dziwnym, jakby jakimś obcym uśmiechem.

Jakub ujrzał ją po raz pierwszy, kiedy zmarła Pnina Bankweczer, którą za niezwykłą nabożność i świątobliwość nazywano Oblubienicą Boga.

Przybity smutkiem reb Gedali posłał na cmentarz brata Jakuba – młodszego czeladnika Arona, żeby omówił sprawę miejsca wiecznego spoczynku nie na płaskim terenie, gdzie na wiosnę gromadzi się rdzawa, sącząca się jakby z piekieł woda, ohydnie chlupocząca pod nogami, lecz na pagórku, gdzie leżą wszyscy pobożni i bogaci ludzie z Miszkine, między innymi sławny na całej Litwie rabbi Uri, założyciel cmentarza, handlarz drzewem Markus Fradkin, co przeżył dwóch rosyjskich carów, oraz karczmarz Joszua Mandel, który wrócił z katorgi oskarżony czy to o zabójstwo chrześcijańskiego chłopca, czy to o namówienie swojej żony Marty do przejścia na judaizm.

Na pagórku spoczywały również inne miszkińskie znakomitości – woziwoda Szmul-Sender, któremu jego syn zza oceanu, Berl, wystawił pomnik z prawdziwego granitu, i właściciel fabryki zapałek Drukman, którego nagrobek swym kształtem przypominał wielkie pudełko szwedzkich zapałek: draśnij po nim i rozbłyśnie ogieniek.

Oblubienicę Boga, tak jak prosił Gedali Bankweczer, pogrzebano na pagórku obok rabbiego Uri, aby i na tamtym świecie mogła w porę się modlić i pokajać za swoje grzechy.

Aron z jakimś wstydliwym uczuciem ulgi i zemsty obserwował pochówek Pniny – Oblubienicę Boga do szaleństwa doprowadzały zaloty młodego czeladnika do Rejzł.

Natomiast Jakub, który na pogrzebach nigdy nie wymigiwał się od pracy, tym razem nieustannie odwracał głowę w kierunku pogrążonej w ciszy Eliszeby, która stała się jeszcze mniejsza, na jej długi warkocz, jakby niepozwalający jej ulecieć w niebo, przywiązując ją do ziemi, na delikatny puszek czerniejący nad górną wargą.

Spojrzenia Jakuba peszyły Eliszebę, odwracała się albo opuściwszy oczy patrzyła na rosnącą jak ciasto w dzieży górkę gliny.

Kiedy reb Gedali, nie czekając, aż rozejdą się żałobnicy, sięgnął do kieszeni, chcąc rozliczyć się z Jakubem, Eliszeba powiedziała cicho:

– Potem, tato... potem.

– Kiedyś się policzymy... Uszyjecie mi płaszcz albo ubranie – powiedział grabarz

– Uszyję ci na wesele – niezręcznie zażartował reb Gedali, w żadnym wypadku nie kojarząc swojej obietnicy z Eliszebą. Mało to rzeczy człowiek chlapnie! I to jeszcze w takiej chwili, kiedy przemawia za ciebie jakby ktoś inny.

– Dobrze – zadudnił Jakub.

Skwapliwie uchwycił się tego wspaniałego, tego niezniszczalnego, mimochodem, bez jakiegokolwiek znaczenia, rzuconego słowa i znowu wpił się wzrokiem w czarny warkocz Eliszeby, zacisnął go jak węzeł na swojej szyi, aby na wieki nie rozstawać się z jej głosem, z jej cichymi słowami, za którymi jak za sosnowymi gałązkami coś się kryło – wystarczy je rozsunąć, a w oczy chluśnie człowiekowi taki błękit, taki przestwór!

Drugi raz Jakub spotkał Eliszebę w synagodze rzeźników.

Nie wypuszczając z rąk modlitewnika, grabarz powtarzał nie święte przykazania Tory, lecz imię Eliszeby i zdumiewał się, dlaczego Pan Bóg nie karze go za takie bluźnierstwo.

Jakub patrzył na nią, jak siedziała na galerii wśród wyniosłych, pobożnych niewiast i myślał, że Eliszeba sama przypomina modlitwę: każdy pieprzyk na jej twarzy był świętą literą, każdy jej staw był melodyjnym psalmem, którego miało się ochotę wyuczyć na pamięć, od początku do końca i od końca do początku.

Przeżywszy tyle lat na cmentarzu, ani razu nie odczuwał tak dręczącego, słodko-grzesznego lęku, który domagał się ujścia, wyładowania, zapierał dech.

– Eliszebo! – zawołał dogoniwszy ją po nabożeństwie.

Zatrzymała się, ale on nie był w stanie wypowiedzieć ani jednego słowa.

– Eliszebo! – powtórzył płonąc ze wstydu i zakłopotania.

– Tak, jestem Eliszeba. A jak pan się nazywa?

Niewątpliwie udawała, że nie zna jego imienia. A przecież jego imię znają wszyscy w miasteczku. I wszyscy wymawiają je z ukrywanym, a nawet zabobonnym lękiem. Głupi ludzie! Czy to on jest winien, że oni umierają?

Jakub podjął tę zabawę, byle tylko nie odeszła. Niech pyta, o co chce, żeby go tylko nie odpychała. O żywych i martwych, o przeszłość i przyszłość. Nie jest takim głupcem i prostakiem! Szachna ze swojej chorej głowy przesypał do jego zdrowej tyle ziaren, że tylko miel i piecz!

– Jakub – jak obojętne echo zabrzmiał w powietrzu jej głos.

– Jakub – powtórzył bez sensu, czując, jak nić rozmowy się urywa.

– Pan zawsze przychodzi tu się modlić?

– Zawsze – odparł podniesiony na duchu.

Potrafił wykrztusić z siebie jedno, no, najwyżej dwa słowa albo jakieś niezrozumiałe pomruki.

– Podoba się panu na cmentarzu? – zapytała uprzejmie.

– Tak.

– Ale właściwie co?

– Wszystko.

– Wszystko? – zawołała z udanym przerażeniem. Czyżby

nieboszczycy tak mu się podobali?

– Sosny... Ptaki... Cisza...

– A chować kogoś, czy to nie straszne?

– Straszne – wykrztusił, starając się za wszelką cenę podtrzymać rozmowę.

– Zwłaszcza dzieci.

– Ja dzieci nie chowam – markotniejąc odparł Jakub.

– A kto?

– Szachna.

– A kim jest Szachna?

– Szachna to mój ojczym.

– A ojciec?

– Dawno umarł. Na gruźlicę.

– On też był grabarzem?

– Nie.

– A kim?

Wicher pytań owiewał go od stóp do głów. Ale on był rad z tej śnieżycy, z tej zawiei, z tej zamieci.

– Mój ojciec był wędrownym aktorem... komediantem. Purim-szpilerem.

– A pan... widział pan, jak on grał?

– Nie. Kiedy się urodziłem, ojca nie było już na świecie.

Jakub celowo zwolnił kroku, żeby dłużej być z Eliszebą, ona chyba też nigdzie się nie śpieszyła – szła powoli, przerzuciwszy warkocz przez ramię jak koromysło i do niego, do tego warkocza, przywiązane były wszystkie myśli grabarza, wszelkie jego skromne marzenia i nieśmiałe nadzieje. Eliszeba była od niego młodsza o dziesięć lat. Ale Jakub wydawał się jej rówieśnikiem. Ojczym Szachna nie darmo mówił: cmentarz odmładza. Ten, kto żyje wśród nagrobków i codziennie kopie groby, nie starzeje się. To znaczy, starzeje się oczywiście, ale nie tak szybko jak szewcy i krawcy. Na cmentarzu nie gryzie zawiść wobec innych i powietrze jest czystsze – nie to, co w zatęchłym warsztacie albo w sklepiku – i człowiek oswaja się ze śmiercią; dzięki temu długo udaje mu się uniknąć zmarszczek i na twarzy, i w duszy.

71

– A pan... pan się urodził na cmentarzu?

Każde zdanie Eliszeba zaczynała od tego „A" – jakby to był mostek przerzucony przez obcość – wystarczy go przerzucić i dotrze do czyjegoś serca.

– To mój brat... Aron... urodził się na cmentarzu. A ja w karczmie. Matka żartowała, że będzie ze mnie albo pijak, albo szynkarz.

– Podobno twoja matka potrafi przepowiadać przyszłość.

– Zależy czyją... – Jakub pomilczał chwilę i dodał: – Naszej nie odgadła.

– A co przepowiedziała?

– Mówiła, że Aron zostanie wielką figurą, że wszyscy będą się go bali, a on został krawcem i nikt się go nie boi.

– Może jeszcze będą się go bali.

– Krawców nikt się nie boi.

– A komu by mogło przyjść do głowy, że cały świat będzie się bał zwykłego malarza?

– Jakiego malarza?

– Hitlera. W tej chwili wszystkie kraje przed nim drżą.

– Hitler? A kto to taki ten Hitler?

Eliszeba parsknęła śmiechem.

Jej śmiech dotknął Jakuba. Niby co w tym śmiesznego? Przecież nie może znać wszystkich na świecie. Czy będziesz wiedział więcej, czy mniej – i tak twój los jest taki sam: kopać groby. A skoro tak, to wszystkie wiadomości mieszczą się na końcu łopaty. Cmentarz dlatego jest dobry, że na nim człowiek nie tyle troszczy się o ziemskie sprawy, co o sprawy tamtego świata. Jakub nigdy się nie interesował, kto i gdzie rządzi. Wiedział jedno: życiem rządzi śmierć.

– Hitler to łajdak – poważniejąc powiedziała Eliszeba. – Postanowił zniszczyć wszystkich Żydów.

– A co oni mu zrobili?

– Nic. Chce ich zniszczyć wyłącznie dlatego, że są Żydami. Żyd – to zawsze wina. I nie wymaga przy tym udowodnienia.

72

Z napięcia Jakub aż się spocił; oszołomiła go wiedza Eliszeby. Oszołomiła go też szybkość i łatwość, z jakimi mówiła o najważniejszych sprawach, poczynając od Hitlera, a kończąc na rodowodzie Dudaków.

– Zejdźmy nad rzekę – zaproponowała nagle. – Mam nadzieję, że dzisiaj już pan wszystkich pochował... A tam razem pochowamy słońce...

– Słońca nie można pochować – odparł uradowany, że Eliszeba nie ma zamiaru się z nim rozstawać.

– Można – uśmiechnęła się. – Ale tylko na jedną noc. Ach, gdyby można było tak chować ludzi! Moja mama... wstałaby rano, jak słońce. I świeciłaby jaśniej niż kiedykolwiek, bo poznała siłę ciemności...

Zeszli po zboczu nad Niemen. Woda o zachodzie lśniła purpurowym złotem. W nadbrzeżnych krzakach ptaki sławiły jeszcze dzień, który upłynął.

– A ty... pan... kogo by pan chciał zapalić rankiem?

Jakub przerażony wytrzeszczył na nią oczy. O czym ona mówi?

– Gdybyś mógł zrobić wszystko, co chcesz, kogo byś wskrzesił? Ojca? Dziadka? Babkę?

– Dziadka Efraima – powiedział Jakub. – I ojca.

– Dlaczego najpierw dziadka, a nie ojca? Przecież najpierw trzeba zapalić tych, którzy słabiej świecili.

– Moim zdaniem tych, którzy świecili wszystkim.

Cicho szemrała rzeczna woda i niczym ta woda, z ust Eliszeby płynęły, wlewając się w Jakuba, niecierpliwe słowa, iskrząc się i migocząc w mroku.

– A ty nigdy nie miałeś zamiaru odejść z cmentarza?

– Dokąd?

– Dokądkolwiek. Młodzi nie powinni kopać grobów.

– Może i nie, ale grabarz ma najlepszą panią na świecie.

– Śmierć?

– Nie. Ziemię. I nigdy jej nie zamienię na inną.

– Ale to nie jest nasza ziemia – powiedziała zagadkowo Eliszeba.

– Jak to nie nasza? Przecież urodziliśmy się na niej.

– No to co? – córka reb Gedalego Bankweczera nie speszyła się ani trochę. – Nie ta ziemia jest nasza, na której się urodziliśmy, lecz ta, którą nosimy w sercu.

Nie nadążał za jej krętą, pełną niedomówień myślą i na skutek tego coraz bardziej posępniał. Eliszeba, myślał, nigdy go nie zrozumie: nie ukończył żadnego gimnazjum, nie czytał, jak Aron, żadnych książek, nigdzie prawie poza miasteczko się nie wydalał, nie jeździł do innych krajów. Jego ojczyzna – to cmentarz; jest jej poddanym do grobowej deski. To tylko innym się wydaje, że jego ojczyznę zamieszkują martwi, ale dla niego oni są bardziej żywi niż wszyscy inni, ponieważ każdemu z nich zawdzięcza swoją wolność i swoje czyste sumienie, swoją niezależność. Kim by był wśród żywych, jakimi przywarami skalałby sobie duszę?

– Czy słyszałeś o takim kraju... o Palestynie? – rozgrzebując czubkiem pantofla rzeczny piasek zapytała Eliszeba.

Szczerze mówiąc, właśnie z powodu Palestyny córka reb Gedalego postanowiła poświęcić Jakubowi swój czas. Jeszcze na cmentarzu, kiedy chowano jej matkę, pomyślała, że takich junaków jak Jakub potrzeba tam, w Ziemi Obiecanej. Jak długo na obcej ziemi będą kopać groby? Upłynie pięćdziesiąt, sto lat, i z tych nagrobków, z tych napisów nie pozostanie nic, bo jeśli nie Hitler, to jakiś inny potwór wytępi żydowskie plemię, przepędzi je stąd na wieki wieków. Po co więc tu zostawać? W imię czego? Swoich sklepików, fryzjerni, warsztatów krawieckich? Nawet ptaki raz do roku odlatują na południe, do swojej praojczyzny. Boże, uczyń wszystko, żeby to samo zrobili Żydzi! Dodaj siły ich skrzydłom! Nie pozwól, aby spotkała ich burza!

– Tak – bąknął Jakub.

– Bo ja mam zamiar tam wyjechać – przyznała się Eliszeba.

Jej wyznanie zabrzmiało cicho, lecz stanowczo i Jakub nieoczekiwanie się wzdrygnął. Nagle zrobiło mu się wstyd własnej słabości. Dlaczego się tak tej dziewczyny uczepił?

Tyle lat przeżył bez przyjaciółki, to przeżyje i drugie tyle. Grabarz w ogóle nie powinien się żenić. Kto położy się do jednego łóżka z człowiekiem, który ściele łoża dla martwych?

– Żegnaj – rzuciła Eliszeba, znowu zwracając się do niego na „ty".

Nie miał odwagi jej zatrzymywać.

– I kiedy pani... wyjąkał.

– Nieprędko... Może na przyszłą wiosnę... „Na przyszłą wiosnę w Jerozolimie"! A na razie... na razie... jadę do Judgiriaj... Jak chcesz, możemy pojechać razem...

– Po co?

– Zobaczysz na miejscu.

Od jego odpowiedzi zależało wszystko. Jeżeli Jakub powie „nie", wszystko się urwie, odpłynie od niego, jak ta pierwsza gwiazda migocząca w mroku podmalowanym zachodem; nigdy więcej nie zamieni z Eliszebą ani słowa – ani w synagodze, ani nad rzeką, ani na cmentarzu.

– Dobrze – powiedział Jakub.

– Spotkamy się na rozstajnych drogach, tam gdzie stoi stary Siemion. We wtorek.

Lepiej by było oczywiście w piątek czy w sobotę. W sobotę nikogo nie można grzebać, a w piątek tylko przcz pół dnia. Ale skoro Eliszeba chce we wtorek, niechaj będzie wtorek. Jeżeli w miasteczku ktoś umrze, Szachna sam sobie da radę. Wybierze miejsce, gdzie ziemia jest miększa i wykopie dół. W razie potrzeby grób może wykopać również matka.

Najtrudniejszą sprawą było wytłumaczyć matce, po co wybiera się do Judgiriaj, co go ciągnie do tej dziury, gdzie nie ma nawet cmentarza, tylko tuzin krzyży czernieje przy rozjeżdżonej kołami wozów drodze.

– Masz tam coś do załatwienia? – dopytywała się Danuta.

– Mam.

– Ale w Jidgiriaj nie ma ani jednego Żyda... i Żydówki... – nie dawała matka za wygraną. – A może upatrzyłeś tam sobie jakąś Litwinkę?

– Mamo!

Pozy tym nie udało jej się wyciągnąć z Jakuba ani słowa. Zanurzył się w milczenie, niby spławik w wody Niemna. Dziwne było słyszeć takie słowa z ust matki. Najbardziej zdumiewał go jej upór, nieprzeparta chęć dowiedzenia się, do kogo jedzie; żądała od niego, by niemal przysiągł, że przyprowadzi do domu nie chrześcijankę, ale Żydówkę. Nie dlatego, że wyrzekła się chrześcijaństwa, wprost przeciwnie, Danuta pogardzała tymi, którzy się go wyrzekli. Po prostu chodziło jej o to, że gdyby Jakub ożenił się z obcą kobietą, rabbi Hilel, co tam rabbi Hilel – całe miasteczko, wszystkie bigotki i świętoszki zażądałyby, żeby Dudakowie wynieśli się z cmentarza. A bez cmentarza nie wyżyją, Szachna nie potrafi niczego zrobić, a ona, Danuta, też do innego zajęcia się nie nadaje.

Jakub przygotowywał się do wyprawy do Judgiriaj niczym na wesele. Zanim wyruszył na rozstajne drogi, wstąpił do fryzjerni Bersztańskiego (samego Bersztańskiego, którego osądzono razem z karczmarzem Joszuą i zesłano na początku wieku na katorgę na Sybir, dawno nie było już na świecie. Ale ludzie, którzy pamiętali jego zwinne nożyczki i brzytwę, po staremu nazywali miasteczkową balwiernię zakładem fryzjerskim Bersztańskiego).

Nowy fryzjer, niziutki człowieczek ze starannie przyciętymi rudymi wąsikami i gęstą bródką w klin, który w czasie golenia czy strzyżenia potrafił opowiedzieć o wszystkich swoich krewnych we wszystkich częściach świata z wyjątkiem Grenlandii, usadowił Jakuba w fotelu i zdumiony do głębi jego wizytą zapytał:

– Jak sobie życzysz – dłużej czy krócej? Są różne fasony – z krótką grzywką... z półkrótką... na jeża... na zero... Jeżeli się strzyżesz nie dla siebie, ale powiedzmy dla jakiejś panienki, doradziłbym na półkrótko...

– Jak półkrótko, to półkrótko – pąsowiejąc odpowiedział Jakub.

– Będziesz podobny do Bustera Keatona albo do Jana Kiepury.

– A co – to też grabarze?

Fryzjer odskoczył od fotela, chwycił się rękoma za łysą jak obrane ze skorupki jajko głowę i głośno się roześmiał.

– A grabarze! Grabarze! – powiedział ze śmiechem. – Zakopują do kieszeni wielkie pieniądze! – W jego brązowych oczach lśniły łzy zachwytu i rozrzewnienia.

– Czy ty choć raz byłeś w kinie? – zainteresował się golibroda i szczęknął nożyczkami.

– Nie.

– Szkoda! Wielka szkoda!... Siedź spokojnie! Nie wierć się! Co za włosy – nożyczki ich nie biorą! – poskarżył się fryzjer. – No tak. Kiedy mieszkałem w Szawlach, co drugi dzień biegałem do kina. Żona modli się, a ja – do Olejskiego, do „Romy". W synagodze co? Nuda! A u Olejskiego – bójki, pogonie, miłość, zdrady i... fryzury! Boże, raz zrobić taką fryzurę i umrzeć. No tak. Oni tam na płótnie mordują się, zabijają, a ja siedzę i uczę się... Nie, nie jak zabijać, ale jak strzyc.

Od miasteczka do Judgiriaj było sześć wiorst.

Jakub roztaczał wspaniałą woń. Przyjemnie zalatywało od niego wodą kolońską, którą fryzjer szczodrze spryskał jego twarz i włosy. Głowę miał lekką jak nigdy, i to uczucie lekkości, swobody, poczucie własnego znaczenia jeszcze przed spotkaniem z Eliszebą sprawiało mu z niczym nie dającą się porównać radość. Wydawać by się mogło, że przez całe swoje życie czekał na ten dzień i oto ten dzień nadszedł, i teraz nie ma już powrotu do przeszłości. Nawet jeśli on, Jakub, wróci na cmentarz i znowu zajmie się swoją codzienną pracą – kopaniem grobów, stanie się zupełnie inny; coś wniknie w jego duszę, wywyższy ją, uskrzydli; czy Eliszeba wyjedzie do Palestyny, czy nie wyjedzie, pamięć spotkania z nią pozostanie w nim na zawsze.

Myślał o niej z jakimś dławiącym uczuciem wdzięczności – przecież prawie przez czterdzieści lat ani razu, jeśli nie liczyć pobytu w wojsku, nie wyjechał z domu; nic, tylko kilof i łopata, bez przerwy miotła lub kosa.

Na cmentarzu znała go każda wrona; ptaki zaglądały mu po ludzku w oczy i we wronich źrenicach Jakub dostrzegał chwilami bezdenny smutek, znajdował nie dające się wyrazić słowami zrozumienie, jakiego nie spotykał ani u brata, ani u matki. Jego jedynego nie żądliły cmentarne pszczoły, zbierające wśród nagrobków swoją daninę z beztroskich, lekkomyślnych kwiatów. Jakub nigdy się przed nimi nie opędzał, tak samo jak nie odganiał ani os, ani trzmieli. Myszy polne zbliżały się do niego na odległość wyciągniętej ręki i ręka ta nigdy ich nie zawiodła – rozsypywała ziarna owsianych czy gryczanych krup, rzucała ogrzany nie wrogim, lecz przyjaznym ciepłem miękisz chleba.

Do czasu, kiedy spotkał Eliszebę, cmentarz wystarczył mu i za miłość, i za pracę, ale nagle – początkowo bał się tego nowego uczucia, sprzecznego z dotychczasowym układem życia – nagle kawałek ziemi otoczony niewysokim kamiennym ogrodzeniem, zaczął mu się wydawać odpychająco mały. Czuł się zupełnie jak ptak, który wyrwał się z klatki i wzbiwszy się w niebo, jeszcze się na nią ogląda – tym bardziej, że niewola jest bezpieczniejsza niż wolność. Niewola zapewnia pożywienie, a dla wielu ono jest właśnie jedyną pożądaną wolnością.

Jakub nigdy nie był w Judgiriaj. Tylko raz przejeżdżał obok, kiedy powołano go do wojska.

Zbliżając się do rozstajów, na których niemal pół wieku bez przerwy tkwił nieszczęsny syn karczmarza Joszuy Mandla, na próżno czekając na przybycie Mesjasza, Jakub przypomniał sobie swoją żołnierską służbę w Olicie. Wielkie koszary w sosnowym lesie, plac, na którym podoficer Poszkus każdego ranka ustawiał kompanię w szeregu. On – Żyd, Jakub Dudak, zawsze był pierwszy – na prawej flance.

Jakub wyłowił z pamięci, jak Poszkus zwrócił się do niego, rekruta, z podstawowym pytaniem: co potrafi robić? I na jego pytanie Jakub bez obawy odparł z powściągliwą dumą:

– Kopać groby.

– To każdy potrafi – parsknął śmiechem podoficer.

– Nie, panie władzo. To potrafi bynajmniej nie każdy. Tylko niewielu.

– Gadanie! Wezmę łopatę i wykopię.

– Dół – powiedział Jakub. – Ale nie dom.

– Czy grób jest domem? – mruknął Poszkus.

– Tak, zwłaszcza jeśli dom, z którego cię wynieśli, jest grobem.

– Widzicie go! – zachwycił się odpowiedzią Jakuba podoficer. – A ja myślałem, że jesteś jakimś tam krawczyną.

– Krawcem jest mój brat... A ja, panie władzo, jestem grabarzem.

– W wojsku nie potrzeba grabarzy. W czasie pokoju nie ma kogo grzebać. A na wojnie każdy rów jest grobem.

Jakub wyłamał kij i postukując nim po wyschniętej polnej drodze, dalej wędrował do Judgiriaj.

Przed jego oczami rozpościerała się szeroko otwarta, zalana błękitem przestrzeń, w której tu i ówdzie pojawiały się przysadziste chłopskie chaty, ale również raz po raz połyskiwał zaschniętą smołą wyasfaltowany plac koszarowy, krępa postać podoficera Poszkusa i polśniewająca niby rzemień z surowej skóry wstęga Niemna, nieszczęsny Siemion Mandel, który zestarzał się na rozstajnych drogach, i jego żywicielka – karczmarka Marta, chociaż już dawno umarła; w tym przestworzu, jak ptak, szybowała Eliszeba, to zniżając podniebny lot, to znów unosząc się w górę.

Szybciej, szybciej, sam się popędzał Jakub, zmierzając w stronę rozstajów. Żeby go tylko nie zauważył stary Siemion! Dostrzeże go i niechybnie wda się z nim w rozmowę. O Mesjaszu, bo o kimże innym. Ale Jakubowi było najzupełniej obojętne, czy wysłannik Boga przybędzie, czy nie; nie odbierze mu przecież łopaty i rydla, i nie przemieni cmentarza w ogród.

Danuta opowiadała, że podobno Joszua po powrocie z Sybiru, wynajął w Pagiegiaj pewnego wiekowego Żyda, przyodział go w jakieś łachmany i za radą doktora Klebańskiego przyprowadził na rozstajne drogi. Klebański rzekomo przysięgał i bożył się, że pryszczaty Siemion, kiedy zobaczy rzekomego Mesjasza, opuści swoje stałe miejsce i uroczyście, godnie ruszy za przybyszem do karczmy; doktor zapewniał, że w popsutym mózgu Siemiona Mandla, jak w starym zegarze, na skutek wstrząsu zaczną się obracać kółeczka, które się zatrzymały i syn karczmarza na zawsze opuści swój żałosny posterunek. Czujnego Siemiona jednak nie udało się wywieść w pole.

Ze współczuciem przyjrzał się odzianemu w stare łachmany starcowi i donośnym, ochrypłym z obrzydzenia i zawiedzionej nadziei głosem powiedział:

– Otrzyjcie mu smarki!

– Co ty pleciesz? – oburzył się syn karczmarza Joszua. – Coś ty, nie potrafisz odróżnić smarków od łez? Mesjasz płacze...

– On nie płacze. Łzy Mesjasza są wielkie i ciężkie jak grad!

– Jestem Mesjaszem – wybełkotał starzec tak, jak go nauczono i wystrzępionym rękawem otarł nos. – Pójdź za mną, Siemionie!

Ale Siemion ani drgnął.

Na starość nieszczęsny syn Joszuy Mandla zmienił obyczaje: wychodził na rozstaje późną wiosną, w lecie i wczesną jesienią, i to jedynie w dzień. Kiedy tylko spadł pierwszy śnieg, na rozstajach pojawiała się wdowa po łaziebnym – Rywa, którą nazywali Moszijach-Mesjasz, i zabierała go do swojej chałupy. Opierała go, karmiła, odziewała i zapewniała wszystkich dokoła, że gdyby Mesjasz był kobietą, już dawno by przybył, jako że kobieta jest naprawdę wysłanniczką Boga, podczas gdy mężczyzna, w najlepszym przypadku, pośrednikiem diabła.

Jakub spróbował niepostrzeżenie przemknąć się obok Siemiona, dać nura w krzaki i zaczekać tam na Eliszebę. Ale syn karczmarza Joszuy obdarzony był widocznie podwójnym wzrokiem – wewnętrznym i zewnętrznym, i nigdy nie przeoczył ani jednego żywego stworzenia, obojętne, czy był to człowiek, czy zabłąkana krasula.

Nie doszło jednak do tego, czego się Jakub obawiał: nieszczęsny Siemion nie nawiązał z nim rozmowy; wpatrzył się tylko w przybysza swoimi przymglonymi, ostygłymi od zapamiętałego wyczekiwania oczami, po czym, ni z tego, ni z owego włożył do ust dwa pomarszczone palce i zagwizdał.

Siemion nie przestawał gwizdać; gwizdał bez jakichkolwiek przerw czy pauz, ze zdumiewającym uporem; jego wargi wydymały się, jeżyły się siwe, sztywne, jakby zlodowaciałe włosy.

Na gwizd nagle zleciały się z gęstwiny ptaki; zaczęły szczebiotać nad Siemionem, załopotały skrzydłami. To zbijały się w stadko, to rozsypywały, to znów zawisały nad jego głową, napełniając powietrze niedostrzegalnym drżeniem; i mogło się wydawać, że cienkimi łapkami kreślą czyjeś imię.

Siemion przestał gwizdać, wyjął palce z ust, zamachał rękami i przyczajony w krzakach Jakub usłyszał:

– Dziękuję! Dziękuję!

Ptaki wpadały w coraz radośniejsze uniesienie, chwytając w locie jego słowa jak muszki.

Jakub nie mógł zrozumieć, za co nieszczęsny Siemion tak gorąco im dziękował; niewidzialny, lecz nierozerwalny związek z tymi leśnymi ptaszkami zdumiał grabarza, którego cmentarne ptaki i stworzenia nie darzyły miłością; w tym uczuciu było coś nieziemskiego, zaklętego, zrodzonego przez obłęd. Wydawało się, że stary Siemion nie tylko zachęcał, ale z łatwością rozpoznawał znaczenie tego pogwaru, tego łopotu skrzydeł, tego powietrznego bratania się; w takich chwilach otwierało się przed nim to, czego żaden śmiertelnik nie jest w stanie uchwycić ani słuchem, ani okiem; tajemnica zrodzona w niebie stawała się dostępna; świat jakby tracił swoją zagadkowość, odsłaniał się, zrzucając z siebie skorupę i jawił się, niby obrany owoc, w całej swojej pierwotnej nagości, w całej wielkości i samotności, której nie mógł uniknąć ani Bóg, ani człowiek, ani przelotny ptak.

Eliszeba spóźniła się i Jakub już powoli zaczął sobie tłumaczyć, że ona w ogóle nie przyjdzie.

Widocznie zakpiła sobie z niego, zażartowała. Nudno się żyje bez jakichś niezwykłych pomysłów; każdy wymyśla sobie coś innego – jeden Mesjasza, drugi Judgiriaj, jeszcze inny – jak brat Aron – zabawę w sprawiedliwość, która zawsze kończy się jednakowo – niesprawiedliwością wobec bliskich.

Kiedy tylko Eliszeba się ukazała, grabarz wyskoczył ze swojego ukrycia i, wystraszywszy pryszczatego Siemiona, rzucił się jej naprzeciw (i skąd u takiego niezdary jak on wzięło się raptem tyle wigoru?).

W Judgiriaj zatrzymali się niedługo. Kiedy minęli kościół, Eliszeba wyprowadziła Jakuba na jakąś wydeptaną przez pastuchów polną drogę. Minęli pastwisko i zeszli do zarośniętego łopianami jaru, który z jednej strony zamykał gęsty jak dziegieć las świerkowy. Za lasem, na stoku, czerniała solidnie zbudowana stodoła, z której dolatywało rżenie konia.

Nieopodal stodoły wznosiła się chałupa.

Na parterach w glinianych doniczkach wygrzewały się niby koty jakieś kwiaty – puszyste i niewiędnące.

Blaszany dach połyskiwał w słabych promieniach słońca i cicho, jak dzwoneczek kościelnego, podzwaniał w ciszy nasyconej zapachem dostatku i jedliny.

Gospodarza nie było i Eliszeba musiała obejść wszystkie zabudowania, aż znalazła go wreszcie koło stawu, gdzie dla miszkińskich i rosieńskich Żydów hodował wspaniałe karpie – ryby te, nawet martwe, nadal zachowywały hardy i wyniosły wygląd.

– Poznajcie się – powiedziała Eliszeba. – Ponas Czeslawas.

– Jakub.

Przyjaciel Eliszeby ukłonił się, ale nie wyciągnął ręki: utrzymywało się przekonanie, że uścisk dłoni grabarza skraca życie.

Czeslawas bez ogródek zapytał Jakuba, co potrafi robić i na krótką chwilę gościowi wydało się, że właścicielem chutoru jest podoficer Poszkus, tyle że bardzo postarzały i że zmienił zielony mundur na samodziałową wyblakłą koszulę, chromowe buty na ciężkie buciory, a wojskową furażerkę – na znoszoną czapkę.

Kiedy Czeslawas dowiedział się, że towarzysz Eliszeby jest grabarzem, orzekł, że bardzo szybko przywyknie do życia w chutorze, jako że grabarze to tacy sami rolnicy jak chłopi.

Na początek gospodarz zaproponował Jakubowi, żeby wywiózł z chlewa nawóz; zajęcie to, rzecz jasna, nie należy do najprzyjemniejszych, to nie to, co krowę doić czy prząść wełnę, ale pożyteczne. Ujrzawszy zdumione spojrzenie Jakuba, Czeslawas powiedział:

– Nie ma kraju bez gówna. Tam, gdzie jest człowiek, musi być gówno. Wszędzie go pełno, nawet w Ziemi Obiecanej.

Na Jakubie bardzo przykre wrażenie zrobiły wywody gospodarza. Co ma z tym wspólnego Ziemia Obiecana? I czy Eliszeba przyprowadziła go tu, żeby cały dzień grzebał się w nawozie?

Mimo to pokornie przyjął propozycję Czeslawasa. W obecności Eliszeby było mu obojętne, co robi – czy wygarnia nawóz, czy doi krowę (przecież na cmentarzu doi kozę), czy kosi siano, czy orze ziemię. Jakub nigdy nie przelewał krwi – ani świńskiej, ani kurzej, a tym bardziej ludzkiej.

Należy lubić wszystkie stworzenia – i te, co chrząkają, i te, co beczą. Łatwo jest lubić konia, który ciągnie twój wóz, czy psa strzegącego twojego domu. Ale spróbuj przyznać się, że lubisz świnię!

Nie, nie, Jakub nie będzie twierdził, że lubi świnie. Dla Eliszeby gotów jest na wszystko, poza odstępstwem od wiary, jako że wiara jest ważniejsza niż miłość. Dlatego też Boga nie można kochać – w Niego można jedynie wierzyć.

Jakub wziął do ręki widły i zaczął wygarniać ciepłe, pachnące krowim wymieniem pokłady nawozu. Podnosił go, rzucał na wóz, przyklepywał, żeby za jednym razem wywieźć jak najwięcej. Praca ta nie wprawiała go w przygnębienie, wprost przeciwnie, wywoływała w nim dobry nastrój; tylko jedna myśl, niby pchełka, która dostała się pod koszulę, gryzła go i, mimo że bardzo starał się od niej uwolnić, dokuczała mu nadal. Po co Eliszeba go tu przyprowadziła?

Za nic jakoś nie mógł uwierzyć, że wątła córka reb Gedalego Bankweczera, nieprzywykła do ciężkiej pracy na wsi, przychodzi na folwark Czeslawasa ot, tak sobie, bez jakiegokolwiek celu, bo nie może sobie znaleźć innej rozrywki.

Jakub był przekonany, że Eliszebie przyświeca jakiś cel – to niemożliwe, żeby pracowała w folwarku Czeslawasa, kierując się próżną ciekawością. Co ma wspólnego – łamał sobie głowę grabarz – ta chałupa, ta stodoła, te chrumkające prosięta z jej marzeniem – Palestyną?

Zapadł wieczór.

Żona Czeslawasa, Prane, wysoka baba o obrzmiałej twarzy, po której w żaden sposób nie można było odgadnąć jej wieku, postawiła na stole kiszone, smakowicie pachnące ogórki, dzbanek świeżego mleka (Eliszeba dopiero co wydoiła krasulę) i miskę ciągliwego miodu, nakroiła żytniego zakalcowatego chleba i nie chcąc przeszkadzać zakochanym (Prane, kiedy tylko zjawili się na chutorze, zorientowała się, że Eliszeba jest zakochana), wyszła, kołysząc ciężkimi jak piasty biodrami.

Jakub prawie nic nie jadł; posępnie wpatrywał się w Eliszebę, starając się nie okazać swego poruszenia – nigdy jeszcze nie przebywali sami pod jednym dachem.

Eliszeba też się denerwowała – niezgrabnie, jakby po omacku, smarowała chleb żółtym lipowym miodem (chutor ze wszystkich stron otaczały lipy), a jej palce, długie i białe, lekko drżały i to drżenie, które udzielało się wszystkiemu: i miodonośnemu zmrokowi, który otulił chatę, i blaskowi padającemu od zapalonej lampy, i przycichłemu kotu, który jak apostoł wypatrywał swoje żółte oczy – jednoczyło i wiązało ich bardziej niż kiedykolwiek.

W czasie gdy goście (Czeslawas nie nazywał ich robotnikami) jedli, Prane, polegając na swoim babskim wyczuciu i doświadczeniu, wyniosła do stodoły na siano pościel i dwie poduszki w powłoczkach z grubego płótna (dawniej Eliszeba nocowała po prostu w chacie, na ławie).

– Dobrej nocy – powiedziała gospodyni, wracając. – Tylko uważajcie tam... z ogniem... ostrożnie...

– Gdzie? – zapytała niewinnie Eliszeba.

– Na sianie – rzuciła Prane i śmignęła za drzwi.

W mrocznej ciszy słychać było, jak w zębach Jakuba chrzęści chleb. Cierpko, jak grzech, pachniał miód.

– Chyba żałujesz? – spytała Eliszeba.

– Czego?

– Że cały dzień grzebałeś w nawozie.

– Nie.

Jakuba aż ponosiło, żeby zapytać, co każe jej tydzień w tydzień wędrować tu z miasteczka, doić krowę, strzyc owce, prząść, ale Eliszeba, jakby domyślając się jego wątpliwości, uprzedziła wszystkie pytania.

– To nie jest zwykły folwark – powiedziała.

– A co?

– Szkoła... szkoła dla tych, którzy wybierają się w daleką drogę. Musimy się nauczyć wszystkich prac, jakie wykonuje się na wsi: siać, kosić, młócić...

Apostolskie źrenice kota gorzały w zmroku niegasnącym płomieniem.

– Nie możemy tam wyjechać bez wszystkich tych umiejętności...

Pomilczała chwilę, umoczyła w miodzie pajdę chleba, odgryzła kawałek i wyszeptała:

– Gdyby ojciec się dowiedział, że nie jestem z Menuchą... tylko z tobą... chyba by oszalał...

Reb Gedali trzymał córki bardzo krótko. Nieboszczka Pnina niekiedy wyrzucała mężowi, że z powodu jego tyranii ani Rejzł, ani Eliszeba nigdy nie wyjdą za mąż.

– Może każesz, żeby miały dzieci z tobą? – krzyczała Pnina.

– Lepiej ze mnę niż z jakimś obwiesiem i lekkoduchem.

– Mają mieć dzieci z rodzonym ojcem! – lamentowała Pnina. – Ażeby ci, durniu stary, język skołowaciał!

– A co? – bronił się reb Gedali. – Okradną twojej córce „sklep" raz, drugi i wtedy w biały dzień ze świecą nie znajdziesz kupca. Każdy „sklepik" musi mieć stróża i właściciela. Rozumiesz: stróża i właściciela.

Reb Gedali niepokoił się bez potrzeby: córki strzegły swoich „sklepików", chociaż złodzieje nie drzemali: na przykład zerwać kłódeczkę próbował starszy syn właściciela fabryki mebli Amos Bruchis, przyrodni brat tego, który utopił się w Niemnie; zwabił Eliszebę do brzeźniaka pod pretekstem, że napiją się soku brzozowego. Początkowo rzeczywiście nacięli białą korę, nałapali w dłonie pachnącego soku i zaczęli pić.

Gdyby nie fujarka pastucha Pranciszkusa, Amos Bruchis splądrowałby „sklepik" Eliszeby.

Starszy syn właściciela fabryki mebli wykręcił jej ręce do tyłu, przewrócił ją na trawę i zadarł dziewczynie spódnicę, ale nagle, usłyszawszy fujarkę pastucha, poderwał się i zaczął uciekać z lasu.

Eliszeba wstała, chwyciła się rękami za głowę, żeby nie słyszeć dźwięku fujarki i rozszlochała się na cały głos, po raz pierwszy czując, że życie i na jej korze uczyniło nacięcie, po którym ślad pozostanie na zawsze.

Od tego czasu Eliszeba w każdym mężczyźnie widziała Amosa Bruchisa, jego chwytliwe owłosione ręce, ale Jakuba jakoś się nie obawiała. Liczyła też na Czeslawasa, wiedziała, że to człowiek zaufany, nie wygada się przed ojcem; inaczej Gedali Bankweczer, niestrudzony stróż swoich córek, kark by jej skręcił.

Pobyt w chutorze nie tylko zbliżył Jakuba z Eliszebą, ale dopuścił go do jej najskrytszej tajemnicy, do marzenia, równie kruchego i śmiałego, jak ona sama.

Siedzieli w chałupie do późna, sen odleciał, i przed nimi ze zmroku, niby z dna morskiego, wynurzała się Palestyna, kraina miodem i mlekiem płynąca, zadziwiająca ongiś sąsiadów swoją potęgą, wyłaniało się z niebytu królestwo Judei, gdzie na ucztach i na polu walki olśniewał król Dawid, który pokonał Goliata, i zdumiewała swoją boską urodą Estera.

Opowiadając o praojczyźnie Żydów, którą najpierw zagarnęli Turcy, a potem Anglicy, Eliszeba powoli próbowała wpoić Jakubowi myśl o tym, że gdyby zechciał, to i on mógłby tam pojechać i pomóc swoją pracą odrodzić się starożytnej ojczyźnie. Jedynie tam Żydzi zyskają upragnioną wolność i radość. Dopiero tam skończy się ich sieroctwo.

Jakub słuchał jej, wstrzymując oddech. Było mu obojętne, o czym Eliszeba mówi; gotów był słuchać dziewczyny calutką noc do rana i znowu od rana do wieczora, i tak dzień po dniu, żeby tylko czuć jej bliskość, żeby tylko widzieć jej długi czarny warkocz, jej badawcze oczy, w których odzwierciedla się to wina, to stanowczość, to współczucie wobec wszystkich i wszystkiego na świecie.

Eliszeba radziła Jakubowi, żeby wstąpił do organizacji „Szomer Hacair" – „Młodzi Strażnicy" – i razem z innymi chłopakami zaczął się przygotowywać do wyjazdu do Erec Izrael. Ale Jakub nie okazywał najmniejszego zainteresowania tą organizacją. Żadna organizacja – czy to żydowska, czy nieżydowska – nie odpowiadała mu. Niech brat Aron sobie do nich wstępuje i w nich działa. Widocznie Aron nie chce być krawcem. Mierzy wysoko, kieruje się na jakiegoś naczelnika, na przywódcę. Nadejdzie czas, mówi Aron, i zostanę prezydentam. Na miejsce Smetony. Ale jaka z tego korzyść. Ten, kto szyje, nie powinien rządzić... A ten, kto rządzi, nie powinien szyć.

– Ja chciałbym pozostać grabarzem – cicho powiedział Jakub.

Za oknem na niebie rozsypały się gwiazdy. Pojawienie się gwiazd zawsze napełnia duszę smutkiem. W ich niepojętym świetle jest coś z Boga, który w odróżnieniu od człowieka posiada tysiące oczu; cokolwiek uczynisz na ziemi – wszystko dostrzeże. Czymże są w porównaniu z tym wszechogarniającym wzrokiem nasze oczy – dwiema gwiazdami zagubionymi w nie-

wyobrażalnej przestrzeni, zasnutej nieszczęściem i biedami?
– Dlaczego? – dziwiła się Eliszeba. – Czy to źle być rolnikiem?
– Nieźle. Ale lepiej być grabarzem.
– Dlaczego?
– Nie wiem... Nie potrafię tego wytłumaczyć... Każdy w życiu ma swoją rolę i swój zasiew.
– I twoim zdaniem, lepiej być siewcą martwych niż żywych?
– W naszej rodzinie wszyscy byli grabarzami – upierał się Jakub. – Czy warto tak daleko jeździć, żeby kogoś grzebać?
Nagle pożałował, że wyrwały mu się te słowa. Oczywiście, żeby grzebać Żydów, nie musi się koniecznie opuszczać Litwę i przenosić do Erec Izrael. Ale przecież Eliszeba namawia go do tego wyjazdu, mając inne cele na względzie.

Amosowi Bruchisowi nie zaproponowała, żeby jechał z nią do Palestyny – Amos, jak krążyły słuchy, przez jakiś czas uczył się w szkole Czeslawasa i młócić zboże, i zaprzęgać konia, i nawet trzebić młode byki. Stary Bruchis w obawie, że utraci ostatniego spadkobiercę (wyjedzie i przepadnie jak kamień w wodę) zamierzał kupić dla syna niedaleko Miszkine folwark z wszystkimi zabudowaniami gospodarczymi i domowymi zwierzętami, mając nadzieję, że Amos zmieni decyzję i zostanie na Litwie; powdycha zapach nawozu, nachodzi się po błocie, nasyci się uprawą roli i wróci do Kowna na wydział prawa. Już był gotowy akt kupna, ale na szczęście Bruchisa Amos się rozmyślił i oszczędził ojcu wydatku.

– Przypuśćmy, że się zgodzę, ale z kim zostawię matkę? – Jakub starał się jakoś złagodzić swoją odmowę.

Nie, on nie ma nic przeciwko odrodzeniu się królestwa judejskiego. Kto jest szczęśliwy, dla tego i Litwa jest Ziemią Obiecaną, a człowiekowi nieszczęśliwemu w królestwie judejskim jest gorzej niż na obczyźnie.

– Aron się nią zaopiekuje.
– Jaki z niego opiekun! On ma co innego na głowie.

– Czerwonych?

– Mówi, że oni przyniosą nam szczęście – poskarżył się raptem Jakub na brata. – Ty też tak myślisz?

– Nie. Stalin to taki sam łajdak jak Hitler, chociaż na razie nie morduje Żydów. – Przeciągnęła się, ziewnęła, osłaniając ręką usta i dodała: – Wszyscy śpią.

– Gospodyni pościeliła nam na sianie – wyszeptał Jakub.

– Ale tam myszy biegają... tam w sianie chroboczą żuki – powiedziała Eliszeba, chcąc oddalić groźbę.

Głupia! On nigdy... nigdy jej nie tknie, nawet jeśli położy się obok... Może całą noc stać na dole, przy obitych zardzewiałą blachą drzwiach stodoły i czekać, aż Eliszeba się obudzi.

– One ci nic nie zrobią – zapewnił ją.

Dziwne! Przeżył niemal czterdzieści lat i ani razu nie tknął kobiety – ani ustami, ani rękami, ani nawet – Bóg świadkiem! – myślą... Kobiety tylko mu się śniły.

Śniło mu się, że kogoś całuje, ale kogo właściwie, tego w żaden sposób nie mógł pojąć; pamięć zwracała mu wszystko: i włosy nieznajomej, i jej oczy, i usta, ale to wszystko istniało oddzielnie, nie układało się w całość, w twarz, w postać, i dlatego poza uczuciem rozczarowania i żalu, Jakub nie odczuwał nic więcej.

– Są dobre.

– Kto?

– Żuki i nietoperze – powiedział.

– Skąd wiesz?

– Przyjaźnię się z nimi od dzieciństwa. Już z daleka mnie poznają i słuchają mnie... Przyjdź na cmentarz, to zobaczysz!

– Tak jest na cmentarzu, ale tutaj...

To obce mu ożywienie męczyło ją i obudziło w niej niepokój. Ale on nie mógł nic na to poradzić. Słowa płynęły wbrew jego woli, były jakoś nieskromnie śpieszne, nie zatrzymywały się w gardle, lecz wyrywały się w ciemność.

– Boże! Boże! – westchnęła Eliszeba. – Jaki z ciebie Jakubie, doprawdy...

Nie dokończyła, ale po raz pierwszy czule zwróciła się do niego po imieniu. I po raz pierwszy wydało mu się, że takiego imenia nikt nigdy na świecie nie miał, że takie imię na całym świecie nosi tylko on i nikt poza nim – jak dotąd, jest jedynym Jakubem na całym świecie!

Eliszeba nie wyjechała do Palestyny ani w tym roku, kiedy się poznali, ani w następnym; w trzydziestym dziewiątym przeszkodziła wojna (droga do Palestyny była zamknięta!) oraz ojciec reb Gedali Bankweczer.

Ona i jej przyjaciółka Menucha snuły plany, żeby uciec potajemnie – najpierw do Kowna, potem do Rygi, tam wsiąść na turecki lub grecki statek, dotrzeć do Stambułu albo na Cypr, a stamtąd już do Ziemi Obiecanej.

Reb Gedali Bankweczer, który potrafił odgadnąć nie takie rzeczy, zagroził, że wyklnie córkę na wieki i nie zważając na jej argumenty, osiągnął swoje – Eliszeba została w Miszkine.

A przecież argumenty miała nie byle jakie!

Zarzucała ojcu krótkowzroczność, przekonywała, że tutaj na Litwie, niedługo zginą albo z ręki Hitlera, albo Stalina.

Najlepszy krawiec na Żmudzi wyśmiewał się z jej obaw, zapewniał, że ani Hitlerowi, ani Stalinowi Litwa nie jest potrzebna; są, jak to określił, tłuściejsze kąski – Polska, Czechosłowacja, Austria; Eliszeba nie zgadzała się z ojcem: twierdziła, że dla wilka nie ma znaczenia, czy owca ma tłuszczyk, czy go nie ma; wilk pożera owcę nie dlatego, że jest tłusta albo chuda, lecz dlatego, że jest owcą.

Jednakże reb Gedali upierał się przy swoim. Ze szczególną zawziętością – czy aby nie pod wpływem Arona? – bronił Stalina. Podobno żona tego górala jest Żydówką. A żony słucha każdy mąż – obojętne czy to będzie Bankweczer, czy Stalin.

Eliszebę do furii doprowadzało jego ględzenie; wykrzykiwała ojcu w twarz obraźliwe słowa, zaklinała się i bożyła, że żona Stalina nie była Żydówką, ale Rosjanką, że nie mogła znieść jego szyderstw i zastrzeliła się, ale reb Gedali nie dawał się przekonać.

Oprócz argumentów politycznych uzasadniał swoją odmowę również i życiowymi: ktoś musi się o niego troszczyć, ugotować mu ulubione kartofle z suszonymi śliwkami – flojmen-cymes, wyprać świąteczną koszulę – przecież nie pokaże się w synagodze w brudnej i niechaj Bóg nie skarze go za takie słowa – podać do łóżka szklankę wody, kiedy nadejdzie śmiertelna godzina.

Na Rejzł nie ma co liczyć. Ten hultaj, ten obwieś Aron zawrócił jej w głowie i córeczka wlecze się za nim jak smród za wojskiem. Poza tym mogą się wyprowadzić – bo kto ma ochotę mieszkać z rodzicami?

Cała nadzieja w niej, w Eliszebie. Kim on jest, Gedali Bankweczer, bez swoich córek? Stary, nikomu niepotrzebny manekin! A dla manekina ani Hitler, ani Stalin nie są straszni. Manekinowi jest obojętne, jakie wojsko widzi za oknami – rosyjskie czy niemieckie.

Dzieci, mawiał patetycznie Bankweczer, to nasze odzienie. Bez nich jesteśmy nudzy. Eliszebo, nie sprawiaj, żebym był nagi! Nie sprawiaj!

I Eliszeba ustąpiła.

Jakub nie wiedział, czy ma się cieszyć, czy nie, że Eliszeba została w Miszkinc. Z jednej strony to dobrze, że od czasu do czasu ją zobaczy, zamieni z nią słowo, może nawet w cichy księżycowy wieczór pospaceruje po miasteczku, ale z drugiej strony czuł się winny. Gdyby się zgodził z nią pojechać, żadne zakazy Gedalego Bankweczera by nie pomogły.

Targały nim sprzeczne uczucia, chociaż przeważała radość. Ale cóż on może zaproponować Eliszebie w zamian za upragnioną Palestynę – ten cmentarz z wronim krakaniem, tę rozwalającą się chałupę, tę biblijną kozę, która wałęsa się po nagrobkach jak po trawie i po trawie jak po nagrobkach, tych dziwacznych członków swojej rodziny – ojczyma, który w niepamiętnych czasach zwariował, i matkę, której w życiu pozostał jedyny skarb – wielkopański kapelusz z niezwykłym piórem?

Co prawda, może zaofiarować Eliszebie swoje serce, ale żeby nie wiadomo ile razy je ofiarowywał, nikogo nie można przywiązać do niego na siłę.

Jakub rozprostował grzbiet, wyrzucił ostatnią łopatę gliny, wyszedł z dołu i rozejrzał się.

Brat Arona szedł obok postawnego rabbiego Hilela i coś mu gorliwie tłumaczył, wymachując swoim zwyczajem rękami, jakby usiłował wyrąbać przerębel w zlodowaciałym cmentarnym powietrzu.

Nieco z tyłu, utykając na prawą, krótszą nogę, wlókł się Chaskiel Bregman o przezwisku „Żydowskie Wiadomości".

Za nimi, ująwszy się pod ręce, dreptały dwie staruszki. Od czasu do czasu przystawały i zrywały w cmentarnej trawie niedojrzałe jagody. Były to pierwsze poziomki, których nikt poza policjantem Tamulisem i jego żoną nie zbierał na cmentarzu.

Kiedy Aron i Jakub delektowali się w dzieciństwie pierwszymi jagodami, Danuta krzyczała na nich:

– Krwiopijcy! Nie można jeść tego, co rośnie na cmentarzu.

– Ale dlaczego? Dlaczego? – nie dawali jej chłopcy spokoju.

– Ten, który żywi się śmiercią, niczym nie pogardzi, byle tylko napchać sobie brzuch.

Nawet ogród, w którym matka uprawiała cebulę i marchew, czosnek i kapustę, kartofle i rzodkiew, położony był za kamienistym ogrodzeniem, a nie na terenie cmentarza.

Jakub znowu zerknął na staruszki, które przechwalając się jedna przed drugą, pokazywały sobie zerwane poziomki. Cóż to znaczy dla nich, kobiet osiemdziesięcioletnich? Już niedługo będzie im dane karmić się życiem.

Przez bramę cmentarza przemknęła jeszcze jedna staruszka, żywa, ruchliwa, w czarnej chustce nasuniętej na czoło. Skręciła z dróżki prowadzącej do chaty i tratując cienkimi, wyschniętymi nogami trawę, wspięła się na pagórek.

Niebawem dotarł stamtąd donośny, przynoszący ulgę płacz.

Na widok Jakuba staruszka zaczęła szlochać jeszcze głośniej.

– Biada mi! Biada! – zawodziła, zerkając z ukosa na grabarza. – Moje dzieci spoczywają w ziemi, a ja nadal po niej chodzę. I gdzie, o Boże, jest sprawiedliwość?

Staruszka zwracała się do Boga, do ziemi, do Jakuba, do swoich nieszczęśliwych dzieci i z jej oczu, zasypanych wielkimi, słonymi grudami bólu, bezustannie płynęły łzy; nie ocierała ich, a one skapywały na trawę z pomarszczonego, jak zwiędła gruszka, podbródka.

– Gdzież jest sprawiedliwość? – powtarzała staruszka. – Ile Bóg dał nam łez? Ile?

– Wszystkim dał po równo – odezwał się Jakub.

– Nie po równo... – oburzyła się staruszka. – Mnie wlał ich do oczu więcej niż innym... Oddał mi łzy moich dzieci... Chanełe, Motełe, Szifrełe i Szlojmełe! Kiedy one się skończą – te moje łzy?

Jakub milczał. Myślał o Eliszebie. Przecież mogła przyjść.

– A kto umarł? – nieoczekiwanie zainteresowała się staruszka.

– Mój ojciec – krótko odparł Jakub.

– Szczęśliwy człowiek – westchnęła stara kobieta.

– Szczęśliwy? – Jakub wzruszył ramionami.

– Czy może być na świecie większe szczęście niż odejść wcześniej od tych, których się kocha? Ja się zgadzam umierać cztery razy... po jednym razie za Chanełe i Motełe, Szifrełe i Szlojmełe. – I staruszka znowu głośno się rozszlochała.

Cmentarne wrony krążyły nad jej głową i dziobały jej pamięć.

Przed rozpoczęciem pogrzebu zdążyło jeszcze nadejść około dziesięciu osób – głównie byli to ci, którym Szachna pomagał tłumaczyć listy nadchodzące z Rosji i z Ameryki, najczęściej z Ameryki; zmarły władał biegle nie tylko językiem rosyjskim i hebrajskim, ale całkiem nieźle mógł się porozumieć w języku niemieckim i angielskim. Gdzie nauczył się angielskiego, Jakub nigdy się nie dowiedział. Na wszystkie pytania matka odpowiadała wykrętnie:

– Wcale się nie zdziwię, jeżeli pewnego pięknego dnia zacznie mówić po turecku.

Większość z tych, którzy zdążyli przybyć przed wyniesieniem ciała, to byli mężczyźni i rabbi Hilel nie ukrywał swojego zadowolenia: zgodnie z obyczajem przodków, do modlitwy potrzeba dokładnie dziesięciu ludzi..

Szachnę owinięto w całun, Aron wyjął igłę i nici, i zaczął zaszywać ostatnią odzież ojca z taką starannością, jakby nieboszczyk mógł ją zrzucić w drodze do grobu.

Jakub nie spuszczał oczu z maleńkiej chybkiej igły, z coraz krótszej nici, z białego jak śnieg taniego płótna, i myślał o tym, że i on kiedyś będzie tak leżał na stole, całkiem wyzuty ze wstydu przez śmierć, bez czucia, w mgnieniu oka pozbawiony wspólnoty ze wszystkimi na świecie – z ludźmi, zwierzętami, ptakami, z trawą, z Eliszebą, która chyba nie umknie do swojej wychwalanej pod niebiosa Palestyny; postarzeje się, obdaruje jakiegoś chwackiego fryzjera furą dzieci, przyjdzie na jego, Jakuba, pogrzeb, stanie wraz ze swoimi fryzjerczykami nad jego grobem, zapatrzy się w swoją młodość owiniętą w białe pogrzebowe płótno i z jej usypanego pieprzykami policzka stoczy się mimowolna łza; serce jej drgnie, ściśnie się, i Eliszeba ujrzy folwark Czeslawasa, stodołę w polu, gumno i pastwisko, gdzie uczyli się wiejskiej pracy, żeby zamienić w kwitnący sad piaski pustyni Negew i pustynie Galilei.

Jakuba nagle ogarnął wstyd, że chwilę przed pogrzebem ojca (Szachna nigdy nie był dla niego ojczymem) myśli nie o zmarłym, nie o jego dobroci, o sile jego zwichniętego rozumu, nie o motylu, na którego grzesznik polował przez całe życie, lecz o niej, o Eliszebie Bankweczer, o jej czarnym warkoczu, o jej pieprzykach, o jej szyi białej jak całun, którym tak bardzo się chciał owinąć.

Stojąc koło wykopanego grobu rabbi Hilel dał Aronowi znak i ten zaczął odmawiać kadisz. Nikt go jej nie uczył, ale brat znał kadisz na pamięć. I nic w tym dziwnego: tyle razy słyszał, jak ją odmawiają na cmentarzu inne sieroty.

Mogłoby się wydawać, że modlitwę żałobną znały również wrony, gnieżdżące się na wysokich kosmatych sosnach, i pszczoły zbierające miód z dziewiczych cmentarnych kwiatów, i białonoga koza, która jakby się przywlokła do Miszkine z pradawnych wzgórz, i nawet omszałe kamienie, ułożone jeszcze rękami kamieniarza Efraima Dudaka.

Głos Arona, zazwyczaj chrapliwy i bez wyrazu, nabierał wysokości, odrywał się od ziemi, sięgał do nieziemskich pałaców, tam, gdzie zasiadał sam Najwyższy na swoim niewzruszonym, odlanym z czystego złota tronie i gdzie krążyły miękkoskrzydłe anioły.

Jakub wsłuchiwał się w słowa brata i smutne zdumienie wywołane zapamiętałą modlitwą oraz donośnym głosem, w którym kojarzył się i ból, i oburzenie, i miłość, wypierały wszystkie inne uczucia.

Matka bez przerwy poprawiała kapelusz, chociaż nie było nawet cienia wiatru. Nerwowo ściskała dziwaczne, mocno wyblakłe pióro, jak gdyby pozostawione bez opieki mogło ulecieć, wzbić się w nieskończone, zdobne błękitem i szafranem niebo.

Oczy jej były suche. Wydawało się, że nawet tysiąc śmierci nie doprowadziłoby jej do płaczu. Nie, śmierć Szachny nie była powodem do łez. Jego zgon wzbudził w Danucie wyłącznie uczucie zazdrości. Zazdrości i niczego poza nią. A kto płacze z zazdrości?

Kiedy Aron skończył odmawiać kadisz, zeskoczył do dołu i czekał, aż Jakub opuści koniec drewnianych, złożonych z czterech nieheblowanych desek mar, na których jak na tratwie spoczywał martwy Szachna.

– Ostrożnie, Jakubie!... Ostrożnie, Aronie! Bo nie daj Bóg, spadnie – niepokoiła się Danuta-Hadassa.

A tratwa unosiła Szachnę w bezkresny, pachnący świeżą gliną odmęt.

Rabbi Hilel pochylił się, zaczerpnął garść ziemi i nie patrząc w ziejący dół ostrożnie rozwarł nad nim rękę.

I w tej chwili dokonał się cud.

Ze wszystkich stron na grób Szachny zleciały się cmentarne wrony. Podniosły taki zgiełk, że nie było słychać jak ziemia spada do grobu.

– A kysz, a kysz! – krzyknął na nie Aron.

Ale wrony nie zlękły się. Zatoczyły nad cmentarzem krąg, jakby zapraszając wszystkie swoje towarzyszki z miasteczka, i niebawem ich stado powiększyło się – całe niebo pokrywały czarne, roztrzepotane plamy; barwa żałoby przesłaniała horyzont.

Jakub zamachnął się na nie łopatą.

Na próżno!

Z kruchty kościoła sąsiedniego cmentarza katolickiego, z nabrzeży Niemna nadciągała odsiecz.

Rabbi Hilel osłonił rękami aksamitną jarmułkę, żeby te rozwrzeszczane ptaszyska nie opaskudziły jej w locie.

– Nie przepędzaj ich – cicho powiedziała Danuta-Hadassa. – One kochały go bardziej niż my.

Jakub skulił się. Czy kochał Szachnę? Raczej było mu go żal, jak ptaka ze złamanym skrzydłem. Możesz nie wiadomo jak starać się mu pomóc, ale latać już go nie nauczysz.

Wrony nadal krążyły nad mogiłą. To czarnymi główkami wzbijały się w górę, to opadały niemal na samą ziemię, na grób Szachny, i z daleka wydawało się, że ptaki otrząsają ze skrzydeł popiół do jamy.

Nie wiadomo skąd przy grobie zjawiła się koza.

Początkowo trzymała się z daleka, za plecami Chaskiela Bregmana o przezwisku „Żydowskie Wiadomości”. Ale po chwili, ośmielona, obawiając się widocznie, iż nie zdąży na smutne pożegnanie, przepchnęła się bliżej grobu.

– Me, me! – Nabożnym wzrokiem zezowała na biały całun.

Staruszka, która niezależnie od tego, w czyim uczestniczyła pogrzebie, i tak opłakiwała czwórkę swoich przedwcześnie zmarłych dzieci, pchnęła ją nogą, ale koza nie ruszyła się z miejsca.

– Me, me, me! – Niosło się po całym cmentarzu.

Teraz oburzył się już i Chaskiel Bregman o przezwisku „Żydowskie Wiadomości". Podniósł z ziemi uschniętą gałązkę i, zapominając o swoich obowiązkach kronikarza, spróbował odegnać nierozumne stworzenie. Ale niedługo koza znowu pojawiła się nad mogiłą, i znowu nad nagrobkami, nad sosnami, nad ucichłymi żałobnikami popłynęło:

– Me, me, me!

Zostawcie ją w spokoju – powiedział blady, wymizerowany Aron, zasłaniając wykopaną mogiłę przed Rejzł. – Niech sobie beczy. On kochał ją bardziej niż nas.

Koza nie przestawała beczeć, wrony dalej zapamiętale krakały; rabbi Hilel kończył żuć modlitwę niby pajdę chleba; Danuta-Hadassa szarpała pióro na kapeluszu – z dziwacznego kwiatka jej młodości nie pozostał ani jeden płatek, ani jeden pręcik. Nagle jej, która owdowiała na zawsze, przyszła do głowy fantastyczna myśl – ulecieć razem z tymi wronami w niebo, rozpłynąć się w splamionym śmiercią błękicie.

Ale dla białej wrony, przywołała się do porządku Danuta, jest tylko jedno niebo – grób.

Rejzł gładziła się po brzuchu.

Rabbi Hilel gładził swoją gęstą bródkę.

Jakub wygładzał łopatą wzgórek.

Krakały wrony, beczała koza.

Nad sąsiednimi nagrobkami niespokojnie latał motyl, który, być może, szukał tego, co przez całe życie nań polował. Skąd to płoche stworzenie mogło wiedzieć, że polowanie trwa dłużej niż żywot polującego?

Mejłach Bloch

Zanim Mejłach Bloch poznał Arona, nigdy nie zachodził na cmentarz. Ani na cmentarzu żydowskim, ani na prawosławnym, ani na katolickim nie miał co robić. Z nieboszczykami nie dokona się światowej rewolucji. Martwych nie poderwie się do ostatniego, decydującego boju. Martwym jest obojętne, kto sprawuje władzę na ziemi – robotnicy i chłopi, czy obszarnicy i burżuje.

Do śmierci Perl nie miał na cmentarzu grobu nikogo bliskiego. Mejłach Bloch nie pochodził z Litwy, lecz z Białorusi, z miasteczka Kalinkowicze, dokąd natychmiast po wybuchu pierwszej wojny światowej wysiedlono litewskich Żydów, którzy mieszkali na granicy z ówczesnymi Niemcami i uważani byli za nader nieprawomyślnych. I właśnie dzięki tym przesiedleńcom Mejłach Bloch dotarł na Litwę.

W Kalinkowiczach ożenił się, zgodnie z jego własnymi słowami, ze „szpiegiem" – piękną i postawną córką miszkińskiego bałaguły Pejsacha Wolfsona – Perl. Mejłach Bloch nigdy by jej nie pojął za żonę, gdyby rewolucja październikowa dokonała się nie w roku siedemnastym, ale, dajmy na to, o rok lub dwa wcześniej; przewrót jednakże się opóźnił i w Kalinkowiczach urządzono jeszcze jedno wesele.

Do roku siedemnastego młodożeńcy żyli w spokoju i zgodzie. Mejłach Bloch przemyśliwał nawet o potomstwie, ale kiedy bolszewicy zagarnęli władzę, nagle się zmienił, porzucił swój zawód introligatora, zaczął rozjeżdżać się po wsiach i rekwirować u bogatych chłopów nadwyżki zboża. Do biodra przypiął nagan, a spodnie przepasał żołnierskim pasem.

Nękana złymi przeczuciami Perl, co noc do rana nie mogła zmrużyć oka, wierciła się w niemiłym jej łóżku, czekała na jakieś nieszczęście, na nieszczęście, które przychodzi nawet do tych, którzy nań nie czekają; pojawiło się niezwłocznie – we wsi Chotiłki, pod Kalinkowiczami. Wrogowie, jak to określał Mejłach Bloch, klasowi, ostrzelali furmankę, którą jechał razem ze swoim naczelnikiem Wasilijem Nadutym; Wasilij zginął na miejscu, a Mejłach został ranny w pośladek, nieco powyżej krzyża. Calutki miesiąc przeleżał na brzuchu, cierpiąc bardziej z bezczynności i wstydu niż z bólu.

I wówczas, jak opowiadał Mejłach, jego teść, bałaguła Pejsach Wolfson, wypowiedział swoje słynne zdanie:

– Władza, do której strzelają, to nie jest władza dla Żydów. Mnie się wcale nie podoba, kiedy pobierają od nas podatek z krwi, nawet jeśli, proszę o wybaczenie, to krew z tyłka.

Mejłach Bloch zaczął udowadniać woźnicy, że żadna władza nie może się obejść bez ofiar i że walka o wyzwolenie ludzkości czasami wymaga nawet przelewu krwi. Ale ani Pejsach Wolfson, ani jego córka Perl, nie mogli pojąć, co ma wspólnego wyzwolenie ludzkości z przywłaszczaniem sobie cudzego zboża.

Kiedy Mejłach Bloch zaleczył swoją ranę i wstał z łóżka, Perl oznajmiła:

– Wyjeżdżamy!

– Dokąd? – raczej z grzeczności niż z zainteresowania zapytał odważny bolszewik. Był przekonany, że Pejsach i Perl postanowili wrócić na Litwę, wyjechać z kraju zwycięskiego, jak mówił, proletariatu, do kraju gwałtu i ucisku.

– Do domu – powiedziała żona.

– A co ze mną? – szczerze zdumiał się Mejłach.

– Ty... ty rób, co chcesz!...

Mejłach Bloch nie miał ochoty rozstawać się z rewolucją październikową, ale bynajmniej nie chciał zrywać z Perl.

– A czy tutaj jest wam źle? – ostrożnie zaczął urabiać Perl posmutniały Mejłach. Nie wyobrażał sobie, jak można ni z tego, ni z owego porzucić młodą republikę radziecką, o którą przez tyle lat walczył, przebywał na zesłaniu w Turuchańskim Kraju, przelewał krew. No i co z tego, że go postrzelili w pośladek? Przecież to nie cudza krew, lecz własna.

– Ja nie chcę zostać wdową – oświadczyła stanowczo Perl.

– Wdową?

– Dzisiaj kula ugodziła cię w pośladek, a jutro – w serce.

Perl czuła, że męża nie uda się przekonać. Miał po prostu kompletnego bzika na punkcie nowego życia; życie istotnie było nowe, niepodobne do tego na Litwie – dokoła rozwiewały się na wietrze sztandary, wisiały portrety łysiejącego mężczyzny z bródką, wysiedlano z domów bogaczy.

Mejłach Bloch nigdy by nie opuścił Kalinkowicz, nie ruszyłby za Perl do tego niedźwiedziego barłogu na granicy Litwy i Niemiec – do Miszkine, gdyby jego żona nie uciekła się do podstępu.

O, jak okrutnie, jak podle go oszukała! Wykiwała go, owinęła sobie dokoła palca!

A on jej uwierzył. Uwierzył i pobiegł do swojego dowódcy – Fiodora Czumaka. Że niby tak i tak, towarzyszu naczelniku, żona spodziewa się dziecka, chce wrócić w swoje rodzinne strony... Co mam robić?

Fiodor Czumak doradzał mu, żeby próbował uświadomić żonę, żeby jej wytłumaczył nie tylko „doniosłość bieżącej chwili", ale i „przewagę naszego ustroju nad ich zgniłym systemem".

Mejłach Bloch wybąkał, że odkąd Perl jest jego żoną, prowadzi z nią pracę uświadamiającą, ale ona nadal nieuświadomiona powtarza w koło: do domu, do domu, do domu!

Gdyby Litwa była radziecka, natychmiast by się poddał. Ale tam nawet nie pachnie Sowietami. W takiej sytuacji pozostają dwa wyjścia: albo zmienić żonę, albo zmienić ustrój na Litwie.

Fiodor Czumak był rozsądnym chłopakiem. Ale daleko mu do Koby! Ach, gdyby tak można było poradzić się Koby. Ale Koba jest w Moskwie, na Kremlu, rozstrzyga nie rodzinne, lecz światowe problemy. Mejłach Bloch miotał się, miotał, ale w końcu mające przyjść na świat dziecko okazało się silniejsze niż władza radziecka.

– Będziesz tam walczył – pocieszał go Fiodor Czumak.

– Przecież lud pracujący jest wszędzie. A tam, gdzie jest lud pracujący, jest walka.

Mejłach Bloch zanim jeszcze dojechał do granicy, już poczuł przedsmak tego, jak w litewskiej głuszy pogrąży się w wir walki o słuszną sprawę. To oczywiście niedobrze, że poza rosyjskim i żydowskim nie zna ani jednego języka, ale gdyby się tak zabrać do tego poważnie, to można zacząć mówić i po litewsku; czego to człowiek nie robi dla dobra całej ludzkości!

Mejłach Bloch nie zdążył dotrzeć do Miszkine, kiedy oszustwo wyszło na jaw.

Perl ani się śniło rodzić.

– Perl – naparł na żonę Mejłach. – Ciekawe, gdzie jest twój brzuch?

– Na miejscu.

– Pytam, gdzie jest twój brzuch?

– Co za głupie pytanie? Perl udała obrażoną. – Mój brzuch jest tam, gdzie i ja jestem.

– A dlaczego on nie rośnie?

– Mnie o to pytasz? – parsknęła żona.

– Ludzie kochani! – zaczął się miotać Mejłach. Czyście kiedy słyszeli, żeby kobieta rodziła w dwunastym miesiącu?

– Przyjdzie czas, to urodzę – uspokoiła go Perl.

Bloch rozwścieczył się nie na żarty. Nie cierpiał oszustwa. Może nie był zbyt mądry, był natomiast niezwykle uczciwy. Prawdziwy rycerz rewolucji nie czekał na poród i odszedł z domu – nie żeby zmienić żonę, ale porządki na Litwie.

Jednakże porządki na Litwie trzymały się mocno.

Mejłach tułał się, mieszkał u przygodnych ludzi w Rosieniach, w Kownie, przez jakiś czas był nawet parobkiem, żeby, jak się wyrażał, „głębiej poznać nastroje wśród chłopstwa". Ale chłopi podśmiewali się z niego, z jego dziwnej wymowy i chętniej słuchali księdza niż przybłąkanego Żyda. Tam, na wsi, Mejłach nauczył się mówić po żmudzku, chłopską gwarą, a potem ubarwiał swój język żydowski wyszukanymi i obrazowymi litewskimi powiedzonkami.

Kiedy Mejłach utracił nadzieję zaprowadzenia na Litwie nowego ładu, dwukrotnie próbował przekroczyć granicę państwa i dotrzeć do Kalinkowicz.

Pierwszy raz, pod Rezekne, zatrzymała go łotewska straż graniczna, a drugi raz radzieccy żołnierze z ochrony pogranicza otworzyli do niego ogień – i masz ci los! – kula znowu ugodziła go w pośladek, tylko tym razem nie w prawy, jak w dwudziestym pierwszym roku pod Kalinkowiczami, ale w lewy.

Z radzieckim ołowiem w tyłku Mejłach Bloch przeleżał dwa tygodnie na jakiejś maleńkiej stacyjce kolejowej, u dróżnika, jak się okazało też bolszewika, ale rana się nie goiła, ropiała i Mejłach uznał za najlepsze wrócić do domu, do Miszkine, do żony-oszustki.

Pejsach Wolfson, który nie nosił w sercu swojego zięcia w związku z jego buntowniczymi zamiarami, spojrzał na poczerniałe od ropy i krwi płócienne spodnie Mejłacha i zapytał brutalnie:

– A ty co, Mejłach, składasz się wyłącznie z tyłka?

Pejsach wezwał doktora Klebańskiego, a on błyszczącą pęsetą wyjął rannemu z pośladka radziecką kulę i na pożegnanie rzekł pouczająco:

– Władze bywają różne, ale kule są zawsze jednakowe...

W miasteczku, Mejłacha Blocha traktowano wyrozumiale, jak dziwaka czy chorego. Nawet policjant Tamulis, któremu kazano go obserwować, nie dokuczał mu zbytnim deptaniem po piętach, starał się nie naprzykrzać Mejłachowi ciągłą obecnością, dopóki z Rosień nie otrzymał polecenia, żeby go przymknąć.

Byłego pracownika służb specjalnych aresztowano raz po raz i z taką samą regularnością po roku czy dwóch wypuszczano na wolność. Więzienia się nie bał, nawet lubił posiedzieć za kratkami – więzienia na Litwie były trochę inne niż w Rosji! – odetchnąć od Perl, od woźnicy Pejsacha, dla którego główną siłą napędową były nie masy pracujące, ale konie.

Bloch najbardziej lubił siedzieć w więzieniu kowieńskim. Gromadziło się tam interesujące towarzystwo – stolarze meblowi, buchalterzy, ludzie pochodzący z zamożnych rodzin, którzy wyrzekli się swoich rodziców i wstąpili na ciernistą drogę walki klasowej.

Mejłach ogromnie się chełpił, że jest jedynym więźniem, który był w Kraju Rad. Uwielbiał opowiadać o dyktaturze proletariatu, o przewodniczącym Czeka w Kalinkowiczach Fiodorze Czumaku i oczywiście o swoim przyjacielu Józefie Stalinie, który mu podarował jodłową fajkę z autografem.

Pragnąc ożywić wydarzenia polityczne, jakie się toczyły za murami kowieńskiego więzienia, Mejłach Bloch wymyślał różne śmieszne i, jak twierdził, niezwykle pożyteczne zabawy. Z jego inspiracji ulubioną rozrywką więźniów stała się zabawa w działaczy politycznych.

Mejłach Bloch wyrywał z uczniowskiego zeszytu kartkę, darł ją na kawałki, na każdym coś wypisał, wrzucał strzępki do czapki i każdemu ze swoich kolegów z celi kazał wyciągnąć los.

– Chamberlain! – odczytywał na przykład wypisane na swoim strzępku nazwisko jakiś stolarz meblowy z Jonawy.

– Mussolini! – wtórował mu syn rabina z Szawli, który zmienił przemądrą Torę na Manifest komunistyczny.

– Hitler! – zgnębionym głosem obwieszczał szczupły buchalter z Poniewieża, którego zgubiło to, iż liczył nie na swoje, lecz na cudze pieniądze.

– Stalin! – uroczyście oznajmiał uszczęśliwiony Mejłach Bloch

Ani razu się nie zdarzyło, żeby mu wypadł jakiś inny los. Wciąż Stalin i Stalin.

Szczupły szewc z Prijekule o pseudonimie „Jurck", do którego nigdy nie uśmiechało się szczęście i który w najlepszym przypadku bywał jedynie Daladierem czy Mussolinim, zaczął nawet podejrzewać Mejłacha Blocha o fałszerstwo.

– Ale dlaczego, dlaczego ty, Mejłach, jesteś cały czas Stalinem? – oburzał się „Jurek". – Mógłbyś choć raz być Hitlerem czy Leonem Blumem.

Ale Mejłach nie chciał być ani Hitlerem, ani Leonem Blumem.

Paląc wyimaginowaną fajkę z jodły prawdziwej – dzięki Bogu, w czasie rewizji osobistej mu nie zabrali – zakładał rękę za klapę aresztanckiej kurtki, jak za klapę munduru, nasępiał czarne brwi i zaczynał groźnie przechadzać się po celi, jakby to był kremlowski gabinet.

W czasie gry przemierzał krokami celę i „palił" swoją fajkę, a Chamberlain, Mussolini i Hitler, stłoczeni w kącie, zazwyczaj odbywali naradę.

Potem któryś z sojuszników – najczęściej Chamberlain – podchodził do zadumanego Stalina i zawile, wyraźnie zdenerwowany, zaczynał mu przedstawiać warunki światowego porozumienia.

Mejłach Bloch słuchał, kiwał głową, przygładzał wąsy – specjalnie je zapuścił, by odgrywać rolę Koby – i rzucał jakby od niechcenia:

– Nie, nie i jeszcze raz nie, panie Chamberlain. My, bolszewicy, nie potrzebujemy jałmużny. Proponujecie pokój, a sami poza plecami Związku Radzieckiego usiłujecie nawiązać spisek z Niemcami, Włochami i Japonią.

Mejłach Bloch mówił z lekkim gruzińskim akcentem i urzeczony jego argumentami Chamberlain, sam nie wiedząc kiedy, również przechodził z angielskiego na gruziński, mrugał bezbarwnymi oczami, zmieszany zerkał z ukosa na Hitlera i Mussoliniego, pragnąc najwidoczniej zapewnić sobie ich poparcie.

– Wykazuje pan nadmierną podejrzliwość, panie Stalin. Proszę zrozumieć, przyświeca nam jeden cel: pokój i dobrobyt w Europie.

– Dobrobyt, dobrobyt! – włączał się do rozmowy niecierpliwy Hitler – ale problem żydowski czeka na ostateczne rozwiązanie. Żydzi to ogólnoświatowe zło: muszą zostać zlikwidowani.

– Wszyscy? – pytał Stalin.

– Co do jednego – nadymał się Hitler. – Ilu ich macie u siebie?

– Półtora miliona.

– Półtora miliona wrogów! Półtora miliona pijawek! Półtora miliona szpiegów!

Zabawa przybierała coraz gwałtowniejszy obrót. Mejłach Bloch po takich słowach wpadał we wściekłość, zapędzał Hitlera do kąta i obsypywał go gradem oskarżeń.

– Żydzi to bohaterowie rewolucji! – grzmiał. – Niech żyją nasi bracia – pracujący Żydzi całego świata!

Więzienny Hitler sam był Żydem i dlatego Mejłach Bloch szybko osiągał zwycięstwo.

Nie wszyscy aprobowali tę zabawę, która z reguły kończyła się pohańbieniem wrogów Kraju Rad, a czasami, kiedy strażnicy mieli już dość słuchania tych wygłupów, karcerem. Byli też i tacy, którzy uważali zabawę Blocha za bluźnierstwo, kpiny, naigrawanie się z J.W. Stalina, wodza światowego proletariatu. J.W. Stalina nie można naśladować, odgrywać, podobnie jak prawdziwego słońca.

Niektórzy domagali się, żeby wobec Mejłacha Blocha zastosować środki dyscyplinarne przewidziane przez statut partii, ale tej szalonej głowy nie powstrzymywały żadne pogróżki.

Stalin, mówił Mejłach, właśnie dlatego jest wielki, że jest zawsze i wszędzie, we wszystkich i w każdym, za kratkami więzienia i na wolności. A my wszyscy, komuniści, stanowimy jego ucieleśnienie.

Na swoje usprawiedliwienie Mejłach Bloch szczegółowo, w natchnionych słowach, opowiadał o Turuchańskim Kraju, o swojej przyjaźni z Kobą, o tym, że w trzynastym roku młody Stalin nauczył go właśnie tej zabawy w wielkich tego świata; sam Koba odgrywał wielkiego księcia albo nawet samego cara-imperatora, a on, Mejłach – ministra spraw wewnętrznych Plewego. Czego to człowiek nie wymyśli, kiedy za oknami ściska pięćdziesięciostopniowy mróz, szaleje syberyjska zamieć, a do stron rodzinnych, do Kalinkowicz i do Gori w słonecznej Gruzji jest równie daleko jak do Boga.

Bardzo to dziwne, ale więzienie dla Mejłacha Blocha stanowiło nie karę, lecz nagrodę – wbrew oczekiwaniom zawsze wracał z więzienia zdrów i z niecierpliwością czekał na nowy, niezbyt długi wyrok.

Swoim rzemiosłem introligatora prawie się nie trudnił. Chyba tylko z rzadka, kiedy go bardzo proszono lub kiedy nie było nic do jedzenia.

Sam nie potrafił wytłumaczyć, dlaczego rodzice oddali go w Kalinkowiczach na naukę do introligatora Oszera. Może dlatego, że Oszer był ich dalekim krewnym, a może dlatego, iż żywili nadzieję na łatwą zdobycz: krewniak był samotny i stary – po jego śmierci introligatornia przypadnie w udziale Mejłachowi. Ale w życiu zawsze bywa tak: kiedy czekasz na czyjąś śmierć, Bóg zabiera ciebie samego. Mejłach został sierotą. A gdzie ma się podziać sierota? Jeżeli Oszer cię nie wypędza – ucz się! Dzięki niemu, krewniakowi z Kalinkowicz – nie za naukę rzemiosła, ale za możliwość pochłaniania książek. Mejłach o wiele więcej ich przeczytał niż oprawił. Ach, gdyby z czytania można się było w dodatku utrzymać!

I tam, w Kalinkowiczach, w introligatorni, odnalazł go Fiodor Czumak, syn dróżnika, dał mu do przeczytania książeczkę o robotnikach i ich potrzebach, nauczył go słowa pieśni: „Dziś nikim, jutro wszystkim my". Oszer usłyszał to i powiedział: „Kto dziś jest nikim, nikim zostanie"... Potem Mejłach Bloch zwabił go do Petersburga; obaj jechali w wagonie towarowym zabitym na głucho, dygocząc z zimna i przytulając się do siebie, jak jedno dopalające się polano tuli się do drugiego. W Petersburgu Mejłach znalazł pracę w drukarni

Jankielewicza – do innej pracy Żydów bez widoków na prawo osiedlenia nie przyjmowano, natomiast Fiodor podjął pracę na Dworcu Fińskim jako ładowacz; spotkali się dopiero po rewolucji w rodzinnych Kalinkowiczach. Do tego czasu Mejłach Bloch został prawdziwym mistrzem w oprawianiu starych książek i foliałów, a Czumak z dróżnika i ładowacza zamienił się w niedostępnego współpracownika gubernialnej Czeka.

Kiedy w roku dwudziestym pierwszym Mejłach Bloch przeniósł się na Litwę, musiał wrócić do poprzedniej pracy, chociaż zgodnie z radą Fiodora zdołał ją tymczasem zmienić na bardziej rewolucyjną – na służbę w oddziałach specjalnych.

W Miszkinc nie było nic do oprawiania, a przenosić się stąd do Kowna czy do Szawli nie miał odwagi. Po pierwsze, poza językiem rosyjskim i białoruskim nie znał żadnego innego – co prawda, mówił jeszcze po żydowsku, ale w jego polskiej odmianie – po drugie – to było główną przyczyną! – obawiał się, że ktoś wywącha, co robił w Kalinkowiczach – w końcu był karzącym mieczem rewolucji! – i wówczas zaczną go ciągać po urzędach. Przecież na Litwie też są na pewno służby karne, litewscy Fiodorzy Czumakowie.

Mejłach Bloch uznał, że najmądrzej do jakiegoś czasu zaszyć się w głuszy, gdzie go nikt nie zna i gdzie Żydzi żyją spokojnym, na starozakonną modłę życiem, gdzie nie przychodzą im nawet na myśl żadne wstrząsy ani przewroty. Perl już tam coś wymyśli, żeby zaspokić ludzką ciekawość, chociaż żydowskiej ciekawości nawet śmierć nie jest w stanie zaspokoić.

Początkowo Mejłach Bloch bardzo się przejmował swoją niezręczną sytuacją – chłopisko jak dąb, a nic nie robi, pozostaje na utrzymaniu teścia Pejsacha Wolfsona, ale potem z wolna przywykł do tego. Czasami i do niego przychodzili klienci: przyjeżdżał jakiś ksiądz-bibliofil, przywoził rozsypane ze starości księgi kościelne i foliały w języku litewskim i greckim; rabbi Hilel przynosił z synagogi postrzępione modlitewniki, woniejące Ziemią Obiecaną i stęchlizną.

Mejłach Bloch wystrzegał się rabbi Hilela – w końcu to sługa boży! – nie wdawał się z nim w żadne rozmowy, milczał ponuro. Milczenie Mejłacha wyprowadzało uczonego z równowagi; jego ciało okrywało się potem z obrazy; obraza zaślepiała oczy.

– Żyd, który nie ma nic do powiedzenia drugiemu Żydowi, jest albo wychrztą, albo nieboszczykiem.

Introligatorowi-czckiście było obojętne, do jakiej kategorii zaliczy go rabbi Hilel, byle tylko flaków z niego nie wypruwał.

Ale rabbi Hilel tylko jednej istocie na całym świecie przyznawał prawo do milczenia – Bogu.

– Czy nie pochodzicie czasem z Białorusi? – wypytywał się, doprowadzając rozdrażnionego Mejłacha do punktu wrzenia.

– Cóż to za przesłuchanie? – oburzał się introligator.

– Mój ojciec, wieczny odpoczynek racz mu dać Panie, pochodził z Lidy. A matka, niechaj będzie błogosławione jej imię, z Kalinkowicz. Słyszeliście o takim miasteczku?

– Tak – mamrotał zmieszany Mejłach.

– Boże! Jakie to straszne, kiedy dzieci są w jednym kraju, a groby rodziców w drugim! – Rabbi Hilel szukał współczucia u swojego rozmówcy.

– Dzieci rzadko umierają tam, gdzie ich ojcowie – odpowiadał pobladły Mejłach Bloch.

Dwa razy do roku Mejłach jeździł do Wilkas, doprowadzał do porządku bibliotekę Markusa Fradkina, handlarza drzewem, który cały swój majątek zapisał miszkińskiej gminie. Zapominając o bożym świecie, Mejłach sklejał, zszywał, oprawiał opasłe tomiska, w których nie wiadomo czego było więcej – ludzkiej mądrości, czy żmudzkiego kurzu.

Bloch zarabiał grosze, chociaż, szczerze mówiąc, niewiele mu było potrzeba – mięsa nie jadał, ubierał się bardzo skromnie, nawet podkreślając ubóstwo, wciąż chodził w tych samych butach o grubych jak wędzona szynka podeszwach.

Pejsach Wolfson, bardziej w trosce o swoje przyszłe wnuki niż o białoruskiego zięcia, proponował Mejłachowi, żeby zmienił rzemiosło. Po co przez całe życie ma wdychać kurz i cuchnąć klajstrem, kiedy może wsiąść na kozioł i z prawdziwą rozkoszą, wdychając czyste powietrze napływające z łąk czy lasów, dzień w dzień krążyć po Litwie. Zaprzęgaj i wio-o-o! Tego dowieziesz do Rosień, tego do Kowna, a jeszcze innego do Memla czy Tylży.

Mejłach Bloch, który nigdy w życiu nie trzymał w ręku bata i dla którego koń był spokojnym stworzeniem o oczach owdowiałej Żydówki, najpierw odrzucił jego propozycję. Nie godzi się żołnierzowi rewolucji – tak tytułował go Fiodor Czumak – przesiadać się na kozioł i jak lokaj obsługiwać bogaczy. Proletariusz zawsze chodzi pieszo.

– Bałaguła – powiedział Mejłach do swojego teścia – to także drobny posiadacz.

– Że co? Że co? – nie rozumiał Pejsach.

– I ciemiężyciel – dodał zięć. – Posiada bryczkę i eksploatuje konia.

– Że co? Że co?

– Mówię, że eksploatuje konia.

– Już prorok Elijasz go, no, tego... ekspatriował... – jąkając się ze zdenerwowania powiedział teść. – Czy tam, u was... w waszym kraju ich nie ekspatriują? A może i im, grzywiastym, rzuciliście hasło: „Konie wszystkich krajów, łączcie się!"... Przeciwko bałagułom, przeciwko bogatym pasażerom.

Pejsach Wolfson spurpurowiał z gniewu: miał swoje porachunki z Rosją.

No bo cóż się dziwić! W Kalinkowiczach zabrali mu takiego wspaniałego konia!

Przyszło dwóch ludzi w skórzanych kurtkach, wzięli cisawego za uzdę, powiedzieli: „W imieniu władzy radzieckiej" i zabrali go, rozbójnicy.

Takiego pięknego konia jak jego cisawy nie było ani na Białorusi, ani na Litwie. Z gęstą kasztanową grzywą, o silnych, włochatych nogach, które jakby wyrastały wprost z ziemi, wśród wszystkich woźniców budził szacunek i zazdrość. Łachmyty jedne, nawet nie dali w zamian jakiejś chabety. Powiedzieli: „W imieniu władzy radzieckiej" i koniec.

On, Pejsach Wolfson, na zawsze zapamiętał sobie władzę radziecką: śpiewają i grabią, grabią i śpiewają.

Całe szczęście tylko, że do domu, do Miszkine – mimo że na piechotę, mimo że bez swojego skarbu – dotarli żywi i cali.

Początkowo Mejłach Bloch odrzucił propozycję teścia, potem jednak przemyślał sprawę i się zgodził. Nie, nie nęciły go ani drogi, ani czyste łąkowe powietrze, ani zapach sosen i świerków, ani nie widziane miasta i ludzie. Jego kalkulacja była prosta – wykorzystać wóz do walki o wyzwolenie ludzkości – do przewozu zakazanych książek i ulotek, a gdyby się to okazało konieczne, do przeprawiania przez granicę ludzi.

Jakiś czas wszystko szło jak po maśle. Mejłach Bloch przywykł do swojego nowego zajęcia, oswoił się z nim, nauczył się zaprzęgać i wyprzęgać konia, zadawć mu owies, czyścić zgrzebłem, nakładać klapy na oczy, rozczesywać ogon, podciągać popręg, uprzejmie traktować kapryśnych pasażerów. Z każdego wyjazdu przywoził piętnaście–dwadzieścia litów i wszystko, do ostatniego grosza oddawał Pejsachowi Wolfsonowi, który był święcie przekonany, że zięć rozstanie się w końcu z podejrzaną przeszłością i czekał, kiedy Perl urodzi swego pierworodnego.

Zdarzało się, że wracając pustą furmanką przez gęsty żmudzki las, Mejłach Bloch puszczał cisawego lekkim truchtem i zaczynał swoją ulubioną pieśń:

Wyklęty, powstań, ludu ziemi,
Powstańcie, których dręczy głód
Myśl nowa blaski promiennymi
Dziś wiedzie nas na bój, na trud.

Jego twarz zmieniała się, promieniała jakimś wewnętrznym światłem i z nalanej, nieładnej, zmieniała się w surową, stanowczą; po każdej zwrotce Mejłach oblizywał grube wargi i zwycięskim wzrokiem obrzucał cicho szumiące, jakby wtórujące mu do pieśni drzewa. Stały niby czerwonoarmiści przed wyruszeniem na front – w zwartych szeregach, gotowe, jak mówiły słowa pieśni, do ostatniego boju.

Mejłach Bloch powoli przejeżdżał wzdłuż ich szeregu; czasami odkładał bat i jego ręka mimo woli sięgała w geście powitania do daszka zniszczonej żołnierskiej czapki, którą wydano mu jeszcze na Białorusi.

Salutował nie sosnom i świerkom, ale swoim rodzinnym Kalinkowiczom, swojemu przyjacielowi Fiodorowi Czumakowi, z którym niby młody sad zakładał i pielęgnował w okręgu władzę radziecką.

Chwilami Mejłach Bloch odczuwał fizyczną potrzebę po dzielenia się z Fiodorem Czumakiem swoimi troskami i obawami, „zameldowania o sytuacji na Litwie", przypomnienia o swojej przyjaźni – w takich chwilach nowo objawiony woźnica mamrotał coś pod nosem i zaczynał z Czumakiem rozmowę. Nic nie szkodzi, że Fiodora nie było obok – zastępował go biegnący przed Mejłachem cisawy, przydrożne drzewa albo po prostu ptak krążący nad bryczką.

Mejłach Bloch skarżył się Fiodorowi Czumakowi, że tu, w tej głuszy, nie pachnie nawet światową rewolucją, że tutejsi Żydzi więcej myślą o swoich dochodach niż o wyzwoleniu ludzkości. Chłopi w niedzielę chodzą się modlić do kościoła, a ksiądz proboszcz Wajtkus jest dla nich większym autorytetem niż towarzysz Lenin i Stalin razem wzięci; Mejłach uskarżał się, że w Miszkine nie jest ani trochę lepiej niż w Turuchańskim Kraju, nawet gorzej, ponieważ nie ma tu ani towarzyszy broni, ani ludzi o takich samych poglądach. Jest tylko jeden mądry człowiek, ale i ten to rabin.

Porównanie z Turuchańskim Krajem tylko rozstrajało człowieka wewnętrznie.

Mejłach Bloch, wracając do domu z Tylży czy ze Smaliniukaj, przypominał sobie towarzyszy-zesłańców: surową, jakby wyciosaną z górskiej skały twarz Koby pochylonego nad grubą jodłową gałęzią, która lada chwila stanie się jego skarbem, i dymki nad wyziębłymi litewskimi chatami, co zastygły modlitewnie na pagórkach, jak ich gospodarze pod sklepieniami kościołów, wydawały mu się kontynuacją tamtego słodkiego dymu, który snuł się z katorżniczej fajki w rozpostartą szeroko syberyjską przestrzeń.

Mejłacha aż rozpierało pragnienie, aby wszystko dokoła zmienić – zmusić Żydów, żeby myśleli nie o zysku, lecz o wolności i braterstwie, Litwinów, aby się modlili nie do Boga, lecz do wodzów światowego proletariatu.

Nawet nieszczęsnego Siemiona Mandla, który nadal tkwił na przewiewanym wiatrami i obłędem rozdrożu, próbował zabrać ze sobą. Czy Siemion czeka na Mesjasza? Przecież to on, on jest Mesjaszem, a imię jego brzmi Mejłach Bloch.

Mejłach współczuł Siemionowi bardzo, tak, że kiedyś, przejeżdżając obok, zatrzymał cisawego, zsiadł z kozła, podszedł do staruszka i, jak to jest przyjęte u bolszewików, oznajmił bez żadnych wstępów:

– Na próżno, towarzyszu, stoicie. Na próżno.

Siemiona nikt w życiu nie tytułował towarzyszem i dlatego na słowa Mejłacha Blocha nie zwrócił najmniejszej uwagi.

– Mesjasza w gruncie rzeczy nie ma... Mesjasz to rabinackie wymysły... Bradnie... bajki. Ludzie pracujący mają tylko jednego Mesjasza – partię bolszewików!

Niczego nie podejrzewając, Mejłach Bloch dotknął rękawa Siemiona, ale staruszek zamiast ruszyć za woźnicą zamachnął się na niego wyłamanym w zagajniku kijem i wychrypiał:

– To was nie ma!... Was!... To wy jesteście wymysłem!... Brednią!

Ręka Siemiona zawisła w powietrzu jak tęcza; biło od niej jakieś jasne światło i Mejłach Bloch, który do tej pory nie wierzył ani w Boga, ani w diabła, nagle poczuł, że jego dłoń

stała się gorąca. Odskoczył od staruszka, ale dłoń nie przestawała go palić.

Kiedy odjechał pół wiorsty od rozstajów, skręcił ku stru-
mieniowi i zanurzył w chłodnej wodzie rozpaloną rękę. Ale
uczucie rozpalenia nie ustawało, ogarniało wciąż nowe i nowe części ciała: podnosiło się od dłoni do łokcia, od łokcia do
ramienia, od ramienia do czubka głowy.

Naprawdę zaczęło się Mejłachowi wydawać, że to wszystko dzieje się nie z nim, że on w ogóle nie istnieje, tak samo,
jak nie ma rozstajnych dróg, ani strumienia, ani zawisłego nad
głową nieba brzemiennego deszczem – wszystko to bajka,
wszystko wymysł.

Przedziwna rzecz, ale od tego czasu wystarczyło, żeby
Mejłach Bloch zbliżył się do rozstajów – bez najmniejszego
powodu zaczynała go palić prawa dłoń i nie było na to żadnej
rady.

Jednakże Blochowi nie sądzone było długo pozostać
woźnicą.

W drodze powrotnej z Kowna do Miszkine przyłapano go
na gorącym uczynku – z całym plikiem podziemnych apeli do
żołnierzy stacjonującego w Rosieniach Czwartego Pułku Piechoty.

Młodziutki policjant, podobny do mnicha, który zmiast
kłobuka włożył czapkę z daszkiem, zatrzasnął mu na rękach
kajdanki, odebrał bat i wgramolił się na kozioł.

– Panie policjancie – zaczął błagać Bloch. – Wsadzano
mnie nie raz i nie dwa, a ja nigdy nikogo o nic nie prosiłem.
Ale dzisiaj... Dzisiaj, panie policjancie, zmuszają mnie do tego okoliczności!...

– Wio-o-o! – huknął na cisawego stróż porządku.

Nie miał najmniejszej ochoty spełniać czyichkolwiek
próśb. Chciał jak najprędzej odstawić Mejłacha do Rosień,
przekazać swoim przełożonym i, być może, po raz pierwszy
w życiu usłyszeć słowa pochwały za czujność i gorliwość.

– Prośby potem – powiedział policjant.

Ale Mejłach Bloch pragnął wyłożyć swoją prośbę natychmiast. Od tego, czy policjant ją spełni, czy nie, zależał honor Mejłacha oraz pomyślność Pejsacha Wolfsona i jego córki Perl.

– Panie policjancie – znowu zaczął prosić woźnica. – Niech mi pan zrobi przysługę. Bardzo proszę, niech pan zwróci właścicielowi tego konia i tę bryczkę.

– To znaczy komu?

– Mojemu teściowi, Pejsachowi Wolfsonowi. Niech mi pan wierzy, on niczemu nie jest winien... Bardzo pana proszę!

Młody policjant miał chyba dobrą pamięć do nazwisk, ale dzisiaj nie miał ochoty jej przeciążać – tym bardziej nazwiskami żydowskimi.

– Panie policjancie! Napoleon przegrał bitwę, ale Rosjanie oszczędzili jego konia... Konia się nie sądzi!

– Wio-o-o-o! – Młody człowiek znowu popędził cisawego. Nużyła go gadatliwość zatrzymanego, pozbawiała poczucia wyższości i w duchu był wręcz wściekły.

Natomiast Mejłach Bloch, poza słowami, nie władał żadną inną bronią. Ale i z tej, którą miał, nie strzelał ostrymi, lecz ślepymi nabojami.

Nie wierzył, że policjant spełni jego prośbę i ten brak wiary sprawiał mu większe cierpienie niż kajdanki. Z jakiej racji miałby ją spełnić? Kim jest dla niego Pejsach Wolfson? Bratem, swatem? Akurat! Zatrzyma konia, a paragraf na to zawsze się znajdzie.

Jeszcze nigdy, ani we włodzimierskim Centralnym, ani w Turuchańskim Kraju, ani w więzieniu w Szawlach Mejłach Bloch nie czuł się taki przygnębiony. Nie przerażała go długość wyroku, na jaki zostanie skazany – jeden rok więcej, jeden mniej – lecz niesprawiedliwa krzywda i jego własna niewdzięczność wobec teścia, Pejsacha Wolfsona. Pejsach uczynił dla niego wszystko, a on zaprzepaścił jego jedyne bogactwo. Przecież teść na wiadomość o stracie cisawego albo się powiesi, albo rzuci do Niemna.

Coś się załamało w twardej duszy Mejłacha Blocha. Cała ludzkość, cały światowy proletariat, o który tak się troszczył, nagle sprowadziły się do jednego maleńkiego człowieczka – Pejsacha Wolfsona, i od tego, czy będzie szczęśliwy, zależała nie tylko przyszłość Mejłacha Blocha, ale równie i przyszłość idei, za którą Mejłach był gotów oddać życie.

– Panie policjancie!... Bóg panu wynagrodzi! – powiedział Mejłach Bloch, wzywając na pomoc nawet odrzuconego przcz niego Wszechwładcę.

– Koni do więzienia nie wsadzamy – wyszczerzył zęby policjant i Mejłach usłyszał jego śmiech – jakiś dziewczęcy, perlisty, pozbawiony złości.

Ta odpowiedź i ucieszyła, i zmartwiła Mejłacha. Już lepiej, żeby wsadzali konie do więzienia, wtedy byłby pewny, że cisawy wróci do swojego pana. A tak?

Z kowieńskiego więzienia, do którego tym razem po rozprawie trafił Mejłach Bloch, napisał list do Miszkine. Zaczął go nader ostrożnie, pytał o zdrowie Perl, o to, jak się wiedzie Pejsachowi Wolfsonowi, a na końcu, nabrawszy odwagi, zapytał o cisawego, jakby był absolutnie przekonany, że policja zwróciła go właścicielowi.

Nie liczył na to, że teść czy żona mu odpowiedzą. Niewielka to radość – słać listy do kogoś, kto siedzi za kratkami. To nie to samo, co utrzymywać kontakt listowny z kimś z rodziny, kogo los zagnał do Ameryki czy Afryki Południowej. Amerykańscy radcy mogą się rozczulić i przysłać paczkę albo trochę zielonych. A jaki pożytek z Mejłacha Blocha? Nie widział nawet dolara na oczy.

Tym bardziej nieoczekiwana i miła była wiadomość, że oni, dzięki Bogu, są zdrowi; co prawda, przez cały tydzień Perl kręciło w brzuchu, a jemu, Pejsachowi, znowu odezwała się kolka wątrobowa; cisawego policja zwróciła, ale bez bryczki, jako że niedaleko od Niemakszczaj odpadło koło.

Mejłach Bloch przyjął tę wiadomość z mieszanymi uczuciami.

Nie ukrywał radości, iż Wolfson nie poniósł żadnej krzywdy, ale równocześnie gryzła go obraza. Coś takiego, myślał, czytając list z Miszkine, i c h policja oddała konia, a n a s z a tam, w Kalinkowiczach, bezpowrotnie go zarekwirowała.

Nie, takiej wielkoduszności ze strony władzy Mejłach Bloch nawet się nie spodziewał.

Wiadomość o zwrocie cisawego tak go zaabsorbowała, że nie zauważył w liście innych nowin. Dopiero kiedy po raz drugi głośno go odczytał, natknął się na miejsce, gdzie Perl informowała go, że może więcej nie wracać.

Gdyby za pobyt w więzieniu płacili, napisała na marginesie Perl, to w Miszkine nikt nie byłby bogatszy niż oni; swoim bogactwem pobiliby na głowę nawet słynnego Markusa Fradkina, handlarza drewnem.

Nie można, pisała swoim maczkiem Perl, siedzieć w dwóch więzieniach równocześnie. Porządny Żyd wybiera jedno więzienie – dom rodzinny.

Mejłach Bloch nie pozostał dłużny: natychmiast usiadł i machnął odpowiedź. W pierwszych słowach złożył Pejsachowi i Perl Wolfsonom serdeczne życzenia z okazji nadchodzącej Paschy – rocznicy wyzwolenia Żydów z niewoli egipskiej, i wyraził nadzieję, iż niedługo nadejdzie dzień, kiedy wszyscy ludzie – Żydzi i nie-Żydzi – staną się wolni i szczęśliwi. Następnie Mejłach zagłębił się w rozważania na temat zmienności kolei losu, surowej doli tych, którzy nie zważając na niebezpieczeństwa i niedostatki, przybliżają świetlaną przyszłość ludzkości. Jeśli zaś idzie o twierdzenie Perl, że porządny Żyd nie siedzi równocześnie w dwóch więzieniach, to w pełni się z tym zgadza, chociaż osobiście woli więzienie za kratami niż więzienie z malowanymi okiennicami i kalenicą na dachu. W domu rodzinnym nic sensownego się nie wysiedzi – tylko spodnie się wytrze. Kiedyś, kończył swój list mąż-aresztant, Perl pożałuje swojej decyzji rozstania z nim, jako iż ci, którzy dziś są niczym, jutro będą wszystkim.

Mejłach Bloch nie uznał za konieczne sprecyzować, kim zostanie. Nie dlatego, iż tego nie wiedział, lecz dlatego, że od urodzenia cechowała go niezwykła wprost skromność.

Po pół roku napisał do Perl (żona przestała się odzywać) jeszcze jeden list, który uważał za najważniejszy.

Prosił w nim żonę, żeby nie wyrzucała jego zimowych butów, żeby zachowała album z fotografiami, gdzie są jego zdjęcia z towarzyszami broni, między innymi Fiodorem Czumakiem, na tle rozwiniętego czerwonego sztandaru i, co najważniejsze, żeby przekazała Aronowi Dudakowi, no, temu, którego brat kopie groby w Miszkine – jodłową fajkę, jego, Mejłacha, największy skarb. Fajka, pisał do Perl, leży w drugiej szufladzie komody, po prawej stronie, pod szalem. I niech Aron strzeże jej jak źrenicy oka.

List Mejłach Bloch podpisał następująco:

„Z komunistycznym pozdrowieniem. Siwy".

Perl po otrzymaniu listu długo łamała sobie głowę nad słowami: „Z komunistycznym pozdrowieniem", ale w żaden sposób nie mogła znaleźć przekonywającego wyjaśnienia; na jej wszystkie pytania ojciec odpowiadał wciąż tym samym gestem: wiercił palcem u skroni. Że niby miejsce zięcia jest nie w więzieniu, ale w domu wariatów.

Chociaż Perl tak się odgrażała, iż rzuci męża, mimo wszystko w skrytości ducha czekała na jego powrót, wypytywała Arona Dudaka, na jak długo skazano Siwego, co tydzień czyściła zimowe buty Mejłacha, ukradkiem przecierała jodłową fajkę, przekładała ją z szuflady do szuflady, wpatrywała się w podpis i próbowała zrozumieć, dlaczego ten syberyjski prezent jest dla niego aż tak cenny. Bo na oko fajka jak fajka. Tak samo cuchnąca jak wszystkie.

Przed samym wkroczeniem Armii Czerwonej do Miszkine, niedługo przed kolejnym – chyba piątym – powrotem

Mejłacha z więzienia, Perl nagle umarła. Wieczorem coś zjadła, a nad ranem oddała duszę Bogu.

Kiedy Mejłach wrócił z więzienia do miasteczka i dowiedział się o smutnej nowinie, natychmiast wybrał się na cmentarz, odszukał świeży grób Perl i przy świadkach – Danucie i Jakubie – poprosił zmarłą o wybaczenie. Nawet łzę uronił, chociaż zaklinał się i przysięgał, że nigdy nie płakał. Zapewniał, że nieszczęście Żydów polega na tym, że główną ich bronią są nie pięści, lecz łzy; łza jest dobra na cmentarzu i w świątyni, ale nie na polu walki.

Nikt w miasteczku tak szczerze i bezinteresownie nie interesował się Mejłachem Blochem jak Danuta. No bo jakże! Prawie ziomek. Od Kalinkowicz do Smorgoni jest bliżej niż od Miszkine do Kowna. Mejłach oczywiście bywał w Smorgoniach! Każdy szanujący się Żyd powinien choć raz w życiu być w Smorgoniach! Przecież tam w każdą środę jest taki targ, a w synagodze taki kantor, że... Nie, nie kantor – kurski słowik. Ciekawe, co się tam dzieje w tej chwili – czy taki sam harmider panuje na targu, czy tan sam kantor wyśpiewuje modlitwy? Chyba nazywał się Icie.

Mejłach Bloch chętnie opowiadał Danucie o Smorgoniach i ich okolicach. Tak, do dzisiaj panuje na targu taki sam gwar, ale Icie – kto by mógł przypuścić – uciekł z białymi. (No i powiedzcie, proszę, od jakiego to czasu żydowskiemu kantorowi po drodze z ludźmi urządzającymi pogromy, z jakimiś zbirami!)

Mejłach łgał składnie w natchnieniu. Kłamstwo było jego żywiołem; pogrążał się w nim całkowicie i z zapamiętaniem, wiedząc, że Danuta nie będzie sprawdzała jego bajek ani przyłapywała go na kłamstwie.

Czasami zaczynał się plątać – zawodziła go własna gorliwość! I wówczas okazywało się, że kantor Icie uciekł nie z białymi, ale dobrowolnie wstąpił do Armii Czerwonej i został słynnym w świecie „tych, których dręczy głód" przodownikiem chóru.

Danuty nie peszyła ani zawiłość, ani sprzeczności, ani oczywista nieprawda jego opowieści. Była mu wdzięczna nie za całość, lecz za okruchy, za drobiny, za cząsteczki prawdy, które budziły w niej przypływ takiej czułości do swojej niemal zapomnianej ojczyzny, do miasta swojej młodości. Danuta słyszała nie głos niestrudzonego Blocha, lecz skrzypce wędrownego muzykanta i komedianta Ezry Dudaka, te same skrzypeczki, za którymi uparcie wędrowała niby chmura gnana wiatrem.

Łączyło ich coś w rodzaju powinowactwa – Ezrę Dudaka i Mejłacha Blocha. Przede wszystkim to, że bez ustanku pragnęli się wyrwać z pęt swojego czasu, swojego stanu, swojej biedy, że żywili całkowitą pogardę dla beztroskiego życia, wygód, korzyści, że z jakąś bezlitosną wesołością traktowali siebie samych, swoje zdrowie, swoje potomstwo i swoją przyszłość.

Fakt, że Mejłach Bloch wciągnął Arona w swoje sprawy, nie bardzo martwił Danutę. Co prawda, trochę się obawiała, żeby Aron nie został stałym gościem litewskich więzień, przestrzegała go przed nierozsądnymi i nieodpowiedzialnymi postępkami, ale nie sprzeciwiała się przyjaźni syna z introligatorem.

Czasami przyłączał się do nich Szachna, którego zadręczała nuda. Przysiadał na czyimś nagrobku obok Mejłacha, i wypuczając zblakłe ze starości oczy, przysłuchiwał się ich gorącym i zapamiętałym dyskusjom.

Ani Mejłach Bloch, ani Aron nie obawiali się go, nie odpędzali od siebie; niech sobie siedzi i słucha, ile dusza zapragnie; przecież i tak nie służy już w policji.

Kiedy fala szaleństwa odpływała od Szachny, introligator zaczynał z nim prowadzić długie rozmowy o sprawach, o których, jeśli nie liczyć rabbiego Hilela, z pewnością mało kto słyszał.

Podskakując i wymachując rękami na czyimś grobie, mknąc całym pędem ku świetlanej przyszłości, Mejłach

Bloch usiłował udowodnić byłemu tłumaczowi wileńskiego oddziału żandarmerii, iż dobro, które reprezentowali Aron i on sam, Mejłach, jest niezwyciężone, natomiast zło, którego uosobieniem był w młodości Szachna – skazane na niechybną zagładę.

Zdarzało się, iż Szachna się tylko uśmiechał lub z rzadka wtrącał jakieś słówko, które zawsze wywoływało u Mejłacha atak wściekłości.

– Bzdura! – potrząsał swoją chudą pięścią. – Zło nie trwa wiecznie!

– Wiecznie! – cicho odpowiadał Szachna. – Tak, jak nie ma dnia bez nocy, tak samo nie ma dobra bez zła. To wieczne konie w wiecznej uprzęży!

Współczując choremu Szachnie i czując, iż jego pozycja jest dość niepewna, Mejłach Bloch wyniośle milkł albo zmieniał temat rozmowy, ale nawet wówczas czyhały nań niebezpieczeństwa.

– Powiadacie: świetlana przyszłość ludzkości? – łagodnie rozpoczynał Szachna. – Ale nie przychodzi wam do głowy, że świetlanej przyszłości nie ma i nigdy nie było.

– Jak to nie było?

– Nie b y-ł o! – rozdzielając słowo na poszczególne sylaby mówił ojciec Arona. – Wszyscy mają jednakową przyszłość. – I wyblakłym wzrokiem obwodził czerniejące wokół mogiły.

– Cmentarz?

– No właśnie – potwierdzał domysł Mejłacha były tłumacz wileńskiego wydziału żandarmerii. – I nikt jej nie zmieni. Ani wy... ani my... ani oni... Żebyście nie wiem jak walczyli i tak musicie zaakceptować ŚMIERĆ.

– Nonsens!

– Śmierć! Nie ma świetlanej przyszłości bez śmierci. A skoro tak, to po co w ogóle jakakolwiek przyszłość?

Udział Szachny w cmentarnych debatach i sporach, jego dziwaczne zapatrywania, jego szalone wywody na temat śmierci, niebytu, irytowały Mejłacha Blocha, ale sam Szachna, jego pusty cmentarz, oddalały od introligatora podejrzenia policji. No bo rzeczywiście – kto zawiązuje z szaleńcem, i to jeszcze wśród mogił, spisek? Żydzi przychodzą na cmentarz nie po to, żeby obalać rządy, ale by porozmawiać ze zmarłymi. Od wiek wieków bardziej ufali im aniżeli żyjącym.

Przez ostatnie dwa lata Szachna prawie nie wychodził z chaty, siedział na trójnogim stołku przy oknie, patrzył na kamienne nagrobki i coś szeptał – może były to wersety z Pisma Świętego, może czyjeś imona, może nazwy miast, w których nie był ani razu.

W ostatnich chwilach pożegnania z życiem Szachna z trudem opuścił chatę i zataczając się powlókł na grób swojego ojca – kamieniarza Efraima Dudaka. Osunąwszy się na ziemię, zaczął ją rozgrzebywać gołymi rękoma i wpychać garściami w odwykłe od słów i jedzenia usta. Dławiąc się i spluwając, gorączkowo przełykał grudki gliny z takim pośpiechem, jakby ktoś mógł mu przeszkodzić w tej jego niezwykłej uczcie.

Mejłach Bloch, który od czasu do czasu przychodził na cmentarz do specjalnie zbudowanego nagrobka, pod którego płytą ukrywali z Aronem ulotki i proklamacje, zastał Szachnę przy jego zajęciu i zamarł z przerażenia.

– Co wy tu robicie? – krzyknął i podbiegł do nieszczęśnika.

A Szachna, jak gdyby nigdy nic, dalej jadł ziemię.

– Co wy robicie?

– Uczę się – spokojnie odparł ojciec Arona.

– Ziemię jeść? – zdumiał się Mejłach Bloch.

– Tak – odburknął Szachna. – Nadchodzi czas, kiedy się pije miód, nadchodzi też czas, kiedy się je ziemię.

I znowu zaczął drzeć paznokciami glinę.

– Dajcie spokój! – natarł na niego introligator. – W tej chwili przestańcie!

W odpowiedzi Szachna zachichotał cicho, wypluwając z ust jakieś ździebełka i kamyczki.

Widok chichoczącego Szachny z twarzą umazaną gliną rozdzierał duszę.

Tak jak wiele lat temu, kiedy wraz z wolnością odebrano mu konia Pejsacha Wolfsona, Mejłach Bloch z jakąś dławiącą siłą poczuł własną bezsilność i nicość. Nagle zwątpił w swoje powołanie do przeobrażania świata, zwątpił, że zawsze ma rację, zwątpił w stanowczość swoich sądów. Boże, jeżeli gdziekolwiek na świecie pozostanie chociażby jeden taki zjadacz ziemi, to o jakim wyzwoleniu ludzkości można mówić? Czyż dobro i sprawiedliwość większości jest w stanie zrównoważyć nieszczęście i niesprawiedliwy los JEDNEGO? Jednego małego człowieka, zagubionego wśród miliarda jemu podobnych?

I kimże właściwie jest człowiek?

Słońcem, wokół którego obraca się wszystko na świecie i którego nie można zdmuchnąć ani obłędem, ani zapamiętaniem?

Czy też tajemniczym ogienkiem, na który wystarczy dmuchnąć i zgaśnie na wieki?

Wstrząśnięty do głębi duszy Mejłach Bloch podzielił się swoimi pełnymi goryczy rozmyślaniami z synem Szachny – Aronem.

Aron wysłuchał go i powiedział:

– Istnieje takie wierzenie: jeżeli zjesz grudkę mokrej ziemi, Bóg ulituje się nad twoimi mękami i przyjmie cię na swoje łono.

Najwyższy ulitował się nad Szachną.

Czy, myślał Mejłach Bloch, stojąc nad zasypaną mogiłą, która dała schronienie umęczonemu starcowi, czy nadejdzie również moja kolej i będę jadł ziemię?

Nie. Lepiej kula w łeb, lepsza śmierć w czasie próby ucieczki z więzienia czy nielegalnego przekroczenia granicy!

Człowiek nie wybiera sobie własnych narodzin, ale powinien mieć prawo wyboru swojej śmierci.

Szczerze mówiąc, on, Mejłach Bloch, już wybrał swoją śmierć.

I to nieodwołalnie.

Złoży głowę za władzę mas pracujących, za rewolucję światową.

Po pogrzebie Szachny introligator nie opuścił cmentarza, ale razem z Aronem i Jakubem wszedł do chaty i osunął się na kulawy stołek koło okna, gdzie jaszcze nie tak dawno siadywał Szachna.

W chacie czuć było woń świec.

Ku zdumieniu Danuty, Mejłach Bloch postanowił zostać na noc.

Jakież było zdumienie gospodyni, kiedy gość również i na drugi dzień nie podniósł się z krzesła. Myślała: posiedzi, posiedzi i pójdzie sobie. Co to dla niego za interes opłakiwać zmarłego razem z nimi? Komu jak komu, ale Mejłachowi Blochowi nie godzi się tracić czasu na żałobne wspominki. Może go wykorzystać z większą przyjemnością i pożytkiem.

Przez pierwsze trzy dni Aron, Jakub i Mejłach, jak przystało na załobników, milczeli w skupieniu, tylko od czasu do czasu znacząco posapywali, pokaszliwali, ale żaden z nich nie ruszył się z miejsca, nie chodzili nawet do ustępu.

Najgorzej ze wszystkich znosił milczenie Mejłach Bloch – bez przerwy się wiercił, kręcił długą szyją, na której niby mlecz na cienkiej łodyżce chwiała się ruda głowa. Chciał jak najprędzej opowiedzieć Aronowi i Jakubowi o swoim spotkaniu z czerwonoarmistami w Giżajnach w przepełnionym klubie, gdzie dzielił się wspomnieniami z zesłania do Turuchańskiego Kraju i oczywiście opowiadał o Kobie. Czerwonoarmiści zasypywali go pytaniami, długo i z zachwytem oglądali jodłową fajkę z podpisem, który wyznaczał dalszy los, kiwali ostrzyżonymi głowami i domagali się wciąż nowych i nowych szczegółów; dowódca jednostki, kapitan Kamieniew, fotografował Mejłacha Blocha (z bukietem polnych kwiatów w rękach) na tle działa artyleryjskiego, z którego uprzednio zdjęto pokrowiec.

Mejłacha aż ponosiło, żeby przekazać braciom wstrząsającą wiadomość, że prezydent Smetona porzucił swój pałac i o świcie, podobno przebrany w sutannę, razem z ludźmi ze swojej ochrony osobistej uciekł z Kowna do Niemiec. W chacie było duszno, ale pobożny Jakub zabronił matce otwierać okna: na dworze wszystko się radowało – i zieleń, i pszczoły, i ptaki; nad mogiłami błękitniało bezchmurne niebo; wystarczy natężyć wzrok, a ujrzy się anioła ze skrzydłami z obłoczków lub Pana Boga stąpającego po niebieskim gruncie.

Na czwartą dobę przyszedł na cmentarz zatroskany bałaguła Pejsach Wolfson – szukał swojego zięcia.

– A bo myślałem, że znowu cię wzięli – przeprosiwszy Danutę i bolejących braci z uśmieszkiem powiedział teść. – A tymczasem ty, jak się okazuje, odsiadujesz sziwe.

– Odsiaduję – przyznał Mejłach Bloch. – Spełniam swój obowiązek.

Ani Danuta, ani Aron, ani Jakub, przywykli do jego zagadkowych wypowiedzi, nie zorientowali się, jaki obowiązek ma na myśli.

– Kiedy umarł mój ojciec – mówił dalej Mejłach Bloch – popędzono mnie etapem z Włodzimierza do Samary. Kiedy umarła matka, kręciłem się po powiecie mohylewskim, zdobywałem zboże dla republiki... A kiedy zmarła moja żona, Pereła, odsiadywałem wyrok w kowieńskim więzieniu. I postanowiłem za jednym zamachem wyprawić stypę po wszystkich... – Pomilczał chwilę i dodał cicho: – I po sobie!...

Pejsach Wolfson wysłuchał zięcia, raz jeszcze obrzucił wzrokiem żałobników i powiedział:

– Nie śpiesz się z odprawianiem stypy po sobie, zrobią to inni.

– Ale ja nie mam nikogo...

– Nikogo? A Armia Czerwona? Ty sobie siedzisz na cmentarzu, a ona cię szuka...

– Armia?

– Przychodzili do domu, pytali: „Gdzie jest Michaił Grigorijewicz?" W pierwszej chwili nie zrozumiałem: kto to taki „Grigorijewicz"? Kto to jest „Michaił"?

– Po rosyjsku Mejłach – to Michaił, a Hirsz – Grigorij.

– A moje imię... Jak jest Pejsach?

– Piotr.

– Piot... Piot... – Nie mogąc wymówić „r" powtórzył teść.

– I czego oni, Piotrze, chcieli ode mnie?

– Ciebie.

Mejłach Bloch pożegnał się z Dudakami i wyszedł na podwórze.

Rozejrzał się: nie ma bryczki, Pejsach Wolfson nigdzie nie jeździ na darmo.

Trzy wiorsty będzie musiał drałować na piechotę.

Ciekawe, do czego im jest potrzebny? Może znowu zapraszają go do jakiegoś wojskowego klubu, żeby podzielił się wspomnieniami o Kobie? A może wydarzyło się to, na co czekał tyle lat, o co tyle lat walczył? Jeżeli prezydent rzeczywiście uciekł z kraju, to znaczy... Znaczy, że wygraliśmy!... A więc niech żyje Litwa Radziecka! A więc zwycięstwo ludu pracującego!

Mejłach Bloch szedł krętą, obsadzoną młodymi lipkami polną drogą i w jego duszy wszystko śpiewało. Jeszcze nikt nie wracał z cmentarza równie szczęśliwy jak on. Było mu trochę wstyd tego szczęścia. Odczuwał wstyd i strach. A może pogłoski o ucieczce prezydenta to kłamstwo? Czy mało może przynieść na swoim ogonie ta sroka, Chaskiel Bregman – „Żydowskie Wiadomości"? On, Mejłach Bloch, sam jest Żydem, ale „Żydowskie Wiadomości" nie budzą w nim wielkiego zaufania, jako że jego rodacy zawsze popadają w skrajności. Żydom jest albo bardzo źle, albo bardzo dobrze.

Mejłach Bloch nie wątpił, że czeka go jakaś miła niespodzianka i, krocząc po wyżłobionej kołami polnej drodze, przygotowywał się na jej przyjęcie. Wszystko dokoła – i bezkresne, jakby wymyte ługiem na Paschę niebo, i rozświetlone hojnymi promieniami słońca drzewa, i radujące się w nich ptaki – dołączało się do jego podniosłego nastroju, zapowiadało powodzenie, wygraną, zwycięstwo.

Czyżby pod koniec życia miał zostać wynagrodzony za zesłanie na Sybir, za kule w Kalinkowiczach, poniżające jego godność i samozaparcie, za noce spędzone w karcerze więziennym w Szawlach i w Kownie?

Nie wyobrażał sobie tej nagrody inaczej jak wspólną – nie tylko dla siebie, lecz dla wszystkich, których z zapałem, lecz bezosobowo określał jako światowy proletariat.

Mejłachowi Blochowi wydawało się, że w tej chwili może nawet umrzeć – jego życie się dokonało, nie minęło na próżno, niechaj dalej przewodzą w nim tacy, jak Aron Dudak.

Nawiasem mówiąc, trzeba wyciągnąć Arona z tego warsztatu krawieckiego. Ten, któremu sądzone jest przenicowywać świat, nie powinien łatać portek sąsiada.

Mejłach Bloch nie zdążył dojść do przedmieścia, kiedy spotkał go wszechobecny, niestrudzony Chaskiel Bregman o przezwisku „Żydowskie Wiadomości". Chaskiel Bregman rozpłynął się w uśmiechu i rzekł przypochlebnie:

– Dzień dobry, panie burmistrzu!

Mejłach Bloch wymienił spojrzenie z Pejsachem Wolfsonem.

– Do kogo mówicie? – zapytał introligator.

– Do pana, panie burmistrzu – z każdym krokiem przypochlebny ton sklepikarza przybierał na sile.

– A co... co z panem Tarajłą?

– Pan Tarajła – fiiiut! – gwizdnął Chaskiel Bregman. – A ja bym chciał z panem porozmawiać... w cztery oczy... słyszałem, że tam, w Rosji, nie ma ani jednego prywatnego sklepu... Czy to prawda?

– Prawda – odburknął Mejłach Bloch, myśląc nie o sklepach, nie o żałobnych świecach i sprzętach pogrzebowych, lecz o niezwykłym, rażącym, a równocześnie pieszczącym ucho powiązaniu wyrazów „panie burmistrzu".

– I tak będzie też u nas? – nacierał na niego Chaskiel Bregman.

– Niewątpliwie.

– A co by było, panie burmistrzu, gdyby na ten czas, dopóki pan też nie ucieknie z Litwy, przepisać sklep na pańskie nazwisko? Na dobry procent? Co?

Mejłach Bloch uśmiechnął się ze skruchą i z tym skruszonym, nieprzekupnym uśmiechem objął swoje nowe, nader kłopotliwe stanowisko.

Gedali Bankweczer

Ulubionym powiedzonkiem reb Gedalego Bankweczera
było:
– Cokolwiek by się stało na świecie, szyć trzeba!
Szyć trzeba w każdym ustroju, przy każdym rządzie, przy
każdej pogodzie. Krawiec nie ma prawa odkładać igły. Maleńka, stalowa igiełka jest ważniejsza od wszystkich między-
narodowych waśni, konfliktów narodowościowych i zatar-
gów wojennych. Dla niej nie odgrywa żadnej roli, kim jest
klient: komunistą czy syjonistą, liberałem czy konserwatystą,
monarchistą czy ludowcem. Pan Bóg stworzył wszystkich na-
gimi z jedynym zamiarem: żeby krawcom dostarczyć pracy.
On, Gedali Bankweczer, zaczynał w carskiej Rosji w Grod-
nie, potem szył dalej u Herr Hansa Hepkego w Królewcu,
w Niemczech, potem przeniósł się do Kowna, do niepodległej
Litwy, a już stamtąd do Miszkine, gdzie otworzył własną pracownię. Za panowania wszystkich władz mierzył tylko jedną
miarą – zatłuszczonym centymetrem. Innych miar nie posia-
dał – po prostu nie były mu potrzebne.
Wkroczenie Armii Czerwonej na Litwę w pierwszej chwili nie zmieniło jego światopoglądu. „Cokolwiek by się
stało na świecie – powtarzał sobie – szyć trzeba!" Czas
płynął, a Gedali Bankweczer wobec tej armii odczuwał coraz
większą nienawiść. Armia ta niby nikomu nie wadziła: czerwonoarmiści całymi dniami przesiadywali w Gajżunach,
gdzie mieli wielki, dobrze wyposażony poligon, albo –
w czwartki – wytańcowywali na rynku wszelkie możliwe
tańce: ukraińskie i gruzińskie, mołdawskie i uzbeckie. I nawet
jeden taniec żydowski – a szerełe (nożyczki), którego się na-
uczyli gdzieś w Moskwie czy Kijowie.
– Chodźcie popatrzeć – namawiał Gedalego Bankweczera
jego zięć – buntownik Aron.

Ale Gedalemu Benkweczerowi nie w głowie były ukraińskie i mołdawskie pieśni i tańce. Musiał uszyć w terminie ubranie dla pana Tarajły, a czasu do otwarcia sejmu pozostawało coraz mniej i mniej.

Mimo to Aronowi przy pomocy Rejzł udało się wyciągnąć reb Gedalego z domu.

Tego dnia na rynku było mnóstwo ludzi – przeważnie Żydów. Litwini trzymali się z daleka od wszystkich czerwonoarmistów, w tym również i od tancerzy. Ksiądz Wajtkus chodził nawet na skargę do kapitana Kamieniewa; twierdził, że tupot nóg i dźwięki trąb zagłuszają głos kapłana, przeszkadzają w odprawianiu nabożeństw, ale kapitan Kamieniew, najstarszy z rosyjskich oficerów stacjonujących w Miszkine, nie zakazał wystąpień zespołu, poprosił tylko członków orkiestry, żeby grali nieco ciszej i nie nastawiali niechętnie miejscowej ludności przeciwko zaprzyjaźnionej armii.

Reb Gedali Bankweczer przepchnął się przez tłum i zajął miejsce w pierwszym, najbliższym estrady rzędzie.

Ukraińskie i mołdawskie tańce nie wywarły na nim najmniejszego wrażenia. Może dlatego, że patrzył nie tyle na żołnierskie buty, co na bryczesy i wojskowe bluzy. Nie można nic powiedzieć – nieźle uszyte, aczkolwiek bez polotu. Dyrygent miał mundur nieco przydługi, a trębacz prawą nogawkę u dołu trochę szerszą niż lewą.

– Żydowski taniec a szerełe – zapowiedział młody żołnierzyk wysokim dyszkantem, myląc akcent w ostatnim słowie.

– Nie a szerełe, tylko a szérełe – podpowiedz mu, Aronie – burknął Gedali Bankweczer.

Czeronoarmiści byli równie podobni do Żydów, jak zima do lata. Śmiesznie i nieporadnie poruszali się po drewnianej estradzie, ująwszy się pod boki. Zamiast jarmułek mieli zawadiacko włożone na bakier czapki z czerwonymi gwiazdami. Tylko orkiestra wiernie i życzliwie grała starą żydowską melodię.

Wszyscy Żydzi zebrani na rynku, oprócz Gedalego Bankweczera, wtórowali ochoczo:

– Ja, ta-ta-tam-tam, ja-ta-ta-tam-tam, ja-ta-ta-tam-tam!

Gedali Bankweczer, zmęczony zgiełkiem, dziwacznym korowodem tancerzy, powszechnym aplauzem widzów, mimo wszystko wytrwał do końca, kiedy rozległy się ogłuszające brawa i okrzyki: „Niech żyje niezwyciężona Armia Czerwona!", „Niech żyje Związek Radziecki!", „Chwała wielkiemu Stalinowi!"

– A ty co tak gardło drzesz? – napadł Gedali Bankweczer na Arona. – Zobaczył taniec żydowski, rozkleił się i w portki narobił. Co ty tak za niego ręczysz?

– Za kogo? – uśmiechnął się Aron.

– Za ten Związek Radziecki... Za tego Stalina. Jesteś pewien, że oni są nam potrzebni?

– Wy niczego nie rozumiecie, reb Gedali – rzucił ostro Aron. – Zacofany z was człowiek!

Gedali Bankweczer od tego dnia zarzekał się, że więcej na rynek nie pójdzie. Nie ma tam nic do roboty. Nie będzie krzyczał ani „Chwała!", ani „Niech żyje!". Jeżeli coś jest w stanie zgubić naród żydowski, to właśnie te zachwyty na cudzych ucztach, toasty na cześć cudzych wodzów i armii. A może wszystko, co Mejłach Bloch opowiada o tym Związku Radzieckim – to jedno wielkie oszustwo? Może ci tancerze mają na celu wyłącznie mydlenie ludziom oczu? Nietrudno jest tańczyć żydowskie tańce, ale lubić Żydów...

Wrogość Gedalego Bankeczera do przybyszów ze Wschodu jeszcze bardziej wzrosła, kiedy się dowiedział, że ten nierób, ten wieczny kryminalista Mejłach Bloch został burmistrzem Miszkine. Burmistrzem Miszkine. Burmistrzem Miszkine! Zamiast pana Tarajły! Niesłychane! Hańba! Kto go mianował?

– Władza radziecka – odpowiedział na jego pytanie zięć Aron.

– Władza radziecka? A skąd ona się wzięła?... Czy władza radziecka to ty i Mejłach Bloch?

– Wyobraźcie sobie! – chełpliwie przytaknął Aron.

– Ale ja was nie uznaję! – zaczął krzyczeć Gedali Bankweczer. – Nie uznaję!

– Tym gorzej dla was – nie oszczędził go zięć.

– Jeszcze zobaczymy, komu będzie gorzej! Zobaczymy, jak wróci pan Tarajła...

– On nigdy nie wróci.

– Wróci! – gorączkował się Gedali Bankweczer. – Gospodarz zawsze wraca. Nawet martwy!... Nawet z grobu!... Chciałbym wtedy na was zerknąć... Co wy wtedy, mądrale, zrobicie? Ustawią was na rynku... i...

– I co?

I zmuszą, żebyście pod lufami karabinów tańczyli a szerełe.

– Brednie! – opędzał się Aron od jego dziwacznych pogróżek. – Po prostu trzęsiecie się o swoją...

– Ja się trzęsę? – tracąc panowanie nad sobą zawołał Bankweczer. – A niby dlaczego mam się trząść? Dlaczego? Ja nie zasiadłem w cudzym fotelu... Nie zająłem cudzego kraju... nie wynająłem się u obcych za sługusa...

Mianowanie Mejlacha Blocha na stanowisko burmistrza nie tylko wybiło Gedalego Bankweczera z normalnego rytmu, ale niemal doszczętnie zrujnowało jego wyobrażenia o przyzwoitości, dobrych obyczajach, o trwałości odwiecznego układu życia i wiernopoddaństwa. We wszystkich tych zmianach, rozumował, jest coś z grabieży i rozboju. No bo istotnie: jak nazwać tego, kto wdziera się do twojego domu, zabiera ci igłę i centymetr, zasiada do twojej maszyny do szycia, wypędza cię razem z rodziną i jeszcze żąda, żebyś głośno, na cały świat, krzyczał: „Chwała rozbójnikowi!", „Niech żyje grabiciel!"

– Co to się dzieje? – kompletnie roztrzęsiony zapytał Eliszeby.

– A ty sam nie widzisz? – odparła córka.

– Widzę. Ale lepiej, żebym oślepł...

– Boję się, że już jest za późno – mruknęła Eliszeba.

– Oślepnąć?

– Wyjechać.

– Dokąd?

– Tam, dokąd mnie nie puściłeś...

– Do Palestyny?... Na pustynię?...

– Nie ma większej pustyni niż ta...

– Zwariowałaś! Co to za pustynia, jeżeli karmiła twoich dziadków i pradziadków, ciebie i mnie?

– Karmiła żołądek, ale nie duszę...

– Ale bez żołądka... bez żołądka do czego potrzebna nam dusza?

Rozmowa z Eliszebą nie przyniosła mu ulgi. Jest mądra, miła, ale ma bzika na punkcie wyjazdu – jakby tam rzeczywiście czekały na nią same rozkosze.

Ale nic i nikt nie sprawiał reb Gedalemu tyle frasunku, co gotowy garnitur pana Tarajły.

Co z nim mam zrobić?

Sądząc ze wszystkiego, pan burmistrz nie będzie się w tej chwili śpieszył z powrotem z Berlina. Garnitur garniturem, ale życie człowieka jest droższe.

Garnitur oczywiście można powiesić w szafie. Przesypany naftaliną może powisieć i rok, i dwa, i nic mu się nie stanie, ale mimo wszystko lepiej go oddać klientowi, może nawet nie do rąk własnych, ale bodaj przez pośredników.

Reb Gedali Bankweczer przypomniał sobie, że w Miszkine, w domu Tarajły, została jego gospodyni, postanowił więc bez zwłoki udać się do niej, a nuż przyjmie nowe ubranie i nawet zapłaci mu całą należność do ostatniego grosza. Zresztą pieniądze mogą poczekać, pan burmistrz wróci i odda mu jeszcze z procentem.

Dom Tarajły, kryty czerwoną dachówką, stał nad brzegiem Niemna i widać go było z każdego punktu miasteczka. Pan burmistrz odziedziczył go w spadku po teściu-geodecie, człowieku życzliwym i znanym w całej okolicy z działalności społecznej.

Gedali Bankweczer nieraz bywał w tym domu. Co prawda, nie jako zaproszony gość, ale jako mistrz słynny ze swojej sztuki na całej Żmudzi.

Reb Gedali nie przychodził z pustymi rękami – przynosił do przymiarki płaszcze i garnitury Tarajły. Czasami burmistrz częstował go herbatą i to nie byle gdzie, nie w przedpokoju czy w kuchni, ale w obszernym salonie, obwieszonym obrazami przedstawiającymi sceny z bohaterskiej przeszłości Litwy oraz Żmudzi, wielkiego księcia Witolda na karym koniu, bitwę pod Grunwaldem-Żalgirisem oraz inne nieznane reb Gedalemu wydarzenia z historii Litwy.

Mieszając łyżeczką herbatę w szklance, reb Gedali pa trzył z ukosa na wielkiego księcia Witolda, na stos ciał na słynnym polu bitwy, starając się odszukać wśród zwycięzców jakiegoś rycerza w pancerzu czy łucznika, podobnego do pana Tarajły.

A pan domu bynajmniej nie śpieszył się do przymiarki ubrania – w ogóle nie cierpiał przymiarek! – zaczynał długo i płomiennie rozprawiać o litewsko-żydowskich stosunkach, sięgających niemal trzynastego wieku.

Reb Gedali słuchał go z taką samą uwagą, jak wielki książę Witold dosiadający swego karego konia, nie przeczył, przyznawał, że Żydów na Litwie naprawdę nikt nie krzywdził, a jeżeli zdarzały się nawet jakieś incydenty, to nie takie, o których trzeba by pamiętać do grobowej deski.

– Nie było ani jednego pogromu! Ani jednego! – gorąco dowodził Tarajła, jakby tego żałował.

Tu, w domu na brzegu Niemna, pan burmistrz poznał Gedalego z księdzem Wajtkusem i zarekomendował go jako krawca. Reb Gedali zaczął szyć również dla Wajtkusa – uszył mu sutannę, chociaż ksiądz proboszcz wyrażał wątpliwość, czy krawiec podoła takiemu zadaniu. Dzięki Bogu, podołał. Sutanna uszyta przez Bankweczera nie była ani trochę gorsza od tej, którą Wajtkus kupił w dalekiej Italii, w świętym mieście Rzymie.

Dowiedziawszy się o tym rabbi Hilcl rozgniewał się na majstra. Ale o cóż było się gniewać? Dobry krawiec powinien umieć wszystko uszyć: od całunu po sutannę. Rzemiosło, jak powietrze, należy do wszystkich. Płać i oddychaj!

Reb Gedalemu nie układały się stosunki tylko z jedną osobą, gospodynią Tarajły, panią Anastazją.

Anastazja i w oczy, i poza plecami nie nazywała Bankweczera inaczej jak antychryst. Długo i demonstracyjnie po każdym podaniu herbaty wycierała stół, gorliwie zamiatała nikłe ślady, jakie pozostawił na podłodze.

Bankweczer również i dzisiaj wolałby nic mieć z nią nic do czynienia, ale po prostu nie miał innego wyboru.

Zadzwoni do drzwi, stara wiedźma otworzy i on, antychryst, wręczy jej garnitur razem z wieszakiem. A kiedy, co daj Boże, Tarajła wróci, wtedy się policzą. Reb Gedali powiesił ubranie na wieszaku, na wszelki wypadek wziął ze sobą parasol (a nuż lunie deszcz!) i pod wieczór wyruszył nad Niemen.

Po drodze raz po raz spotykał czerwonoarmistów. Spoceni, podnieceni, rozdawali ulotki z podobizną Stalina w bardzo źle uszytym mundurze. Żołnierze usiłowali i jemu wepchnąć ulotkę, ale szczęśliwie udało mu się wymknąć, dał nura w jakiś zaułek i szukaj wiatru w polu.

Kryty dachówką dach domu Tarajły mienił się złotem w dogasających promieniach słońca. Szerokie okna przypominały tygle, w których na sztabki przetapiał się nieboskłon.

Już z daleka reb Gedali zauważył na podwórzu jakąś niepojętą krzątaninę.

W pierwszej chwili przemknęło mu przez głowę, że to Tarajła wrócił w końcu z Berlina.

Ale gdy podszedł bliżej, zrozumiał, że się omylił.

Oczywiście, że się omylił: z domu pana burmistrza coś wynoszono. Co właściwie wynoszono i kto wynosił, tego reb Gedali z początku nie mógł dojrzeć, ale niebawem wśród ludzi, którzy krzątali się pod oknami, rozpoznał wnuka starowierców

Jonę Andronowa. Nie można go było nie poznać. Jona, taki sam nicpoń jak Aron, był najwyższym mężczyzną w miasteczku. Bankweczer przełożył parasol z lewej ręki do prawej, zmrużył oczy. Obok Andronowa dostrzegł dwóch braci Henisów, którzy pracowali w fabryce zapałek i zeszłego lata trafili do więzienia za strajk.

No i gdzież jest ta stara wiedźma Anastazja, pomyślał reb Gedali.

Dlaczego jej nie ma?

Bankweczer omal nie usiadł na ziemi, kiedy zamiast gospodyni, niestrudzonej Anastazji, na ganku domu ujrzał swojego zbzikowanego zięcia.

Aron?

Reb Gedali już się miał oburzyć – dzień pracy jeszcze się nie skończył, a ta bestia pęta się ze swoimi kompanami, ale Aron go uprzedził:

– Dobry wieczór, reb Gedali. Czy przyszliście nam pomóc?

– Dobry wieczór, dobry wieczór – śpiewnie odpał krawiec, wyczuwając coś niedobrego.

Drzwi domu były otwarte. W ich prześwicie nagle ukazała się potężna szyja Jony Andronowa i bark jednego z braci Henisów.

– A gdzie... gdzie jest pani Anastazja? – zapytał reb Gedali, nie pojmując, co się dzieje.

– Nie ma pani Anastazji! – powiedział Aron. – Skończyły się jej czasy. Odsłużyła swoje. – Zwrócił się do swoich współtowarzyszy: – No i coście tam tak ugrzęźli?

– Nie chce przejść – poskarżył się wnuk starowierców Jona Andronow. – Za nic nie chce!

– No to go weźcie boczkiem, boczkiem! Zaczekajcie! Pomogę wam! – zawołał Aron i skoczył na pomoc.

Reb Gedali stał jak wrośnięty w ziemię. Boże! Przecież to grabież w biały dzień! Panie, oświeć ich rozum! Oni nie wiedzą, co czynią. Wdarli się do cudzego domu i szaleją. Boże, poraź ich gromem, rozpłataj błyskawicą!

Ale Bóg nie usłuchał Gedalego Bankweczera, nie wystąpił w obronie pana Tarajły.

Reb Gedali miał ochotę cisnąć w Arona i jego pomocników parasolem, wczepić się im we włosy, wydrapać bezwstydne oczyska, ale stał niby skamieniały i patrzył, jak z dębowych drzwi wypływa książę Witold na karym koniu – ot ukazało się strzemię, noga, siodło, a wreszcie ponura twarz księcia oraz hełm nasunięty na czoło.

Kompani wynieśli obraz na podwórze i oparli go o pomalowaną na bladozielony kolor ścianę.

Promienie zachodzącego słońa padały na wielkiego księcia i reb Gedalemu wydawało się przez chwilę, że Witold wraz z koniem wstąpił w ognisko.

– Co wy robicie? Natychmiast zanieście obraz na miejsce!
– ryknął Gedali Bankweczer.

Ale oni tylko roześmieli się w odpowiedzi i iskry z ogniska osypały również reb Gedalego.

– A co? Żal go wam? – szyderczo zapytał młodszy z Henisów.

Bankweczer nie rozumiał, do kogo odnosi się to pytanie – czy do wielkiego księcia Witolda, czy do Tarajły.

– Żal – wymamrotał majster. – Wszystkich mi żal... I was też, głupców...

– A dlaczego macie nas żałować?

Reb Gedali jeszcze nigdy nie odczuwał z tak dławiącą ostrością swojej bezsilności, jak w tej chwili. Po prostu gardził sobą za to, że nic nie robi. Niedorzeczny parasol parzył prawą rękę, więc z furią odrzucił go na bok. Gotowy garnitur kołysał się na wieszaku, a majstrowi zwidywało się, że to żywy człowiek, ten sam, który gościł go w salonie herbatą, ten sam, który tak się chlubił, że na Litwie nie było ani jednego pogromu, wisi zawieszony na pętli.

Pogrom, pogrom, szeptał reb Gedali. Więcej Aron nie przestąpi jego progu. Nie potrzebuje zięcia-grabiciela, zięcia--marudera.

– Kto wam dał prawo?... – wyjęczał.

– Władza radziecka – odparł syn starowierców Jona Andronow, który rozumiał po żydowsku.

– Cudze mienie można kupić, ale nie zagarniać – nie poddawł się Bankweczer. – Po co wam ten dom?

– Od dzisiaj będzie tu mieszkał nowy burmistrz – Mejłach Bloch – powiedział Aron.

Ach to tak! Nowemu burmistrzowi nie wypada mieszkać w ciasnej komórce na Sadowej, gdzie ma jedynie żelazne łóżko, gdzie po nocach ze swoich kryjówek wypełzają pluskwy i karaluchy, gdzie nawet myszy głodują.

– Ten, kto przegląda się w ukradzionym lustrze, ujrzy swoją zgubę. Ten, kto śpi w zagrabionym łóżku, do końca życia będzie bezpłodny. Ten, kto zjada skradzione jedzenie, nigdy go nie strawi, bo w żołądku zamieni mu się ono w kamień.

Wielki książę Witold nadal płonął na ognisku i Gedali Bankweczer patrzył na niego z bojaźliwym współczuciem, nie będąc w stanie ugasić ani jednego węgielka.

Do domu wracał jak z pogrzebu. Niejasne, dokuczliwe uczucie, iż bezpowrotnie coś pogrzebał, nie opuszczało go do samego progu. Reb Gedali cierpiał, kiedy jego klient przenosił się do innego krawca, ale tego, co czuł w tej chwili, nie można było porównać z wszystkimi dotychczasowymi cierpieniami i wstrząsami. Wydawało się, iż to nie klient przeniósł się do innego krawca, ale że świat zmienił właściciela. Teraz on, nowy pan, będzie dobierał odzież dla Litwy i wszystkich jej mieszkańców; teraz on, nowy gospodarz, będzie mógł na wszystko wyznaczać cenę.

Im bardziej reb Gedali starał się połapać w swoich uczuciach, tym posępniej i smutniej robiło mu się na duszy.

Wielki książę Witold i jego kary koń stali przed oczami Bankweczera i jakby czynili mu wyrzuty, że wystąpił w ich obronie jedynie słowem a nie czynem. Łatwo powiedzieć – czynem. Przecież nie mógł się wdawać w bójkę z tym dryblasem Joną Andronowem, który spławiał Niemnem tratwy do Zatoki Kurońskiej. Albo z braćmi Henisami, tęgimi chłopami, którzy pracowali w fabryce zapałek – w okamgnieniu daliby mu radę.

Ze szczególnym smutkiem, od którego aż dech zapierało, myślał Gedali Bankweczer o swoim zięciu Aronie. Cóż jego, takiego nicponia, łączy z potężnym Joną i milkliwymi ponurymi Henisami? Poczucie, że wszystko mu wolno? Wiara we własną bezkarność? Jaka siła zagnała ich do domu Tarajły?

Reb Gedali zdawał sobie sprawę, że gdyby w Miszkine nie było Armii Czerwonej, ani Aron, ani Jona, ani bracia Henisowie nie ośmieliliby się włamywać do cudzego domu i wynosić stamtąd to, co do nich nie należy. Armia Czerwona Armią Czerwoną, ale co z sumieniem? Można zmienić jeden ustrój i zastąpić go innym. Ale sumienia zmienić się nie da, tak jak nie można zmienić wschodu słońca. Dokoła chmury, ciemność, a ono i tak wschodzi...

No i po co, jeśli można zapytać, Aron wplątał się w nie swoje sprawy? Dzisiaj jest władza radziecka, jutro rządzić będą Niemcy, pojutrze Litwini – a ty siedź cicho i nie otwieraj gęby! Nie pchaj swojego żydowskiego nosa tam, gdzie nie trzeba, jeśli nie chcesz, żeby ci go skrócili! Szyj! Rób buty! Gol brody! Piecz bułki z makiem! Macę! Ale ze względu na naszego Boga Jehowę, ze względu na swoje dzieci i wnuki, nie pchaj się w nic, bo czymkolwiek sprawa się skończy, poszkodowanym zawsze będzie Żyd: albo okaże się, że jego wina jest większa od innych, albo nie dostrzegając różnicy między nim a tamtymi, nie potraktuje go zbyt życzliwie.

Reb Gedali długo krążył po miasteczku z garniturem pana Tarajły, a przechodnie obrzucali go zdumionymi spojrzeniami.

– Co się z wami dzieje, reb Gedali? – przyczepił się do niego Chaskiel Bregman o przezwisku „Żydowskie Wiadomości".

– A niby co takiego ma się dziać? – wzruszył ramionami krawiec.

– Wygląda, jakbyście nie mogli trafić do własnego domu – uszczypliwie powiedział sklepikarz. – Zapomnieliście, gdzie jest Rybacka?

– Nie zapomniałem.

– W takim razie dlaczego krążycie z gotowym garniturem po ulicach? – zapytał nachalny Chaskiel.

Jeszcze tego brakowało, żeby Gedali Bankweczer każdemu, kogo spotka, tłumaczył, dlaczego krąży po ulicach.

– Wietrzę go – krótko odparł Bankweczer, ale „Żydowskich Wiadomości" nie zadowoliła ta odpowiedź i nie przestawał deptać mu po piętach.

Kiedy Gedali Bankweczer zatrzymał się przy Związku Strzelców, zaliczającego w swój poczet również pana burmistrza, który wyjechał do Berlina, Chaskiel Bregman z tą samą uszczypliwością co poprzednio, powiedział:

– Strzelcy rozbiegli się na wszystkie strony... Teraz będzie tu inny związek...

Chaskiel Bregman czekał, kiedy Gedali Bankweczer zapyta, jaki to związek, ale krawiec zerknął jedynie na szeroko otwarte drzwi parterowego budynku z cegły i ruszył dalej.

– Komsomoł! Taki związek! – Chaskiel Bregman bynajmniej się nie obraził. – Związek Młodzieży Komunistycznej!..

Żadne związki ani młodzieży, ani starców nie interesowały reb Gedalego. Jedyną rzeczą, jaka go trapiła, był garnitur pana burmistrza. Będzie go musiał przesypać naftaliną, powiesić w szafie i niechaj sobie wisi do czasu, aż pojawi się Tarajła. A w to, że pojawi się niechybnie, reb Gedali wierzył równie święcie, jak w wybawienie narodu żydowskiego od bied i nieszczęść. W wyobraźni Bankweczer widział spotkanie z panem burmistrzem za rok, za trzy lata, za pięć. Tarajła przychodzi na Rybacką, reb Gedali otwiera szafę, wyjmuje z niej nowy garnitur i na oczach Bankweczera dokonuje się cud: do Miszkine wracają wszyscy strzelcy; do domu na brzegu Niemna wjeżdża wielki książę Witold; policjant Tamulis zakłada kajdanki braciom Henisom, potężnemu Jonie Andronowowi; na rynku, tam gdzie w czwartki występowali czerwonoarmiści, ustawia się chór gimnazjalny; nauczyciel muzyki Pranulis unosi pałeczkę i nad miasteczkiem niosą się słowa: „O, Litwo, ojczyzno nasza, ty kraju bohaterów" – hymn republiki.

– Reb Gedali – przerwał sklepikarz rozmyślania Bankweczera. – Czy to angielska wełna? – Wskazał palcem wieszak.

– Angielska, angielska – burknął majster.

– Od dawna marzę o ubraniu z angielskiej wełny – ucieszył się Chaskiel Bregman. Od razu się połapał, czyje to ubranie. Z angielskiej wełny szyje sobie garnitury jedynie właściciel fabryki mebli Bruchis i pan burmistrz Tarajła...

– Sprzedajcie mi je.

– Ono nie jest na sprzedaż – uciął krótko Bankweczer.

– Dam dobrą cenę – nalegał Chaskiel Bregman.

– Kupcie sobie materiał i uszyjcie nowe! – doradził krawiec.

– Do tego, żeby uszyć nowe, nie trzeba filozofii – z godnością odparł „Żydowskie Wiadomości". – Przyjemnie jest mieć na sobie nie ubranie sklepikarza, nie sprzedawcy żałobnych świec i sukna pogrzebowego, ale burmistrza. Chodzisz sobie w takim ubraniu i czujesz się niby jakiś mąż stanu. Sprzedajcie mi je, reb Gedali! Pan Tarajła pożegnał się z Litwą na zawsze!

– Nie. Dopóki żyję, będę czekał – z przekonaniem zapewnił Bankweczer.

– Pryszczaty Siemion też czeka. I co?

– Ja się doczekam.

– Jesteście silniejsi niż Armia Czerwona? – hamując rozdrażnienie zapytał Chaskiel Bregman.

– Pluję na Armię Czerwoną! – ryknął Gedali i przyśpieszył kroku.

Po przybyciu do domu reb Gedali powiesił w szafie ubranie Tarajły, zamknął się w swoim pokoju i chyba po raz pierwszy od nie wiadomo jak długiego czasu zaczął się modlić. Wiedział, że Bóg mu nie pomoże, ale poza Najwyższym nie miał z kim porozmawiać – na wszystkie jego utyskiwania Eliszeba niezmiennie odpowiadała: – „Trzeba było wyjechać".

Jedną cechę Boga reb Gedali cenił ponad wszystko – Jego umiejętność słuchania, nieprzerywania nikomu. Możesz mówić przez cały dzień, miesiąc, rok – nikt ci nie przerwie, nikt nie odpowie żadnym głupstwem. Wszechwładnemu nigdy nie sprzykrzy się słuchanie. Może słuchać jednego i tego samego nieskończoną ilość razy, więc Gedali Bankweczer korzystał z tego i opowiadał w kółko o swoich niedolach i malutkich, płochliwych jak małe myszki radościach, o swoim marzeniu, żeby uszyć tyle par spodni, marynarek i płaszczy, aby mu wystarczyło na kupno wielkiego domu krytego blachą, gdzie na parterze mieściłaby się pracownia, a na piętrze – pokoje dla niego i Eliszeby z jej przyszłym mężem (w marzeniach Gedalego Rejzł miała mieszkać oddzielnie).

Zmiana władzy czyniła jego marzenia o własnym domu nierealnymi. Do reb Gedalego dzień w dzień docierały niepokojące wieści, że zgodnie z zarządzeniem nowych władz (do nich zaliczał się również Mejłach Bloch), raz tu, raz tam odbiera się ludziom domy, a ich właścicieli przesiedla do jakichś piwnic i nor.

Gedali Bankweczer w żaden sposób nie mógł pojąć, czym ludzie zamożni tak rozgniewali nową radziecką władzę. Cóż to za władza, zastanawiał się, która nie pragnie, aby jej poddani byli bogaci? Przecież celem rozsądnego rządzenia ludźmi nie może być doprowadzanie ich do biedy, ruiny: im biedniej, tym lepiej, im kto głodniejszy, tym bardziej wierny, im bardziej zastraszony, tym pewniejszy.

Eliszeba chciała dać ojcu jeść, ale ją przepędził. Przecież nie przełknie ani kęsa! Jest najedzony. Najedzony po uszy!... Dzięki Aronowi – nakarmił go! Żeby tylko Bóg pozwolił to

141

strawić. Na myśl o Aronie reb Gedalemu serce się ścisnęło. Przepędzić by go, obwiesia, na złamanie karku! Ale skąd wziąć innego pracownika? Takich czeladników jak Aron nie znajduje się na ulicy.

Ani wyrzucić, ani zatrzymać!

Zostawisz – odstraszy wszystkich klientów co do jednego. Kto pójdzie sobie szyć do grabieżcy?

Zawsze tak bywało z reb Gedalim: od wzniosłych myśli zrodzonych z obcowania z Bogiem przechodził do markotnej, nudnej powszedniości, pogrążał się w lepkim mule codziennych trosk i przeżyć. Najwyższy był dla niego jak gdyby wonnym sadem, z którego owoce, chociaż niedostępne, nęciły swoją słodyczą – lub łąką, po której, skończywszy ciężką codzienną pracę, Bankweczer stąpał, wdychając niebiańskie zapachy kwiatów i roślin. Pan Bóg i miasteczkowa łaźnia, rywalizując ze sobą, obdarzały reb Gedalego rześkością i świeżością.

Ale jego przechadzki po niebieskich ogrodach i łąkach nie trwały długo. Bankweczer bał się, że do nich przywyknie i któregoś pięknego dnia rzuci swoje rzemiosło, zostanie szamesem w synagodze albo na stare lata odejdzie do jakiegoś jeszybotu.

Taka zmiana nie wydawała mu się nieziszczalna. No bo w rzeczy samej, dla kogo tak się stara, sam gnie grzbiet i zmusza do tego swoich czeladników? Dla kogo?

Eliszeby tak czy owak w domu się nie utrzyma. Nie ma takiej siły na ziemi, która by jej przeszkodziła w wyjeździe do wymarzonej Palestyny. Nawet gdyby zarobił na piętrowy dom kryty blachą, ona go sprzeda i – żegnaj! Może Eliszeba ma rację. Może warto by było, żeby oni wszyscy się zebrali i ruszyli w daleką drogę. Starcy mają doświadczenie, a dzieci węch, zwierzęcy węch, czują, skąd zalatuje padliną, a skąd dociera zapach cymesu.

Reb Gedali nawet nie spostrzegł, kiedy się ściemniło, kiedy nad Miszkine noc rozpostarła swoją grubą czarną derkę, ale majster nie zapalał światła. Nadal mamrotał coś w ciemności i to mamrotanie przypominało padające krople deszczu.

W pewnej chwili Bankweczerowi wydało się, iż udało mu się odnaleźć sprawcę jego wszystkich nieszczęść i niepowodzeń.

Pnina!

To ona, jego połowica, przywlokła go tutaj, do tej głuszy, do tego niedźwiedziego barłogu. Że niby w Kownie nie ma co robić. W Kownie krawców jest bez liku. Na każdym rogu pracownia krawiecka. I spróbuj się przebić, wyrobić sobie nazwisko. A na Żmudzi – Pnina stąd pochodziła! – zaraz po rubinie drugie miejsce zajmuje krawiec. Nawet więcej ludzi chodzi do krawca. No bo cóż rabin – jedynie Żydom udziela rad, a krawiec ubiera wszystkich: i Litwinów, i Niemców, i Łotyszy. „Jedźmy, Gedali, do Miszkine! Jedźmy!"

I usłuchał jej.

Jeśli idzie o pracę, Pnina nie wprowadziła go w błąd. Pracy było zatrzęsienie: serdaki, siermięgi, kożuszki, szuby, garnitury z kamizelką i bez kamizelki.

Ciemność budziła wspomnienia. Reb Gedali wyraźnie słyszał nie tyko terkot swojej maszyny do szycia firmy „Singer", ale i krzyk owiniętej w pieluszki Rejzl; pisk Eliszeby, która urodziła się trzy lata później. Wszystkie te dźwięki zlewały się w całość, gęstniały, krzepły i do suchych, zmęczonych oczu Bankweczera napływały nieproszone łzy. Nie ocierał ich, dziwiąc się, że jeszcze potrafi płakać.

Człowiek, myślał reb Gedali, musi widocznie wypłakać cały zasób łez, jaki mu Bóg przeznaczył. Kiedy wysychają, Bóg dodaje dokładnie tyle, ile trzeba, a potem jeszcze tyle, i jeszcze raz tyle, dopóki śmierć nie wyczerpie ich swoją warząchwią.

Płacz, Bankweczer, płacz, nakazywał sobie reb Gedali i łzy pociekły strumyczkiem po jego obwisłych policzkach, po ostrym, wyschniętym podbródku, po pomarszczonej szyi, za kołnierz, ku sercu.

Serce, myślał płaczący reb Gedali, to studnia naszych łez. Nigdy się nie napełni, a może właśnie w tym, tylko w tym tkwi nasze szczęście.

– Tato! – załomotała do drzwi Rejzł.

Nie odezwał się.

– Tato! – powtórzyła starsza córka.

Reb Gedali nadal napełniał swoją nie napełnioną studnię.

– Tato!

W domu panował taki zwyczaj: bez pozwolenia nikt nie mógł wejść do pokoju ojca. Jeżeli Gedali był bardzo potrzebny Rejzł albo Eliszebie, uciekały się do wybiegów: pukały w drzwi i głośno krzyczały: „Tato, klient do ciebie!"

Taki okrzyk działał niezawodnie. Drzwi otwierały się szeroko i Bankweczer pojawiał się przed córkami.

Ale w tej chwili jest noc: w tej chwili nie wywabi się reb Gedalego żadnymi wołaniami. Dobrze wie, że w nocy klienci nie przychodzą. W nocy przychodzą jedynie nieboszczycy – Pnina... jego, reb Gedalego, rodzice, Szlojme i Godł... A poza tym nikt...

– Tato! – Rejzł nie dawała za wygraną.

Bankweczer otarł łzy, wyprostował się i ruszył w stronę drzwi. Czego ona się tak rozkrzyczała?

– Co ci jest, Rejzł? – reb Gedali zmarszczył brwi.

– Jakoś się boję – powiedziała córka.

– Dzisiaj wszyscy porządni ludzie się boją. – Bankweczer nie ukrywał swojego niezadowolenia.

– Do tej pory go nie ma – poskarżyła się Rejzł.

– Kogo?

– Arona... Nie przyszedł ani na obiad, ani na kolację... Może się coś stało?

– Stało się, stało – śpiewnie rozciągając słowa powiedział reb Gedali i osłonił ręką oczy – są takie łzy, które w ciemności świecą.

– Co? – wykrztusiła córka.

– Twój mężulek został złodziejem.

144

– Och! – odetchnęła Rejzł. – A już tak mnie przestra-
szyłeś...

– Według ciebie złodziej – to w porządku – powiedział
z wyrzutem Bankweczer do uradowanej córki.

– Oczywiście że nie, ale zostać wdową jest jeszcze gorzej.

– Mając męża-złodzieja, żona-Żydówka zawsze jest wdową!

– bez współczucia oznajmił reb Gedali. – Kładź się spać!...
Twój mężulek nigdzie nie przepadnie. A jak przepadnie, po-
stawimy Najwyższemu świeczkę i podziękujemy Mu za to...

– Tato!

Rejzł też miała zapas łez. Trysnęły na okrutnego Gedalego
Bankweczera jak iskry spod młota kowalskiego, ale nie dole-
ciały do niego i nie oparzyły go.

– Kładź się, kładź – złagodniał ojciec, odwrócił się i dał nura do swojego pokoju.

Tak jak za życia Pniny, reb Gedali spał w dwuosobowym
łóżku.

Położył się na swoje zwykłe miejsce od ściany, zostawiając, jak zawsze, wolne miejsce z brzegu.

Kiedy reb Gedali zamykał swoje utrudzone oczy, zawsze
wydawało mu się, że wszystko zostało po dawnemu – na
skraju łóżka, pochrapując, śpi Pnina; czasami zwracał się do
niej po imieniu i odczekawszy chwilę, zaczynał opowiadać
o tym i owym, wyrzucając żonie, że tak wcześnie zasypia –
czasami obejmował poduszkę – Eliszeba kładła zawsze dwie
poduszki! – przyciskał do siebie, wąchał i wyczuwszy zapach
potu, szeptał: „Pnina, Pnina, Pnina!" jakby od tego szeptu, od
tej niedorzecznej, rozdzierającej duszę wierności, żona
mogła zmartwychwstać. Stopniowo granica między Pniną
martwą a Pniną żywą zatarła się i reb Gedali nie widział
w tych nocnych rozmowach, w tych rozwartych objęciach,
w tym myśliwskim węszeniu nic haniebnego. Śmierć nie
uwalnia od więzów małżeńskich, zapewniał sam siebie Bankweczer, po prostu więzy dostrzegalne gołym okiem czyni nie-
dostrzegalnymi, w niczym nie wpływając na ich trwałość.

Ale rano Aron też się nie pojawił.

Do obiadu reb Gedali jeszcze zachowywał spokój. Pocieszał się, że jego czeladnik, po zburzeniu gniazda rodzinnego pana Tarajły, na pewno wypił z koleżkami trochę za wiele – Jona Andronow był wielkim amatorem wypitki – i zanocował na cmentarzu. Widocznie musiał zaspać, hultaj jeden!

Ale po południu Bankweczer sam się wystraszył. Starał się tego nie okazywać, nie patrzył w stronę Rejzł, która przycichła jak wdowa, stąpała na palcach, nie męczyła ojca pytaniami, w milczeniu postawiła na stole jedzenie, bez słowa zabrała je, nie odzywając się słowem, pozmywała talerze.

– Czy aby nie wiesz, gdzie jest nasz Aronek? – zapytał reb Gedali starszego czeladnika Juozasa.

– Nie wiem – odparł Juozas i z kolei on poczęstował swojego majstra pytaniem: – Panie Bankweczer, pracuję u pana już piętnaście lat... Czy nie pora, żeby podwyższyć mi wynagrodzenie?

– Podwyższyć wynagrodzenie? – Prośba Juozasa do reszty załamała Bankweczera. – Przecież niedawno dostałeś podwyżkę...

– To było siedem lat temu...

– No?

– Co no?

– Czy to, coś dostał w ciągu siedmiu lat, to nie pieniądze?

– Pieniądze – przyznał Juozas. – Ale teraz czasy się zmieniły.

– Co znaczy czasy się zmieniły? Czy ludzie zaczęli chodzić na głowie?

– Panie Bankweczer, jeżeli mi pan nie doda, odejdę!

– Odejdziesz? A dokąd to, bratku, odejdziesz?

– Do artelu.

– Jakoś nie słyszałem o takim krawcu. Artel? Jakiś Niemiec? – Reb Gedali szybko przestębnował słowami ciszę, jaka zapadła.

– Podobno nowe władze zamkną wszystkie prywatne pracownie i utworzą z nich jedną... Artel, rozumiecie?

– Władza radziecka, władza radziecka – przedrzeźniał majster. – Każda rzecz potrzebuje gospodarza! Gos-po-da-rza!
 – Teraz my jesteśmy gospodarzami!... Piszą o tym we
wszystkich gazetach... – Juozas bronił się jak mógł; lepiej niż
ktokolwiek wiedział, że z Gedalego Bankweczera tak łatwo
nie wydusi ani grosza.
 – We wszystkich gazetach piszą! – burknął reb Gedali. –
A jeżeli w gazetach napiszą, że jestem królem? To co, według
ciebie będę królem?

Nie dogadali się, ale pogróżka Juozasa, jak mglista plama
zapadła w świadomość Bankweczera i nasiliła narastający
z każdym dniem strach.

Zaplanowaną ucieczka Tarajły – reb Gedali nie miał już
najmniejszych wątpliwości, że pan burmistrz celowo uciekł
do Berlina - tajemnicze zniknięcie Arona, żądanie uległego
dotąd Juozasa połączyły się, ukształtowały w jedno za-
wisłe nad głową niebezpieczeństwo, którego Bankweczer nie
mógł ani odwrócić, ani pomniejszyć.

Szczególnie nękała go nieobecność Arona. Mimo że tak
sobie z niego podżartowywał, tak go rugał, tak gderał na zięcia, odczuwał jeśli już nie zadowolenie, to cichą radość. Aron
urozmaicał monotonne życie pracowni. Reb Gedalemu podo-
bał się jego żywy charakter, dowcip i otwartość. A co najważniejsze – stary Gedali zachwycał się jego niezwykłymi zdol-
nościami. Chwilami Bankweczerowi wydawało się, że Arona
czeka nieomal światowa sława. Wyjedzie do Kowna, zacznie
pracować u najlepszego krawca na Litwie Niewiażskiego,
a stamtąd, jeżeli nie będzie się lenił i robił głupstw, przeniesie
się do Paryża, do stolicy wszystkich krawców męskich i dam-
skich, i zacznie szyć nie dla Bruchisa i Tarajły, ale dla samego prezydenta Francji albo dla barona Rothschilda. A ten, kto
szyje dla prezydenta i baronów, nie jest już zwykłym krawcem, ale wybrańcem losu. Nie na darmo Hans Hepke, nauczyciel reb Gedalego, mawiał: „Herz! Od nas, to znaczy od krawców, zależy, jak wygląda państwo!"

Gdyby Aron odszedł, byłaby to dla Bankweczera niepowetowana strata.

Do tego, by szukać Arona, całym swoim zachowaniem popychała ojca również Rejzł. Kręciła się koło niego jak zraniona kotka, zaglądała mu w oczy i wzdychała.

Odczekawszy cały dzień, reb Gedali postanowił wybrać się na cmentarz, do teściowej córki, Danuty-Hadassy – może ona coś wie.

Z powinowatymi z cmentarza Bankweczer w ogóle nie utrzymywał żadnych kontaktów, ale tym razem odstąpił od swojej zasady – sprawa była już aż nazbyt poważna.

Reb Gadeli wdział swój odświętny surdut, wziął laskę, której już od dawna nie miał w ręce, na głowę nałożył haftowaną jarmułkę, kupioną jeszcze w Królewcu, i starając się z nikim nie spotkać, ruszył w kierunku skraju miasteczka.

Zaraz za opłotkami zaczynały się pola.

Przez zagon żyta, ścinając laską wąsate kłosy, wyszedł Bankweczer prosto na kamienną bramę cmentarza. Lwy, wyciosane przez kamieniarza Efraima Dudaka, dziadka Arona, unosiły się w powietrzu i z pełnych czasz, które trzymały w pazurach, na reb Gedalego lała się szczodrze niezasłużona przez niego rozkosz, mieszając się z ostrym błękitem nieba.

Jak przystało wdowcowi, który zjawił się na cmentarzu, Bankweczer najpierw podreptał do grobu Pniny.

Mogiła obrosła bluszczem wijącym się wokół kamienia, niby stare hebrajskie litery.

Reb Gedali postał chwilę przy nagrobku, pożuł w ustach swój smutek, laską strącił z kamienia czarne kłujące igliwie, zakrakał coś jak wrona i powolnym, smutnym krokiem ruszył do czujnie przycupniętej chaty.

W chałupie nie było nikogo i Bankweczer aż chrząknął ze złości. Niepotrzebnie, stary dureń, włókł się tutaj. A wszystko przez Rejzł. Piękna historia – ojciec biega po miasteczku i szuka męża córki.

Reb Gedali już miał zamiar wracać, ale w tej samej chwili spoza sosen ukazała się biała miotełka koziego ogona, a za nią pojawiła się teściowa córki Danuta-Hadassa.

Bankweczer ukłonił się, poprawił zsuwającą się jarmułkę, raz jeszcze się ukłonił, wszytko to bez słowa.

Danuta-Hadassa odpowiedziała skinieniem głowy.

I tak, w milczeniu, stali dwie, trzy minuty, a może nawet dłużej.

Koza poszturchiwała pyskiem to spódnicę swojej pani, to surdut gościa. W końcu różowym językiem wciągnęła do pyska połę surduta i zaczęła go żuć.

– Co ty wyprawiasz, głupia! – napadła na nią Danuta-Hadassa. – Zdzielcie ją swoją laską, reb Gedali!

Tak właśnie powiedziała: „Reb Gedali".

Bankweczer ocknął się, jak ze snu, stęknął, szarpnął połę surduta i znowu stęknął.

Dzięki Bogu! – zawołała Danuta-Hadassa. – Nie przegryzła, tylko ośliniła...

I znowu, jak śnieg, zapadła cisza, zaprószyła wszystko dokoła – i nagrobki, i sosny, i twarze.

– Czy dzisiaj jest rocznica? – przebił się poprzez śnieg głęboki głos Danuty-Hadassy.

– Jaka rocznica?

– Śmierci Pniny... Zdaje mi się, że umarła w lecie... Pamiętam... Wielki kosmaty trzmiel krążył nad wykopanym dołem, wasza Rejzł czubkiem buta strącała do grobu świeżą glinę, a Aron...

– Gdzie jest Aron? – przerwał jej reb Gedali. – Nie wiecie, gdzie jest Aron?

– Nie wiem.

– Już drugi dzień, jak nie przychodzi do domu.

– Może go wsadzili...

– Dzisiaj takich jak on nie wsadzają. Teraz tacy jak on wsadzają innych.

– Boże! – przeraziła się Danuta-Hadassa. – Już lepiej samemu siedzieć niż wsadzać innych.

– Lepiej i nie siedzieć, i nie wsadzać... – bąknął reb Gedali. – Jeżeli się zjawi, powiedzcie, że Rejzł się niepokoi...

– Dobrze, dobrze – powiedziała szybko Danuta-Hadassa.

Nadszedł Jakub z łopatą.

– Nie widziałeś Arona? – zapytała go matka.

– Nie.

– On poza cmentarzem nie widzi niczego – wyjaśniła, usprawiedliwiając starszego syna.

– Kto widzi cmentarz, ten widzi wszystko – cicho odezwał się reb Gedali i powlókł się do wyjścia.

Zatrzymał się przy bramie cmentarnej.

Spojrzał na czasze w szponach kamiennych lwów.

I na jedno mgnienie oka wydało mu się, że rozkoszy jest w nich mniej, prawie cała wyciekła i wsiąkła w piasek.

I błękitu ubyło.

Wszystkie czasze Boga – na niebie i na ziemi – wypełniała gorycz i reb Gedali czuł ją w ustach i w sercu.

Od cmentarza do samego domu towarzyszyła mu nadzieja. Nadzieja kroczyła szybciej niż on i za nic nie mógł jej dogonić. Gdy tylko weszli do miasteczka, nadzieja puściła się biegiem; reb Gedali widział, jak migają jej pięty.

Oto wpadła na ganek na Rybackiej.

Oto otworzyła drzwi.

Oto zawołała tego, do kogo biegła:

– Aron!

– Nie ma go – powiedziała Rejzł. – Nie ma.

Gedali Bankweczer jęknął cicho.

Gdzie go szukać?

Przecież nie pobiegnie, on, stary człowiek, do fabryki zapałek szukać braci Henisów, nie puści się pędem nad Niemen, do tratw, żeby wydobyć jakiś okruch prawdy od tego pijusa Jony Andronowa.

Bankweczerowi nie pozostawało nic innego jak zwrócić się do Chaskiela Bregmana. „Żydowskie wiadomości" właśnie

150

dlatego są żydowskie, że wiedzą wszystko: wiedzą nawet to, czego nie wiedzą.

Reb Gedali zaczął okrężną drogą, od sytuacji na świecie i Chaskiel Bregman bez trudu dał się złowić na haczyk. Zwalał na nieszczęsną głowę krawca grad nowości. Po pierwsze, Litwę przyjęto do Związku Radzieckiego! Mazełtow! Po drugie, Niemcy przerwali linię Maginota. Co? Reb Gedali nie wie, co to takiego linia Maginota? Ależ to lina umocnień we Francji. Po trzecie, Mussolini przedstawił ultimatum... Komu ten łotr przedstawił ultimatum? Chwileczkę, chwileczkę. Albanii? Nie. Grecji? Nic. Po czwarte, w Polsce zganiają Żydów do obozów koncentracyjnych.

Bankweczer słuchał cierpliwie sklepikarza w nadziei, że uzyska od niego najważniejszą informację – o Aronie. Wybrawszy odpowiednią chwilę reb Gedali, rzucając się w odmęt nowin Chaskiela, zapytał:

– A słyszałeś coś o moim zięciu? O Aronie Dudaku?

– A co można o nim usłyszeć? – obojętnym tonem mruknął sklepikarz.

– Tak... – powiedział reb Gedali rozczarowany. – Ale nowa władza ma nowe nowiny.

– To zależy, co się uważa za nowiny – wykręcił się Chaskiel Bregman. – Na przykład to, że będą rekwirować sklepy, to nie jest nowina, to nieszczęście!

Po rozmowie z Chaskielem Bregmanem reb Gedali wpadł w zupełną rozpacz. Mało tego, że stracił pracownika, to jeszcze jego córka Rejzl została słomianą wdową.

Bankweczer nie mógł sobie miejsca znaleźć. Wszystko leciało mu z rąk, nawet igła, która przez tyle lat była posłuszna każdemu jego ruchowi, spełniała każdy jego kaprys i nagle jakby się wściekła – jej uszko zupełnie się zatkało i nie przepuszczało przez siebie nitki.

Gedali bez przerwy coś potrącał: to stół, to manekina, to kant pożółkłego kredensu, gdzie przechowywano zastawę – posag Pniny: srebrne kieliszki i filiżanki wydawały jakiś smętny, pogrzebowy ton, na którego dźwięk ciarki przechodziły Gedalemu po plecach.

Reb Gedali przestał już snuć domysły na temat Arona, nie zamęczał ani siebie, ani domowników pytaniami, tylko od czasu do czasu, jak zaszczuty, popatrywał na drzwi albo wpijał spojrzenie w okno: a nuż Bóg się ulituje i wszystko, jak jest powiedziane w Piśmie, powróci na kręgi swoje.

Bóg nie wychodził Bankweczerowi z głowy. Był dla niego jedynym niezawodnym przyjacielem, gotowym podzielić z nim i radość, i nieszczęście. Reb Gedali nie naprzykrzał Mu się drobnymi prośbami. Domagał się od Boga odpowiedzi na jedno tylko pytanie: dlaczego tak często zmienia na ziemi władze. On – Gedali Bankweczer, przeżył już trzy: rosyjską, niemiecką, litewską i oto dociągnął do czwartej – radzieckiej.

Eliszeba zapewnia, że jeszcze doczekają się władzy żydowskiej, ale reb Gedali ma wszystkich władz po dziurki w nosie. Na świecie powinna być tylko jedna władza – władza Boga. Biada krajowi, gdzie jej nie ma lub gdzie ją zamieniono na władzę Mejłacha Blocha!

Jeżeli Aron wróci, nie powie mu ani słowa, nie będzie mu nic wypominał, wprost przeciwnie – podniesie mu o dwa lity wynagrodzenie. I na cześć jego powrotu da podwyżkę Juozasowi.

Red Gedalemu niełatwo było zstępować z niebios, gdzie przebywał Ten, który skroił wszystko co żywe, powracać na ziemię, gdzie ludzie popełniają wszelkie niegodziwości i niesprawiedliwości. Ale pozostawać w niebiosach też nie mógł. Zatrzymasz się... i zostaniesz tam na wieki.

Mimo iż Bóg jest tak wielki, tak miłosierny, to jednak pożywienie trzeba zdobywać samemu.

Bankweczer zmusił się, żeby usiąść przy stole, zabrać się do siermięgi Czeslawasa – tego samego Czeslawasa, do którego Eliszeba jeździ się uczyć – i spruć źle przyszyty kołnierz. Niedługo jest odpust i Czeslawas przyjdzie do przymiarki.

Red Gedali nachylił się nad siermięgą i brzytwą zaczął odpruwać kołnierz.

Jednak jego myśli nadal krążyły wokół Arona, który zniknął, wokół starego i nowego burmistrza Miszkine, wokół nowej władzy, po której, zdaniem Bankweczera, nie można się było spodziewać niczego poza zamętem i ruiną. Każda władza, rozumował reb Gedali śmigając igłą, trzyma się nie na jakichś tam hołyszach, ale na g o s p o d a r z u. Im zamożniejszy gospodarz, tym silniejsza władza. Zaczynać od rujnowania gospodarzy, od przywłaszczania sobie ich mienia, mogą wyłącznie przestępcy i durnie.

Nie, dodawał sobie otuchy Bankweczer, nie pójdzie do żadnego artelu. Nigdy! Nawet jeżeli odejdzie Aron i Juozas, szybko poduczy swoje córki – Rejzł i Eliszebę. Jak wnuk podrośnie – jego także przyuczy. Zamówi w Kownie szyld i przybije nad drzwiami: „Pracownia krawiecka – Bankweczer i córki". Szyld władzy trwa przez jakiś czas, szyld majstra jest wieczny...

Bankweczer uniósł głowę znad szycia i na progu ujrzał policjanta Tamulisa.

A ten czego znowu chce? – przemknęła mu przez głowę niemiła myśl.

Mimo iż było sucho, Tamulis długo wycierał na ganku swoje służbowe, czeskie chyba buty.

Z tej staranności, a nawet jakiegoś zapamiętania, z jakim Tamulis je wycierał, Gedali Bankweczer zorientował się, że nie przyszedł w złych zamiarach, a może nawet dobrych. Dawniej, kiedy przychodził aresztować Arona, nie był taki ceremonialny...

– Dzień dobry – przyjaźnie pozdrowił policjant majstra i jego czeladnika.

– Dzień dobry, dzień dobry – z udanym spokojem mruknął reb Gedali. – I co powiesz, Tamulis?

Nie bacząc na jego stanowisko i powinności, wszyscy w Miszkine zwracali się do Tamulisa na „ty". On też wszystkim mówił po imieniu. Dobroduszny, cierpiący na astmę, zawsze chodził z otwartymi ustami i w rozpiętym mundurze, bez broni, z grubą gumową pałką – „bananem". Bywało, że w upalny dzień zdejmował swoje ciężkie buty, ściągał mundur i rozwalał się na trawie nad rzeką, zapominając o wszystkim na świecie. Rozkoszując się słoneczkiem, Tamulis zasypiał twardym snem, a wtedy miasteczkowi urwisy podkradali się i porywali symbol jego władzy – „banan". Pewnego razu utopili go w rzece i tęgawy Tamulis aż do samego wieczora nurkował w wodzie jak mors.

Zaskoczony i wystraszony reb Gedali nawet nie zauważył, że Tamulis jest nie w mundurze, ale w zwykłym ubraniu, bez swojego groźnego „banana", który najwidoczniej skonfiskowała mu nowa władza.

– Przechodziłem tędy i postanowiłem wpaść – w nieokreślony sposób zaczął Tamulis.

– No cóż, skoro wpadłeś – to siadaj. Pogwarzymy – zaproponował reb Gedali.

– Pogwarzymy! – zgodził się policjant, nie odrywając wzroku od zwinnej brzytwy. – Panie Bankweczer! Jak szybko się pan nauczył?

– Czego?

– Szycia.

– Jeszcze się nie nauczyłem, Tamulis. Uczę się do tej pory – skromnie powiedział majster.

– Ale jednak... jak szybko? – nie dawał za wygraną Tamulis.

Usiadł przy stole, niezgrabnymi palcami ujął nitkę i naciągnął ją, próbując przewlec przez wyimaginowaną igłę.

– Spodnie zacząłem szyć, jak miałem piętnaście lat – powiedział Bankweczer, zerkając spod oka na próby policjanta.

– Pięćdziesiąt lat szyjecie spodnie! – zachwycił się Tamulis. Nitka wzbraniała się przejść przez wyimaginowane uszko igły i policjant trochę się denerwował. – Pół Żmudzi chodzi w spodniach, któreście uszyli.

– Być może – mruknął reb Gedali i znowu spojrzał spod oka na dziwaczne gestykulacje policjanta.

– A ile zarabia krawiec?.. No, nie taki jak wy... ale taki jak on... – Tamulis kiwnął głową w stronę milczącego Juozasa.
– Ile zarabia? Piętnaście litów na tydzień i jeszcze domaga się podwyżki! – odparł Bankweczer, zawstydzając równocześnie starszego czeladnika.
– Jezus Maria! Tyle pieniędzy na miesiąc... A policjant dostaje...
Tamulis złożył kciuk i wskazujący palec, pokręcił nimi w powietrzu, demonstrując, jak się szyje.
Ruch jego ręki nie uszedł uwagi Bankweczera.
– Ja się zgadzam na dziesięć – cicho powiedział policjant i schował ręce do kieszeni. – Panie Bankweczer! U pana tak czy tak zwalnia się jedno miejsce.
– A co, postanowiłeś zostać krawcem? – dopiero w tej chwili reb Gedali połapał się, co oznaczały gesty policjanta...
– Jeśli wy... mnie... no, tego... przyjmiecie...
W pierwszej chwili prośba Tamulisa rozśmieszyła Bankweczera; parsknął nawet śmiechem w kułak, jakby wypluwał łupinę ziarna słonecznikowego. Ale po chwili jego twarz spoważniała, stała się niemal posępna.
Tamulis wie, gdzie jest Aron – olśniło go.
– Powiedziałeś: „zwalnia się jedno miejsce". Co miałeś na myśli?
Policjant ociągał się chwilę, ociągał, aż wreszcie wykrztusił:
– Waszego zięcia.
– Mojego zięcia? – Bankweczer udał zdumienie.
– Przecież sami wiecie... wasz zięć... Aron Dudak od pierwszego jest naszym nowym policjantem.
– Co?! – niemal ryknął reb Gedali.
– Przyszło pismo z Rosień...
– Jakie pismo?
– Tamulisa – zwolnić, Dudaka – mianować zastępcą naczelnika miszkińskiego posterunku...
– Rejzł! – krzyknął nagle Bankweczer. – Rejzł!

Słysząc krzyk przybiegła zadyszana Rejzł. Spojrzała na policjanta i osunęła się na podłogę.

– Stary dureń! Stary dureń! – zaczął lamentować reb Gedali i podbiegł do córki. – Przestraszyłem cię, Rejzełe? Wybacz, złotko, wybacz... Zupełnie straciłem rozum! Gratuluję ci! Znalazł się twój skarb! Znalazł się! Od pierwszego twój mąż już nie jest krawcem, ale policjantem! Teraz on będzie wsadzał ludzi do więzienia. Teraz on będzie zakładał kajdanki! Teraz on będzie rewidował! On, on, on! – Bankweczer cały aż się zatrząsł. – Cieszmy się. Podziękujmy Bogu naszemu!... Co za wstyd! Hańba!

Siły go opuściły. Runął głową na stół, na rozprutą siermięgę Czeslawasa; jego głowa przypominała ogromny motek nici; Pan Bóg rozwijał go, a policjant Tamulis dokładnie, jedna za drugą, przeciągał nitki przez igielne uszko.

Świat zawirował, wirował niczym czworograniasty chanukowy bączek, aż przewrócił się i razem z Gedalim Bankweczerem runął w otchłań.

Eliszeba

Nominacja Arona na nowe stanowisko najbardziej wzburzyła Eliszebę. Nawet przedtem odnosiła się do szwagra z uprzedzeniem, podśmiewała się z bredni, jakie opowiadał, uważała go za obrotnego, lecz niezbyt mądrego chłopaka, współczuła siostrze Rejzł, która związała swój los z takim pleciugą.

Co prawda, pięć lat wcześniej, jeszcze w okresie, kiedy Aron terminował, Eliszeba próbowała go przekonać do idei państwa żydowskiego w Palestynie, ale potraktował i ją, i jej słowa z całkowitą obojętnością: że niby nie ma sensu zamieniać jednej klatki, gdzie panują mrozy, na drugą, bez mrozów; trzeba walczyć nie o państwo żydowskie, ale o to, żeby w każdym zakątku kuli ziemskiej wszystkim, niezależnie od tego, z jakiego są plemienia, żyło się dobrze i bardzo dobrze.

Mimo że Eliszeba na wszelkie sposoby przekonywała go, że tułanie się Żydów po świecie nie może trwać wiecznie, że powinni posiadać swój dom, a nie kąt, swoje ognisko, a nie marne schronienie, nie tymczasowe przytulisko – Aron upierał się przy swoim. Niech żyje rewolucja światowa i koniec!

Mierziła ją jego nieustępliwość, granicząca z tępotą, niezłomna wiara, która niekiedy przeradzała się w jakieś opętanie. Eliszeba nie dostrzegała, że sama odznacza się bardzo podobnymi cechami, i niewątpliwie właśnie dlatego to, co wybaczała sobie, jemu poczytywała za winę, to, co uważała za swoje zalety (upór, zapamiętanie), u niego uznawała za wadę.

Nowa władza jedynie spotęgowała rozdźwięk między nimi.

Dopóki Aron był czeladnikiem ojca, dopóki swoje gromkie tyrady wygłaszał nie na placu, ale przy stole krawieckim, zagryzając jak wędzidło nitkę, dopóty Eliszeba tolerowała go – niech sobie plecie, ile dusza zapragnie. Ale kiedy Aron zasiadł w fotelu zastępcy naczelnika miszkińskiego posterunku, lekceważenie i pobłażliwość zastąpiła nienawiść.

W tej chwili Aron stanowił dla niej nie tylko uosobienie wszelkich wad nowej władzy, ale również wszystko to, co najgorsze we własnym narodzie – przemyślną usłużność, radosną służalczość, bezwzględną wiarę w to, iż Żydzi wiedzą, czego potrzeba całej ludzkości.

Aron... Mejłach Bloch... Co ich łączy, pytała sama siebie Eliszeba, z tymi ponurymi, milkliwymi klientami ojca – chłopami z Judgiriaj i Niemakszcziaj, którzy wypijali z nim litkup i żegnali znakiem krzyża świętego swoje nowe odzienie – tułupy i siermięgi? Kto dał prawo krawczykowi i introligatorowi przemawiać w imieniu cudzego narodu?

Kiedy przychodził szwagier, Eliszeba starała się wychodzić z domu.

Aron wpadał tylko na chwilę, żeby coś przekąsić, zamienić dwa słowa z Rejzł, zapytać, jak się czuje. Resztę czasu spędzał na dawnym posterunku policji, gdzie w tej chwili rozlokował się miszkiński oddział NKWD – nawet sypiał tam na ławce, podkładając pod głowę wyfasowany w Rosieniach szynel.

– No i doczekaliśmy się czasów, kiedy Żydzi też są u władzy – powiedział pewnego razu reb Gedali do swojej młodszej córki, i w jego słowach nie było ani aprobaty, ani potępienia – jedynie pełen goryczy, zapierający dech w piersiach smutek.

– To nie jest żydowska władza – zaprotestowała Eliszeba.

– A jaka?

Smutek rozlewał się po domu jak wiosenne wody po łące. Wydawało się, że i ojciec, i córka stoją w niej po kolana.

– Przywieziona.

Czarne kosmate brwi Bankweczera uniosły się w górę jak spłoszone jaskółki.

– Przywieźli ją jak towar kolonialny i wpychają każdemu bez wyboru. Temu, kto chce, i temu, kto nie chce... Boję się, że kiedyś zapłacimy.

– Za Arona?

– Za ten towar.

– Och-och-och! – jęknął ojciec. – Powiadasz, że zapłacimy? A czym ja, Gedali Bankweczer, mogę zapłacić?

– Życiem.

– Ale przecież ja nic nie zrobiłem... Nie jestem ani przeciw, ani za. Żeby tylko pozwalali szyć. Kiedy szyję, nie istnieje dla mnie żadna władza – ani litewska, ani rosyjska... Wystarczy, żebym odłożył igłę albo wpiął do klapy, a ona natychmiast się zjawia...

– Kto się zjawia?

– Kto, kto! Władza. Przez całe życie uznawałem tylko jedną władzę – władzę pracy... „Życiem zapłacić?" Za co? Dlaczego? Nawet Tamulisowi odmówiłem, żeby mnie nie zaczęli posądzać o sympatie dla starej zwierzchności.

– Niepotrzebnie – powiedziała Eliszeba.

– Niepotrzebnie?

– Lepiej pomyślałbyś o przyszłości.

– A jaki związek ma Tamulis z moją przyszłością?

– Bezpośredni.

– Coś ci się, Eliszebo, roi... Władza jest jak pogoda: może się jeszcze zmienić. Dzisiaj jest deszcz, a jutro świeci słońce.

– A Tamulis czym jest – deszczem czy słońcem?

– Czas pokaże – powiedziała Eliszeba. – Trzeba było mnie słuchać. A teraz... teraz jest za późno...

– Ale mnie nie ciągnie, córeczko, do Palestyny... nie ciągnie...

– Żebyś choć mnie puścił... Rejzł!

– Na miłość boską, przestań mnie straszyć!... Na razie nikt nas nie rusza.

– „Na razie! Na razie!" – uniosła się Eliszeba. – To najbardziej znienawidzone i najbardziej przeklęte żydowskie słowo. Na razie nas nie ruszają! Na razie nikt nas nie zabija! Na razie nas nie palą! A czy ty wiesz, co się dzieje w Polsce?

– Coś tam słyszałem...

Eliszeba jednak nic nie powiedziała ojcu, po co ma się niepotrzebnie denerwować? I bez tego staruszkowi nie jest lekko, a czekają go jeszcze ciężkie doświadczenia. Pierwszym z nich będzie jej wyprowadzenie się z domu. Do Judgiriaj. Do Czeslawasa. Nie na dzień, nie na dwa, lecz do czasu, kiedy będzie mogła urzeczywistnić swoje marzenia, pojechać do Kowna, za zapracowane pieniądze kupić kartę okrętową i morzem wyruszyć do dalekiej Palestyny.

Może na folwarku przeczeka „przywiezioną" władzę. Eliszeba nie chciała pogodzić się z myślą, że ta władza utrzyma się długo – przyjdzie czas i Litwa znowu stanie się Litwą, szwagier Aron Dudak rzuci swoje NKWD i znowu weźmie się za igłę, Mejłach Bloch zrezygnuje z nie zasłużonego, jakże zaszczytnego stanowiska burmistrza, opuści dom Tarajły i przeniesie się do swojej izby, jako że każde drzewo ma swoją polankę, każdy ptak – swoje gniazdo, każde zwierzę – swoje legowisko.

Eliszeba ukrywała plan przeniesienia się na folwark nawet przed siostrą. Rejzł oczywiście się obrazi, zacznie jej odradzać, apelować do jej sumienia, ale ona i tak postąpi, jak uważa za słuszne.

Jedynym człowiekiem, którego Eliszeba chciała powiadomić o swojej decyzji, był brat Arona – Jakub.

Wybierała się na cmentarz, ale koło poczty nieoczekiwanie zatrzymał ją syn właściciela fabryki mebli – Amos Bruchis, który przyjechał na wakacje, a może na stałe.

– Dokąd się tak śpieszysz, Eliszebo?

Nie miała najmniejszej ochoty z nim rozmawiać. W ciągu sekundy ogarnęły ją złe wspomnienia: zagajnik brzozowy... sok... fujarka pastucha... zmiętoszona, jakby zżuta przez cielaka spódnica.

– Do mamy – odpowiedziała.

– Jeżeli pozwolisz, to cię odprowadzę...

– Sama znajdę drogę na cmentarz – spróbowała się od niego odczepić Eliszeba.

– Muszę z tobą poważnie porozmawiać.

Amos Bruchis szedł obok niej.

Wysoki, o pięknej, białej jak kora brzozowa twarzy, ze starannie przystrzyżonym wąsikiem podobnym do krzaczka poziomek sczerniałego od upału, ubrany był po miejsku: na nogach miał żółte dziurkowane buty, aby mogły przepuszczać powietrze; na głowie – czapkę w kratę; zwężające się ku dołowi spodnie podtrzymywał błyszczący pasek z lśniącą miedzianą klamrą; czesuczowa marynarka upstrzona była drobniutkimi kropeczkami, jakby obsiadły ją maleńkie muszki.

Z szacunkiem, ale i z pewną wyniosłością, jak przystało na studenta stołecznego uniwersytetu, zerkał na Eliszebę i czekał, aż ta zapyta go o coś.

Ale Eliszeba uparcie i wytrwale milczała, starając się trzymać jak najdalej od niego i za nic nie dotknąć choćby przypadkiem jego czesuczowej marynarki lub, jeszcze gorzej, eleganckich zagranicznych spodni.

– Czy słyszałaś coś o spisach? – zapytał cicho Amos, kiedy wyszli na polną drogę.

– O jakich spisach? – raczej z uprzejmości niż z zainteresowania zapytała Eliszeba.

– A więc nie słyszałaś – stwierdził starszy syn właściciela fabryki mebli i rozpiął błękitną jedwabną koszulę.

Podniecał jej ciekawość, ale Eliszeba, zła na siebie za to, że dała się sprowokować, postanowiła o nic więcej go nie pytać. Amos nawet bez żadnych pytań gadał więcej, niż wiedział; zawsze znał mnóstwo plotek, pogłosek i anegdot. Jako przyszły adwokat, młody Bruchis przede wszystkim chełpił się swoim krasomówstwem: mówił mgliście i zawile, wyrzucając przed siebie ręce albo przymykając brązowe oczy o powłóczystym spojrzeniu.

– W spisach znajdują się nazwiska osób, które mają być deportowane z Litwy na Sybir. Czy twój krewniak-naczelnik nic ci nie opowiadał?

– Nie.

– No to go zapytaj, czy figuruje tam moje nazwisko, czy nie.

– Ja nie mam z nim nic do czynienia.

– To niedobrze – powiedział Amos. – Głupio jest popadać w konflikt z władzą.

Ujął ją pod rękę, ale Eliszeba uwolniła ją i ruszyła szybciej.

– Posłuchaj! Czy nie mogłabyś zaproponować mu maleńkiej transakcji?

Eliszeba milczała. Czemu się do niej tak przyczepił? Czy nie czuje, jak bardzo jest jej niemiły? Dlaczego ona, właśnie ona, ma być jego pośredniczką.

– Ojciec jest gotów dobrze mu zapłacić – oświadczył Amos. – Dwieście litów za informację...

– Nic z tego nie będzie.

– Mało?

– Aron jest komunistą... A komuniści nie biorą pieniędzy.

– Pieniądze biorą wszyscy: i komuniści, i socjaliści, i syjoniści... Nawiasem mówiąc... w tych spisach mogą się znajdować nazwiska wszystkich członków naszej organizacji „Szomer-Hacair"! To znaczy i twoje, i moje... Postaraj się dowiedzieć... dopóki nie jest za późno.

Szept Amosa zrobił na niej wrażenie. Eliszeba zwolniła kroku, zamyśliła się.

Opacznie tłumacząc sobie jej milczenie, Amos zaczął wyjaśniać, jakie to ważne, aby w porę otrzymać od Arona potrzebne informacje. Zapewniał, że dzięki temu wszyscy mogą się jeszcze uratować od zesłania na Syberię, mogą uciec stąd do Kłajpedy, z Kłajpedy za duże pieniądze (znowu pieniądze!) łodzią do Szwecji, a ze Szwecji do Palestyny. Tam, w Palestynie, będą nie tylko bezpieczni, ale może rozpoczną wspólne życie – przecież nie wykarczuje się z pamięci brzozowego zagajnika, on, Amos, do tej chwili pamięta, jak pachniały jej włosy i jaką miała ciepłą, białą szyję.

– Daj spokój – poprosiła Eliszeba.

Ale Amos dalej mówił i mówił. Jeżeli nie uda się uciec do Szwecji, dowodził, można spróbować przejść niemiecką granicę. Stamtąd Żydom udaje się jeszcze wyrwać na wolność – do Ameryki, Australii, do Nowej Zelandii lub Kanady. Lepszy Hitler niż Stalin.

Eliszeba nie dostrzegała między nimi różnicy, ale nie przeczyła Amosowi. Szła i myślała o tym, że męska pamięć skonstruowana jest inaczej niż kobieca; w pamięci kobiecej zachowuje się więcej urazów i żalów, a mniej ustępstw i wybaczeń. Złość, a nawet nienawiść do Amosa, do tej pory tkwiła w jej sercu.

– Dobrze! Zapytam Arona – powiedziała Eliszeba, wyłącznie po to, żeby odczepić się od syna właściciela fabryki mebli. Przecież nie mogła zjawić się na cmentarzu w towarzystwie Amosa.

– Czas ucieka – powiedział Amos i wyciągnął do niej rękę.

Przez chwilę Eliszeba zastanawiała się czy ją uścisnąć, czy nie, ale po chwili wsunęła dłoń w jego rękę, potrzymała sekundę i wyrwała ją jak oparzona.

Po co, zastanawiała się, idąc polną drogą na cmentarz, uciekać do Kłajpedy, jeżeli można urządzić się tutaj, w Judgiriaj na folwarku Czeslawasa, w leśnej głuszy, gdzie tak rzadko ktoś zagląda.

W Judgiriaj nikt jej nie będzie szukał – może tylko ojciec. Ale z ojcem też nie zawsze można się dogadać.

Kogo jak kogo, ale Gedalego Bankweczera nigdzie nie wywiozą – nie jest ani szaulisem, ani syjonistą, ani socjalistą. Gedali Bankweczer należy do najlepszej partii na świecie – do partii ludzi, którzy odziewają. Co się stanie, jeżeli wszystkich krawców ześlą na Sybir?

Przed Eliszebą zamajaczyła cmentarna brama.

Raptem zaczęła się denerwować: co pomyśli sobie o niej Jakub? Sama, nie proszona, przyszła na spotkanie. Przeszła trzy wiorsty, żeby się z nim zobaczyć. Jeżeli nawet najpierw podejdzie do omszałego grobu matki, on i tak nie uwierzy. Nie pojawiała się cały rok i oto nagle przyszła w biały dzień.

Na szczęście pierwszą osobą, którą Eliszeba ujrzała, była Danuta-Hadassa.

Siedziała w cmentarnej trawie i stawiała kabałę.

Karty były stare, wyszmelcowane, kupione jeszcze w dawnych carskich czasach. Króle i walety zupełnie się starły, tylko damy, a wśród nich zwłaszcza dama karo, połyskiwały bogatymi dworskimi strojami.

– Dzień dobry! – zawołała do niej Eliszeba.

– O, Eliszeba! – ucieszyła się Danuta-Hadassa. – Siadaj, powróżę ci.

Eliszeba potulnie osunęła się na kolana i Danuta-Hadassa zaczęła długo, z namaszczeniem tasować postrzępioną talię kart.

– Czy Aron się znalazł?

– Znalazł – odparła Eliszeba.

– A gdzież on się, moja miła, podziewał?

– Był w Rosieniach... Już nie jest krawcem...

– A kim? – Danuta-Hadassa, rozłożywszy na trawie karty, podniosła na Eliszebę zdumione oczy.

– Jest teraz wielkim naczelnikiem...

– Coś podobnego! – bez cienia radości powiedziała Danuta-Hadassa, kątem oka zerkając na karty. – Wszystko się sprawdza... Wszystko się sprawdza... Kiedyś przepowiedziałam, że mój Aron będzie wielkim naczelnikiem. No i został nim... Wszystko się sprawdza. Nawet to, co się nie sprawdza... Szkoda tylko – władza zamienia uczucia w popiół... Dawno, dawno... już sama nie pamiętam, kiedy to było, oboje z Ezrą, ojcem Jakuba, graliśmy taką sztukę, w której zwykły pastuch zostaje królem. Wdziali mu na głowę koronę, posadzili na złotym tronie, włożyli do ręki złote berło. Świta całuje poły kamizelki, błazen odgrywa najróżniejsze sztuczki, kucharze przygotowują najbardziej wykwintne jadła. Wszyscy czekają na pierwsze słowa króla. I oto król wypowiedział swoje pierwsze słowa: „Rozkazuję, żeby do jutra w całym moim królestwie wyłapać wszystkich pastuchów oraz ich po-

mocników i zlikwidować co do jednego, żeby ślad po nich nie pozostał!"
– Dlaczego?
– Dlaczego? – Danuta-Hadassa powtórzyła pytanie Eliszeby. – Żeby nie przypominali królowi o jego pastuszej przeszłości!... Żeby pastusza fujarka nie drażniła mu słuchu!... Żeby nie wytykali go palcami i nie krzyczeli na cały świat: „Co z niego za władca? Jest taki sam jak my – pastuch Gonzales!"
– No i kto pasł bydło w królestwie?
– Świnię paśli książęta Krowy doiły baronowe! – Danuta--Hadassa roześmiała się, spojrzała na rozłożone karty, skrzywiła się i powiedziała: – A kogo każe zlikwidować mój syn Aron? Krawców czy grabarzy? Sklepikarzy czy rabinów?
Przy ostatnich słowach Eliszeba wzdrygnęła się. Okazało się, że Danuta coś wie. Ale kto mógł jej powiedzieć? Przecież prawie nie opuszcza cmentarza. I Jakub też.
Każda matka, zapewniała nieboszczka Pnina Bankweczer, jest jasnowidząca. Jedynie Bóg i kobieta mogą przewidzieć ludzkie drogi na tym, i na tamtym padole.
– Nie ma ani dobrej władzy, ani dobrej śmierci – wychrypiała Danuta-Hadassa i znowu wpatrzyła się w karty. – Dziwne: wszystkich czeka droga. I mnie, i ciebie, i Arona, i Jakuba... Na pewno będzie wojna.
– Wojna?
– Tak... Wszystkich czeka droga.
Spoza kosmatej sosny wynurzył się Jakub. W rękach trzymał kosę, a pod pachą naręcze trawy.
– Nakosiłem dla kozy – powiedział wstydliwie.
– A ja myślałam, że dla nas – roześmiała się Danuta-Hadassa. – Może byś się tak przywitał z Eliszebą?
– Dzień dobry!
– Daj mi tę trawę... Sama zaniosę kozie. A ty... ty powróż gościowi.
– Ja nie umiem wróżyć – wyznał Jakub.

– Ona cię nauczy – ponagliła go Danuta-Hadassa, wzięła od niego naręcze trawy i ruszyła w stronę chaty.

Kiedy Eliszeba i Jakub zostali we dwoje, zwaliło się na nich niebo ciszy.

Stali w trawie i patrzyli sobie pod nogi, gdzie walały się wytarte króle i walety, i gdzie damy cierpliwie wyczekiwały na zaloty.

Kosmata, gderliwa pszczoła sfrunęła z kwiatka i zaczęła krążyć nad głową Eliszeby. Widocznie tak samo jak Amosa Bruchisa, pociągał ją zapach kobiecych włosów.

– Pszczoła! – powiedział Jakub.

Zdjął swoją przepoconą czapkę, i potykając się, poskoczył chwytać pszczołę. Wreszcie złapał ją i, osadzoną w płóciennej ciemnicy, posadził na czyimś nagrobku.

– Żżż, żżż, żżż!

Grób brzęczał jak ul.

W trawie niby odcięty skraj księżyca połyskiwała naostrzona kosa.

Eliszeba i Jakub milczeli posępnie, i w tym milczeniu kiełkowało coś, dla czego nie znajdowali nazwy i co, być może, nie wymagało imienia.

Bliskość pozbawiała ich daru mowy, swobody ruchów, upodabniała ich do milczących kamiennych nagrobków.

– Idziemy! Coś ci pokażę – powiedział Jakub znużony tym milczeniem.

Poprowadził Eliszebę po zarośniętej rzepami ścieżynie ku cmentarnemu ogrodzeniu, w którym jak otwór pieca ziała wielka dziura o ostrych, szczerbatych krawędziach; pierwszy się przez nią przecisnął, podał Eliszebie rękę i po chwili oboje znaleźli się na położonej tuż przy cmentarzu łące, tu i ówdzie poprzecinanej niegłębokimi parowami.

Na łące pasła się samotna krowa.

Leniwie wymachiwała ogonem, odpędzając natrętne bąki. Od czasu do czasu zwierzę podrzucało ciężką głowę i zanosiło się przeciągłym, pełnym macierzyńskiego lęku rykiem.

– Podoba ci się? – zapytał Jakub.

– Łąka jak łąka. Nic szczególnego – Eliszeba nie okazała zachwytu, gubiąc się w domysłach, po co ją tu przyprowadził.

– Nie mówię o łące, o krowie...

Co za nonsens, pomyślała Eliszeba. Przyprowadził ją na łąkę, żeby pokazać jej najzwyklejszą krowę?

– Holenderska rasa – pochwalił się grabarz, czekając, jakie wrażenie wywrą jego słowa na córce Bankweczera. – Daje na dobę trzy wiadra mleka.

Ale Eliszcby nawet mleko nie zainteresowało. Zerwała jakąś trawkę i przygryzła ją skwapliwie.

– Kupię też konia... – Chełpliwie powiedział Jakub. – Nie chcę brać klaczy, chociaż jest trzy razy tańsza...

– A po co na cmentarzu koń?

Jej pytanie zaskoczyło grabarza.

– Jak to po co?... Żeby orać, bronować, wywozić nawóz.... Jak u pana Czeslawasa... Chcę, żeby wszystko było tak jak tam... nawet karpie zacznę hodować... napuszczę do parowu wody i niech sobie pływają...

Eliszeba przesuwała trawkę z jednego kącika ust w drugi. Im więcej Jakub mówił, tym szybciej biło jej nieprzywykłe ani do dobroci, ani do miłości serce. Niejasne podejrzenie co do dziwnych zamiarów Jakuba nagle zmieniło się w napawającą lękiem pewność. Czy on to wszystko wymyślił z jej powodu?...

– Będziesz przychodziła tu się uczyć – powiedział Jakub...

– Tu jest bliżej niż do Judgiriaj... – Spostrzegł się i dodał: – Będziemy się uczyć razem...

– Ależ, Jakubie, doprawdy...

Eliszeba poczuła, że płonie jej prawy policzek. Ach, ten prawy policzek – zawsze musi ją zdradzić.

– Daj spokój... – ciesząc się w duchu, powtórzyła córka Bankweczera. – Takie wydatki...

– A po co mi pieniądze? – niezręcznie uspokoił ją grabarz. – Nigdzie nie jeżdżę, na nic nie wydaję... Jeżeli ty... jeżeli się zgodzisz, to nawet dom wybuduję...

– Dom?

– Chałupa i tak się rozsypuje. Stawiał ją jeszcze dziadek Efraim.

Jego gadatliwość stawała się bezwstydna, nieprzyzwoita, i nie chcąc się wydać lekkomyślnym (czy zbyt natarczywym), postanowił zamilknąć.

Znowu zrobiło się cicho.

Łąka pachniała jak w biblijnej opowieści.

Nad krową raz po raz, niby błękitne węgielki, rozbłyskiwały uparte gzy.

Oddychało się lekko, jakoś weselnie.

Eliszeba czekała, kiedy Jakub znowu przemówi, ale nie odważyła się rozpocząć rozmowy.

A chęć, by mówić, nabrzmiewała w dziewczynie jak pączki na wiosnę. Jeszcze minuta, jeszcze sekunda, i wytrysną z niej słowa.

Jakie to piękne, łomotało w skroniach Eliszeby, jakie to wszystko dokoła jest piękne! I co z tego, że tuż obok jest cmentarz?

Cmentarz to tylko plamka na ciele Ziemi. Przed Eliszebą rozciągał się cały świat, jak ta nie skoszona, pachnąca łąka, na którą, niczym do kołyski, spadł rozdzwoniony, przypominający kołysankę błękit; i ten błękit kołysze i ją, i Jakuba, jak dwoje bliźniąt, utula, przynosi złote, nieziemskie sny.

Zamknij oczy, myślała Eliszeba, i pojawią się przed tobą góry Judei i wody Jordanu; ale nie można żyć z zamkniętymi oczami, tak samo, jak, niestety, nie można żyć z otwartymi.

Więc jak tu żyć w takim razie?

Eliszebie brakło odwagi, żeby przyznać się Jakubowi, iż z każdym dniem rośnie w niej chęć, by odejść z rodzicielskiego domu i przenieść się na folwark Czeslawasa.

Nie wiedziała, jak mu powiedzieć, że nie będzie się z nim uczyć na cmentarzu.

Żeby człowiek nie wiadomo czego uczył się na cmentarzu, rozmyślała Eliszeba, to w końcu nauczy się tylko grzebać zmarłych.

Ale Jakuba też nie chce stracić.

– Może Aron pożyczy – wymamrotał Jakub.

– Co? – ocknęła się Eliszeba.

– Trochę pieniędzy... Choćby dwieście litów – mówił dalej Jakub. – Oddam mu... Jemu mimo wszystko jest łatwiej... mieszka z teściem...

– Aron już nie mieszka z teściem – oświadczyła Eliszeba.

– Odprowadzisz mnie, Jakubie?

– Odprowadzę! – z radością zgodził się grabarz. – A gdzie on mieszka?

– Na dawnym posterunku policji...

– Dlaczego na dawnym?

– Bo w tej chwili jest tam NKWD.

– Co, co?

– Po staremu policja. Twój brat jest zastępcą naczelnika... został porucznikiem.

– Porucznikiem? A co właściwie robi?

– To samo... Aresztuje i wsadza do więzienia...

– A więc jest grabarzem żywych? – starając się nie odstępować Eliszeby powiedział Jakub.

– Boże! Jak dobrze to powiedziałeś! Po prostu wspaniale! Grabarz żywych!

– Matka wie?

– Nie.

– Nie musi wiedzieć.

– Tak czy owak się dowie. Pójdzie do synagogi albo do kościoła. I dowie się.

– A co na to Rejzł?

– Nic... ona go prawie nie widuje...

– Nie – burknął Jakub – naczelnika nie będę prosił o pieniądze.

– On i tak ci nie da! Na razie pomieszkacie w chacie z mamą...

– Będziemy musieli... Ale konia i tak kupię. I kilka owieczek... Przychodź strzyc wełnę...

– Żeby tylko nas samych nie ostrzygli – poważnie powiedziała Eliszeba i wpatrzyła się w grabarza.

– Żeby co?...

– Właśnie to, to... Zgonią wszystkich i zamiast do Palestyny, ześlą na Sybir.

– A gdzie to jest?

– Jakubie, Jakubie! – zawstydziła go Eliszeba. – Naprawdę nie wiesz?

– Nie wiem – przyznał się.

– A co ty wiesz, Jakubie? Tylko to, co się dzieje na cmentarzu?

– Tylko. – Pogładził się po karku i dodał: – Ja cię, Eliszebo, ukryję...

– Wśród grobów?

– Nikt cię nie znajdzie... Nikt...

– Zakopiesz mnie – spróbowała się uśmiechnąć, ale uśmiech wypadł jakoś nieszczerze, bezradośnie.

– To moja sprawa, tylko przyjdź!

– Nie odprowadzaj mnie dalej! dziękuję! – powiedziała, i zaczęła biec, nie odwracając się.

Na Rybackiej Eliszeba zastała Arona – cała rodzina była w komplecie.

Pierwszą rzeczą, jaką Eliszeba zauważyła, była granatowa jak bąk czapka wojskowa Arona z nowiutkim błyszczącym daszkiem.

Szwagier miał na sobie mundur przepasany szerokim skórzanym pasem.

Wydawało się, że mundur jest zdjęty z kogoś innego i Gedali Bankweczer przezwyciężając wstręt, zerkał na oficerski uniform zięcia, próbując wprawnym okiem ocenić jego wszystkie braki.

Kiedy Aron skończył jeść, reb Gedali kazał mu wstać od stołu, podprowadził go do lustra o oblazłej, wyblakłej tafli, zdjął z szyi centymetr, zmierzył długość oraz szerokość munduru, wyjął z kieszeni kredę i zrobił na plecach i przy klapach znaczki, które miały wyrażać jego niezadowolenie z topornej, jak się wyraził, radzieckiej roboty.

– Partacz to szył! – orzekł bezapelacyjnie czujny Bankweczer. – I jak ci nie wstyd, Aronie, chodzić w czymś takim, będąc w dodatku krawcem!

Zastępca naczelnika miszkińskiego NKWD widocznie nie bardzo się wstydził. Wprost przeciwnie. Chełpił się i nowiutkim mundurem, i wojskową czapką z granatowym otokiem, bryczesami i chromowymi butami o długich wąskich cholewach. Wydawało się, że jego dumę powinni podzielać wszyscy. Ale nie Eliszeba.

Z Eliszebą Arona łączyły dość skomplikowane stosunki. Kpił sobie z jej nadziei związanych z Ziemią Obiecaną. Wbiła sobie, głupia, do głowy tę Palestynę i cieszy się. Szczęście pracujących Żydów leży w jedności, a nie w odosobnieniu. Tak uczy Mejlach Bloch i jego wielcy przedstawiciele – Lenin i Stalin.

Eliszeba natomiast wyśmiewała patetyczne marzenia o zbawczych skutkach, jakie przyniesie światowa rewolucja, przekonywała z żarem, namiętnie, że każdy bunt, wszelkie zamieszki, każda r e w o l u c j a to nic innego jak zaćmienie rozumu, niczym nie uzasadniony rozlew krwi, że Żydzi na obczyźnie nie będą traktowani na równi z innymi, tak jak owca nie jest równa wilkowi czy kura jastrzębiom.

Żydzi-owce, Żydzi-kury! Cha! Cha! Cha! Wśród Żydów są również wilki, gorączkował się Aron, i jastrzębie waleczniejsze niż wśród innych.

– Jaki z niego krawiec? – mruknęła Eliszeba. – To grabarz żywych.

– Coś ty powiedziała? No, powtórz!

– Grabarz żywych.

Eliszeba nie spuszczała wzroku z granatowego bąka na stole. Jeszcze jedno słowo, a bąk poderwie się i zacznie ją żądlić.

– Przestańcie! – zawołał reb Gedali. Dość tych kłótni!

171

Aron z obrażoną miną wcisnął na głowę czapkę, starł ślad kredy z prawej klapy i skierował się do drzwi, ale Bankweczer zastąpił mu drogę.

– Nie można wychodzić na ulicę, jeżeli się tak wygląda. Ściągaj, Aronie, swój mundur! Mała popraweczka i będzie na tobie leżał jak ulany! Czy może już całkiem zapomniałeś, jak się trzyma igłę w ręce?

– Po jakiego licha mu igła, jeżeli ma pistolet? – Nie mogła się uspokoić Eliszeba.

– Sza! Sza! – przywołał ją do porządku ojciec i podsunął zięciowi nożyce.

Walczyły w nim sprzeczne uczucia. Z jednej strony stał po stronie córki, wyrzucał Aronowi, że zamienił igłę na pistolet, a z drugiej strony obawiał się jej zacietrzewienia, jej bezwzględności; czuł w stosunku do Arona coś w rodzaju pełnego lęku szacunku. Jeżeli nowa władza się utrzyma, rozważał reb Gedali, to zawsze będzie miał obrońcę, tylko żeby nie odstraszył klientów swoim stanowiskiem. A jeżeli władza upadnie, to i w tym wypadku on sam nie będzie przegrany – odzyska znakomitego czeladnika.

– Powściągnij swój języczek – zagroził Eliszebie Aron.

– Bo co? Ześlesz mnie na Sybir?

Powiedziała to i natychmiast pożałowała. Teraz już niczego się z niego nie wyciągnie. Zatnie się, zazgrzyta zębami, nie otworzy ust. Trzeba będzie kręcić, podejść go, może nawet pogratulować nowego stanowiska, a nie pakować się w bezsensowną awanturę. On oczywiście coś wie o tych spisach, o których wspominał Amos. Może sam, własnoręcznie („Wyzwolenie wywalczymy własnymi rękami...") je sporządzał.

Czyje nazwiska są w tych tajnych rejestrach oprócz nazwiska Amosa i jego rodziny? Kto w nich figuruje?

Sklepikarz Chaskiel Bregman? Wywiozą go na Sybir i miasteczko zostanie pozbawione wszelkich wiadomości.

Właściciel fabryki zapałek Cukierman? Czym się naraził nowym władzom?

Eliszeba przypomniała sobie po kolei jedno nazwisko po drugim i im więcej przychodziło jej na myśl, tym straszniej się jej robiło od tej przerażającej, cichej wyliczanki.

A Aron tymczasem założył nogę na nogę, położył mundur na kolanach i zaczął go skracać.

Wojskowa czapka z granatowym otokiem i sterczący na biodrze pistolet zupełnie nie pasowały do bieli nitki i chybkiej, nienasyconej igły...

Z kąta, obojętnym wzrokiem, Rejzł obserwowała męża. Do niczego się nie mieszała, bez reszty pochłonięta swoją pracą. Czy urodzić człowieka to nie jest praca? Praca, i to jeszcze jaka! Nie ma na ten temat nawet co dyskutować.

Eliszeba gapiła się to na siostrę, to na szorstkie ręce Arona, i zastanawiała się, co zmusza takich ludzi jak on, żeby porzucali swoje rzemiosło, wyrzekali się swoich bliskich i puszczali się w długą i bezpłodną wędrówkę po obcych drogach, za obcymi przewodnikami, z torbami wypchanymi cudzą mądrością? Jaka siła kryje się w tych nieziszczalnych ideach powszechnego braterstwa, ogólnego dobrobytu, które w rzeczywistości okazują się ordynarnym oszustwem? Dlaczego jakiś tam Mejłach Bloch pociąga kogoś bardziej niż *Psalmy Dawida* czy *Pieśń nad pieśniami* króla Salomona?

Co Aronowi jest pisane? Może los Szachny? Może i jemu jest sądzone, iż straci rozum i będzie się błąkał po polach i szukał swojego motyla. Przecież ten, kto dzisiaj prześladuje i zabija, jutro sam się zamieni w prześladowanego i ofiarę. Już nieraz tak bywało w historii. Eliszeba czytała i o francuskiej, i o rosyjskiej rewolucji. Stado, rozjuszone stado, które depcze wszystko, co mu stanie na drodze, oraz samo siebie. W stadzie można się ukryć, ale nie sposób w stadzie żyć.

A czy ona sama, Eliszeba, nie przyłapała się na bolesnej myśli, żeby nie dążyć do stada, bo czy stado-Palestyna jest lepsze aniżeli stado-Rosja lub stado-Litwa?

Aron odłożył igłę, wdział mundur, pokręcił się przed lustrem i na znak zadowolenia uniósł w górę swój wielki jak sęk palec.

173

– A teraz inna sprawa – powiedział reb Gedali, i marszcząc czoło, krótko polecił córkom: – Rejzł! Eliszebo! Wyjdźcie na chwilę. Muszę porozmawiać z Aronem w cztery oczy.

Rejzł westchnęła i posłusznie wyszła. Za nią oddaliła się Eliszeba.

– Słucham – powiedział zdziwiony zastępca miszkińskiego oddziału NKWD.

– Serce mi się kraje – wyszeptał reb Gedali. – I jak ma się nie krajać, kiedy Rejzł niknie w oczach.

– Rejzł niknie w oczach? – Aron zdumiał się jeszcze bardziej. – Według mnie jest zdrowa jak rydz!

– Ładny mi rydz! Sama się kładzie do łóżka i sama wstaje. Cóż to, Aronku, uważasz, że dla mężczyzny najważniejszą rzeczą jest pracować w dzień? A w nocy?

Bankweczer próbował zażartować, ale żart wypadł jakoś niefortunnie, niemal przez łzy.

– Dobry mąż powinien sypiać z żoną, a nie z tym... no, jak mu tam – z tym, którego portrety powiesiliście na miejsce Smetony...

– Dzierżyński. Feliks Edmundowicz Dzierżyński – wyrecytował Aron.

– No właśnie, właśnie – zatrajkotał reb Gedali. – Ja ci radzę, żebyś przychodził spać do domu...

– Mam bardzo dużo spraw na głowie – próbował usprawiedliwić się Aron.

– Żyd ma tylko jedną ważną sprawę – zrobić jeszcze jednego Żyda... Nie chcę, żeby ludzie w miasteczku mełli ozorami.

– Dobrze – obiecał Aron. – Chociaż...

– Tu nie ma żadnego „chociaż" – przychodź.

– Reb Gedali, dali mi dom. Całe domisko.

– Czyje domisko? – zaniepokoił się Bankweczer.

– Poczmistrza Klumbisa... on uciekł do Niemiec.

– I wziąłeś go?

– Na razie nie.

– To nie bierz...

– Dlaczego?

– Ja ci zostawię swój dom... Umrę i zostawię ci...

– Tamten i tak stoi pusty.

– Niech sobie świeci pustkami... Zapamiętaj Aronie: szczęśliwym można być tylko we własnym domu... Własny dom jest jak wesele, cudzy jak stypa...

Aron klepnął się w pośladek, na wszelki wypadek sprawdził, czy pistolet jest na miejscu, nasunął na chytre, lekko przymrużone oczy czapkę i otworzył drzwi.

Na ulicy dopędziła go Eliszeba.

– Wyjeżdżasz?

– A niby skąd wiesz? Podsłuchiwałaś?

– Nic. Wy z ojcem zawsze rozmawiacie tak głośno, że mimo woli wszystko się słyszy... czy ja cię nie kompromituję?

– Czym?

– No, bo w końcu jestem syjonistką...

– Wiesz, czym jesteś? Idiotką – bez złości powiedział Aron.

– Posłuchaj! Mam do ciebie prośbę!

– Proś! – gromko zezwolił szwagier.

– Bo widzisz... nie chciałabym, żeby ojciec został sam...

– Jak to sam? Przecież ty zostajesz... A my na razie się nie przeprowadzamy.

– Ja mam zamiar przenieść się na wieś.

– Bo co, postanowiłaś tam stworzyć Palestynę?

– Prawie zgadłeś.

– Stanowisko zobowiązuje... Ale wiedz: my prędzej wprowadzimy tam socjalizm... zorganizujemy kołchozy... nowe radzieckie kibuce... Kibuc imienia Stalina... Kibuc imienia Lenina... Dobrze to brzmi, prawda?

– Ano brzmi.

– A kibuc imienia Arona Dudaka?

– Nieźle!

– No widzisz!

Aron był w znakomitym nastroju i chętnie dzielił się swoją radością. Radość po to jest radością, żeby się nią z kimś podzielić: podzielona nie zmniejsza się, lecz rośnie.

Ktoś inny na jego miejscu nawet by nie rozmawiał z Eliszebą, nie darowałby obrazy. To nie są żarty – grabarz żywych! I to słowa powiedziane nie za plecami, ale prosto w oczy, przy świadkach. Ale Aron nie był mściwy, do nikogo nie chował urazy, umiał przebaczać i lubił, żeby i jemu wybaczano.

Szli obok siebie i Aron nie zastanawiał się, czego ona od niego chce. Upajał się swoją władzą, sam sobie wydawał się nieśmiertelny, jak ten nieboskłon nad głową, jak ta ziemia pod nogami, i to mu wystarczało.

Eliszeba słuchała go nie przerywając, nie śpieszyła się, żeby przejść do rzeczy. Gdyby teraz zaczęła z nim mówić o spisach, to jeszcze mógłby zawrócić na pięcie i odejść.

– A dlaczego, Eliszebo, nie miałabyś się zapisać do Komsomołu? Dam ci rekomendację.

– Co, co takiego?

– Rekomendację... Poręczę za ciebie. Tylko wyraź skruchę w sprawie Palestyny.

I Aron zaczął opisywać walory Komsomołu. Zapalając się mówił o rychłym triumfie sprawiedliwości nie tylko na Litwie, ale na całym świecie. Narody budzą się ze snu i przejmują władzę w swoje ręce.

Eliszeba w żaden sposób nie mogła sobie wyobrazić tego przebudzenia, udowadniała Aronowi, że władza, niezależnie od tego, w czyich rękach by była, zawsze jest złem, że zamieniając jedno zło na drugie, nie można się zbliżyć do sprawiedliwości nawet o krok.

– Niby mądra z ciebie dziewucha, a nie rozumiesz, że nasza władza jest szczególna, jest przeciwna złu.

– Przeciwna złu, a sama tworzy zło – wyrwało jej się.

No i nadeszła chwila, kiedy można mu wszystko wyłożyć i zmusić go do szczerości. Wszystko wypadnie prosto i naturalnie, jakby przypadkiem. Jakoś się zgadało i tyle. Aron nie będzie podejrzewał nic złego. Skąd może wiedzieć o jej rozmowie z Amosem Bruchisem?

– Co masz na myśli?

W miejsce uśmiechu pojawił się wyraz czujności. Twarz Arona wyciągnęła się, sposępniała.

– Co masz na myśli? – Obrzucił ją wzrokiem od stóp do głów, jakby przymierzał na niej okowy lub kajdanki. – Przeniesienie naszego burmistrza Mejłacha Blocha do domu Tarajły?

Eliszeba milczała, czując, jak narasta w niej zdecydowanie i odwaga.

– Aresztowanie naczelnika policji Jankusa?

O aresztowaniu Jankusa nawet nie słyszała.

– Czy znacjonalizowanie nieruchomości poczmistrza Klumbisa?

Nacjonalizacja, Komsomoł, Sybir, Kreml!... Słownik Eliszeby z dnia na dzień wzbogacał się o słowa pachnące gwałtem i sieroctwem.

– Mam na myśli spisy – wypaliła.

– Jakie spisy?

– O to ciebie trzeba zapytać.

– Nic nie wiem o żadnych spisach – zarzekł się Aron.

Nie uwierzyła.

– Aron! – powiedziała. – Dobro tym różni się od zła, że jest dla wszystkich otwarte jak niebo. Natomiast zło zawsze tkwi w podziemiu, w ukryciu, w ciemności.

– Załóżmy – mruknął Aron.

Czuł swoją wyższość i mógł sobie pozwolić na to, żeby przyznać jej rację, chociaż nie rozumiał, do czego ona zmierza.

– Powiedz prawdę: czy ja też figuruję w tych spisach?

O Bruchisach Eliszeba nie wspomniała. Jak tylko zacznie o nich mówić, Aron natychmiast jej przerwie, pożegna się i zniknie.

177

– Jeżeli nie masz mi nic więcej do powiedzenia, to żegnaj
– powiedział szwagier.

– Zaczekaj, zaczekaj. Pytam cię, czy jest tam wymienione
moje nazwisko?

Aron obrzucił ją szybkim, kłującym spojrzeniem, mocno
zacisnął wargi.

– No więc jest wymienione czy nie? – Eliszeba doma-
gała się jasnej odpowiedzi.

– Nie.

– Nie kłamiesz?

– Nie, nie i jeszcze raz nie! – zawołał zirytowany Aron. –
Daję ci słowo honoru.

– A więc nie? – Eliszeba wierciła dziurę w brzuchu wielkiemu naczelnikowi.

– Nie.

– A mówiłeś, że nic nie wiesz o żadnych spisach?

– Tylko słyszałem... Staśka... Henis przyniósł taką
pogłoskę...

– Jaką pogłoskę?

– Nie mam prawa tego rozpowiadać.

– Pogłoski, Aronie, nie są tajemnicą wojskową. Uwierz mi,
nic ci się nie stanie...

– Podobno niedługo oczyszczą Litwę z kułaków i bogaczy... Załadują ich do wagonów i wywiozą... Elementy wy-
wrotowe... Ale przecież ty, Eliszebo, nie należysz do nich...
Nie masz ani domów, ani fabryk, ani ziemi...

– A głowa? – docięła mu Eliszeba.

– Co głowa? – Aron aż się zatchnął ze zdumienia.

– Jest groźniejsza od twoich fabryk i gruntów.

– Hm!

– Nie produkuje mebli... i rośnie w niej nie len, i nie psze-
nica...

– A co?

– Nienawiść – wyraźnie i twardo powiedziała Eliszeba. –
Jeżeli moja głowa jest pełna nienawiści, to co wtedy?

– Zależy wobec kogo – ostrożnie wtrącił Aron, obawiając się, że szwagierka wyskoczy z jakąś niebezpieczną herezją. Burżujów można nienawidzić, ile się chce. Za to ci tylko podziękują. Bardzo proszę, możesz ich nienawidzić.

– A jeżeli nie burżujów? Jeżeli was? – równie wyraźnie i twardo zapytała Eliszeba.

– Masz na myśli nasz urząd?

– I wasz urząd, i waszego burmistrza... i waszego wąsatego wodza...

– Tsss!

– Wszystkich, wszystkich, wszystkich!

Zwariowałaś! – Aron chwycił ją za rękę, jakby miał zamiar natychmiast zaprowadzić ją na posterunek. – Zgubi cię ten twój język – rzekł ze współczuciem. – Radzę ci milczeć... Nie daj Bóg ktoś usłyszy i doniesie...

– Ach, Aronie, Aronie! Ty nigdy nie dostaniesz się do raju. Nie dlatego, że nań nie zasługujesz, ale dlatego, że wierzysz w piekło jak w raj!...

– Daruj, ale na mnie już pora – bąknął, zupełnie zbity z tropu, i strząsnąwszy z munduru nitkę, ruszył w stronę szarego budynku, gdzie mieścił się miszkiński oddział NKWD.

Od tego dnia Aron nie wdawał się z Eliszebą w żadne rozmowy.

Na szczęście siostra i szwagier nie przeprowadzili się do domu pocztmistrza Klumbisa, ale zostali na Rybackiej. Gdyby się przenieśli na Sadową, wszystkie drogi zostałyby dla Eliszeby odcięte: przecież nie można zostawić ojca na pastwę losu. Dopóki w domu jest Rejzł, ojciec będzie i zadbany, i nakarmiony.

Spośród domowników jedynie Rejzł wiedziała o jej zamiarze przeniesienia się do chutoru w Judgiriaj, i na wszelkie sposoby starała się jej w tym dopomóc – wyprała sukienki Eliszeby, dała jej swoje kalosze, odłożyła trochę pieniędzy – na wszelki wypadek, gdyby okazały się potrzebne w chutorze.

Pewnego pięknego dnia zawitali na rybacką sami właściciele chutoru – Czeslawas i Prane.

Prane przywiozła dla reb Gedalego jego ulubiony wiejski ser z kminkiem i dwadzieścia wielkich brązowych jajek, a Czeslawas, chcąc dogodzić majstrowi, przyniósł materiał na nową siermięgę, żeby Bankweczer ją uszył na święto Zaśnięcia Najświętszej Marii Panny.

Ale tak naprawdę to przyjechali nie do Gedalego Bankweczera, ale do jego córki Eliszeby.

Zaniepokojeni gwałtownymi zmianami i pogłoskami o prześladowaniach zamożnych gospodarzy – właścicieli sąsiedniego folwarku już zabrano – Czeslawas i Prane żywili nadzieję, że obecność Żydówki na folwarku, a do tego jeszcze krewnej zastępcy naczelnika oddziału NKWD w Miszkine, odsunie od nich zagrożenie, o którym myśl spędzała im sen z powiek.

Niczego nie podejrzewając, wzruszony ich dobrocią reb Gedali kazał Rejzł zaparzyć herbatę, usadził gości przy stole, wyjął z komody pozostałe jeszcze od Paschy miodowe pierniki-tejgłach i wdał się z Lomsargisami w długą i niezobowiązującą pogawędkę.

Czeslawas i Prane głównie wychwalali wiejskie powietrze, podkreślając jego niezwykłe, wręcz cudotwórczo uzdrawiające właściwości, przyrzekali przyjąć nie tylko Eliszebę, ale i Rejzł, kiedy urodzi – dla noworodka nie ma nic lepszego niż świeże mleko.

Zapraszali również samego reb Gedalego, mówiąc, że odpocznie sobie trochę od pracy – ale Bankweczer odmówił, powołując się na to, iż w takich czasach nie można zostawiać pustego domu. A Eliszeba? Eliszeba niech sama decyduje (nie powinna się teraz plątać pod nogami, jeszcze z powodu jej ciętego języka trafi do kryminału), puści ją, ale tylko pod jednym warunkiem, że na każdy piątek i sobotę będzie wracała do miasteczka i razem z nim chodziła do synagogi.

I na tym stanęło.

Pracy w chutorze było mnóstwo.

Od wczesnego rana do późnego wieczora Eliszeba razem z Prane wiązała i ustawiała w kopy wspaniałe snopy pszenicy, kopała kartofle, doiła krowę o wielkich melancholijnych oczach, które upodabniały stworzenie do otyłej żony sklepikarza Chaskiela Bregmana, Godł.

Skończywszy pracę Eliszeba szła do maleńkiej łaźni czerniejącej na brzegu stawu i tam samotnie myła się, oglądając swoje spracowane ręce i twarde, nabrzmiałe piersi. W tym przyglądaniu się sobie było coś wstydliwego i przyjemnego zarazem. Dotykała swoich piersi jak jabłek na gałęzi, które lada chwila ktoś zerwie. W łaźni, jak we śnie, dręczyły ją grzeszne myśli. Gładząc swoje okrągłe biodra, Eliszeba widziała się wciąż u boku tego samego mężczyzny – grabarza Jakuba Dudaka, którego twarz nagle wyłaniała się poprzez cienką zasłonę pary, poprzez wesołe bryzgi wody.

Jej pociąg do Jakuba nie słabł, lecz przybierał na sile, i Eliszeba chwilami z goryczą i uczuciem beznadziejności zastanawiała się, co ją w nim tak pociąga i wabi. W porównaniu z nią Jakub był nieokrzesanym miasteczkowym chłopakiem, po prostu nieukiem, którego horyzonty ograniczały się do granic cmentarza. Ale jego nieokrzesanie nie przeszkadzało jej. Uważała nawet za swoje powołanie, za swój obowiązek wychować Jakuba, wyrwać go z czepliwych rąk nieboszczyków, przywrócić do prawdziwego, przemyślanego życia. Jakub w jej oczach uosabiał całe rozproszone po miasteczkach żydostwo, zastygłe, pogrążone w swoich małych rachubach i troskach, przywiązane do swoich sklepików i fryzjerni, do swoich ubożuchnych świąt i marzeń. Mimo że aż strach było o tym myśleć, w świadomości Eliszeby układało się ono w jeden wszechogarniający i pełen grozy obraz cmentarza – oto jej zadanie.

Eliszeba zdawała sobie sprawę, że w tej chwili, przy nowej władzy, jest to niemożliwe, ale nie traciła nadziei, że kiedyś urzeczywistni swój zamiar.

Chutor Czeslawasa był tylko przystankiem na tej niełatwej, rojącej się od niebezpieczeństw drodze.

W piątek i w sobotę jakąś przygodną furmanką wyruszała do Miszkine, ale nie dojeżdżała do samego miasteczka; zsiadała z furki przy cmentarzu, i krążąc wśród mogił swoich bliskich, czekała na spotkanie z Jakubem. Czasami grabarz wpadał do Judgiriaj i wówczas Eliszeba w skrytości ducha omdlewała ze szczęścia.

Pozornie na folwarku nic się nie zmieniło – wszystko nadal było tak jak rok temu, za starego prezydenta Smetony.

Czeslawas przyprowadził sobie jeszcze jednego psa – kudłatego, z potężnymi wyłysiałymi łapami i obciętym ogonem sterczącym jak klucz z zamka. Pies zupełnie nie przypominał podwórzowego kundla o krzywych łapach, który wiernie służy swojemu panu za miskę jakiejś lury i kości. Nowy pies pasował jak ulał do nowych czasów – był najedzony i nieprzejednany, rzucał się nawet na swoich.

– Wyprowadź go gdzieś i zostaw – powiedziała kiedyś Prane. – Jeszcze komu odgryzie rękę.

– Jakie czasy, takie psy – stwierdził Czeslawas. – Teraz zwykły pies podwórzowy nie jest żadną obroną... Najróżniejsi ludzie się wałęsają... Ani się człowiek obejrzy, a puszczą chałupę z dymem.

Co prawda, to prawda: różni ludzie zachodzili do chutoru.

We wrześniu pojawił się jakiś mężczyzna w jasnopopielatym podróżnym płaszczu i słomkowym kapeluszu. Przedstawił się jako dyrektor departamentu finansów, poprosił, żeby Czeslawas za przyzwoitą opłatą udzielił mu schronienia, ale czy zaproponował za mało, czy też wydał się Czeslawasowi jakiś podejrzany, w każdym razie nieznajomy nie uzyskał schronienia.

– Żydówkę toś przygarnął! – Rzucił na odchodnym mężczyzna. – A swojego brata – Litwina przepędzasz na zbity łeb!

Wędrowiec zagroził Czeslawasowi wszelkimi możliwymi karami, ale widocznie dla gospodarza nie było większej kary niż nowa władza.

Na noc Czeslawas spuszczał Reksa (tak nazwali nowego stróża folwarku) z łańcucha, a on swoim szczekaniem odstraszał nie tylko bandytów, ale i samego Pana Boga i Jego wiernych aniołów.

Nie wiadomo dlaczego Reks bywał najbardziej rozjuszony nad ranem. Światło, żwawe promienie słońca doprowadzały go do szału i pies z wysuniętym różowym jęzorem, uganiał się nawet za słonecznymi zajączkami.

Ale niezależnie od tego wszyscy czuli się przy nim spokojniejsi niż przy zniedołężniałym psie podwórzowym.

Pewnego ranka znaleziono Reksa martwego.

Czeslawas pochylił się nad nim i powiedział z goryczą:

– Te psy otruły psa!

Eliszeba nie zrozumiała, kogo gospodarz miał na myśli, ale po otruciu Reksa napięcie na folwarku wzrosło.

Lęk Eliszeby osiągnął szczyt, kiedy Czeslawas i Prane wyjeżdżali do Judgiriaj do kościoła.

W te dni gorąco prosiła Boga, żeby gospodarze możliwie jak najszybciej wrócili z mszy, albo żeby Jakub opuścił swój cmentarz i niespodziewanie zjawił się na chutorze.

Im więcej o nim myślała, tym bardziej za nim tęskniła, i ta tęsknota nie przygnębiała jej, nie dławiła, lecz pobudzała i podnosiła na duchu, nadając sens każdej pracy: i kopaniu kartofli, i dojeniu krów, i karmieniu świń.

Teraz też Eliszeba została sama na folwarku, Czeslawas i Prane wyjechali bryczką na pogrzeb swojego krewniaka. Umierają nie tylko Żydzi, umierają również Litwini, chociaż Eliszebie wydawało się chwilami, że oni są nieśmiertelni, jak nieśmiertelna jest ich ziemia, jak nieśmiertelne jest zboże na tej ziemi; oni nigdy nie umrą. A jednak, jednak!...

Dzień zdawał się jak na jesień nadzwyczaj ciepły. Nad chutorem, zabłąkane na bezbarwnym niebie, niby ledwie stajałe kry, płynęły kłębiaste chmury.

Jak Żydówki pod koniec targowego dnia, przechadzały się po podwórzu napuszone kury.

Nagle ciszę rozdarł jakiś żelazny, skrzypiący łoskot.

Eliszeba zaczęła się przysłuchiwać i niebawem na polnej drodze okalającej folwark ujrzała niezgrabny samochód pancerny.

Samochód usiłował wspiąć się na pagórek, ale na oczach Eliszeby wycofał się i zamarł.

Młody czołgista zeskoczył ze stalowego żółwia i powoli zaczął się zbliżać do folwarku.

W ręku trzymał aluminiową manierkę z szeroką wlewką.

Podszedł do Eliszeby i w niezrozumiałym dla niej języku powiedział:

– Czy można wody?... *Wasser*... – dodał po niemiecku.

Eliszeba uśmiechnęła się speszona i kiwnęła głową.

Razem podeszli do studni: chłopak w mundurze czołgisty, bardzo podobny do Żyda, zawisł na studziennym żurawiu i opuścił wiadro w otwór studni.

– Jesteś Żydem? – zapytała Eliszeba, kiedy chłopak zaczął nalewać do manierki wodę z wiadra.

– Ja – Gruzin! Gruzja! Kaukaz!

Pełen winy uśmiech nie znikał z twarzy Eliszeby.

– Stalin – radośnie wykrzyknął czołgista. – Sta–lin – powiedział dzieląc sylaby.

– Ty – Stalin? – z uśmiechem zapytała Eliszeba.

– Nie, nie – przeraził się chłopak. – Nazywam się Czheidze... Czheidze – powiedział szybko. – Stalin... – Jego ręka zatoczyła koło, zataczając cały dostrzegalny świat i zawisła w powietrzu.

Odchylił głowę, wlał do gardła trochę wody z manierki, otarł podbródek i wesoło, przebierając krzywymi jak sierp z nowej państwowej flagi nogami, ruszył w stronę swojego stalowego żółwia.

Eliszeba patrzyła za nim, wyzwoliwszy się z napięcia i lęku, i myślała o tym stalowym żółwiu, o tym, czy warto mu było pokonać tę długą drogę – od Kaukazu do tego punkciku na mapie, żeby jego kierowca mógł się napić u obcych ludzi studziennej wody. Czy oni nie mają własnej wody? A poza tym, Eliszeba myślała o tym zatoczonym przez żołnierską rękę kręgu, w którym zamykał się cały widzialny świat ze wszystkimi polami, lasami, folwarkami i miasteczkami, krajami i narodami, i tak strasznie chciała go rozerwać, podzielić na części, żeby świat nie przypominał jednego wielkicgo więzienia, w którym nawet jego twórca – Stalin, Sta-lin – jest więźniem.

Amos Bruchis

Amos Bruchis, starszy syn właściciela fabryki mebli, wyróżniał się spośród wszystkich swoich rówieśników. Po pierwsze, ani trochę nie był podobny do Żyda – jasnowłosy, piegowaty, z wyblakłymi świńskimi brwiami. Po drugie, zdumiewał wszystkich swoim wykształceniem – znał nie dwa języki, żydowski i litewski, jak większość mieszkańców miasteczka, ale mówił swobodnie też po angielsku i po francusku.

Starszy Bruchis zapewniał, że język angielski i francuski podobne są do wielkich i szybkich statków, dla których stoją otworem wszystkie porty świata, podczas gdy język miejscowy nie jest niczym więcej jak kołyszącą się, obrosłą wodorostami płaskodenną łódką przycumowaną do pala na przystani. Bruchis-ojciec nie miał najmniejszych wątpliwości, że te statki, za które sumiennie w ciągu dziesięciu lat płacił spore sumy ich budowniczemu, korepetytorowi z Tylży, zaniosą syna na jakiś złocisty brzeg gdzieś w Ameryce, w Australii lub Południowej Afryce, gdzie Pan Bóg nawet z prostych Żydów, nieznających ani jednego języka poza ojczystym, czyni bajkowych bogaczy. Nie ma sensu, żeby Amos wegetował na Litwie. Postudiuje na kowieńskim uniwersytecie (za naukę też płaciło się niemały grosz!) i ruszy w drogę do Zurychu, Paryża, Londynu czy Wiednia. Bo istotnie, co dyplomowany adwokat ma robić w kraju? Jednak Bruchisowi-ojcu nie było sądzone ujrzeć ziszczenia się tych marzeń. Do sprawy wmieszała się żona Mera. Żadnej Genewy i żadnego Paryża. Niech Amos siedzi w Kownie, do Kowna można przynajmniej pojechać. W Genewie i Paryżu jest tyle pokus! Nie daj Bóg, jeszcze przywiezie stamtąd jakąś brzydką chorobę albo – co by było po stokroć gorsze – czarnoskórą. A co, zapomniałeś o rabinie z Kupiszek, Ezechielu Migdale? Jego krewny – Szlojmełe – oby Bóg uchronił przed tym Amosa! – przywiózł sobie z Paryża Murzynkę.

Perspektywa zostania teściem Murzynki i dziadkiem Murzyniątek oraz smutny przykład rabina Ezechiela Migdała, który był ich dalekim kuzynem, powiększyły stanowczość Bruchisa-seniora; po niedługich i niezbyt przekonujących sprzeciwach oddał Paryż żonie na pożarcie.

Amos Bruchis był rzadkim gościem w rodzicielskim domu – przyjeżdżał na wakacje albo na święta Pesach i Rosz-Hoszana. Całymi dniami włóczył się po miasteczku, leniwie polował na miejscowe ślicznotki albo grywał ze swoim rówieśnikiem Jechielem Drukmanem, beznadziejnym wałkoniem, synem właściciela fabryki zapałek, który ku przerażeniu ojca marzył nie o sławie fabrykanta, ale o laurach gracza w ping-ponga, w grę, która w owych czasach opanowała żydowskie umysły w nie mniejszym stopniu niż Tora. Najczęściej grywali na świeżym powietrzu, na podwórzu domu Bruchisa, przestronnym i dobrze oświetlonym, gdzie ustawiony był wielki, pomalowany na zielono stół z naciągniętą siatką i gdzie gromadzili się widzowie – gimnazjaliści, czeladnicy, którzy ukończyli pracę i dziewczyny o nabrzmiałych piersiach, usychającc z powodu własnej dojrzałości; te klaskały głośno powleczonymi warstewką tłuszczu dłońmi, po każdym, nawet nieudanym uderzeniu.

Zainteresowanie grą powiększał jeszcze fakt, że Amos i Jechiel grali nie o pieniądze, ale o ojcowskie nieruchomości: stawką była zawsze czyjaś fabryka, i widzowie omdlewali z zachwytu, kiedy fabryka zapałek Drukmanów przechodziła w ręce Bruchisów bądź odwrotnie. Ponieważ siły graczy były mniej więcej wyrównane, gra zazwyczaj kończyła się remisem, albo tego samego dnia, nazajutrz lub też za pół roku, kiedy Amos znów przyjeżdżał z Kowna.

W roku czterdziestym dla Amosa gra w ping-ponga się skończyła – czerwoni znacjonalizowali nie tylko fabrykę mebli, ale i dom Bruchisów oraz stół z naciągniętą siatką na obszernym podwórzu, gdzie pojawili się nowi goście: rozebrani do pasa robotnicy i spoceni, zawsze zaaferowani; niezgrabni czerwonoarmiści w ciężkich kirzowych butach i ozdobionych gwiazdą zsuniętych na bok furażerkach.

Rodzinę Bruchisów czasowo (zastępca naczelnika miszkińskiego oddziału NKWD, Aron Dudak, właśnie tak powiedział: „czasowo") wyeksmitowano z piętrowego ceglanego domu i ulokowano w sąsiedztwie, w mieszkaniu praczki, przesyconym zapachem fabryki i nieświeżej bielizny. Mera Bruchis kategorycznie odmówiła przeprowadzki – przez okrągłą dobę pilnowała swojego rodzinnego gniazda i na wszelkie namowy, aby położyła się spać, krótko i surowo odpowiadała: „Tylko w grobie!... Tylko w grobie!"

Na Amosa Bruchisa, który przyjechał ze stolicy na letnie wakacje, największe wrażenie wywarł nie tyle łagodny obłęd matki, jej desperackie i bezsensowne czuwanie, ale zawłaszczenie stołu do ping-ponga. Podziałało to na niego silniej niż znacjonalizowanie fabryki ojca i murowanego domu z mansardą i jabłoniowym sadem ciągnącym się do samego Niemna. To, że przy stole pingpongowym na podwórzu gospodarowali obcy ludzie, wydało mu się końcem świata, w którym codziennie rano wraz ze słońcem wschodziła świeża bułeczka, francuski wiersz i matczyny pocałunek.

Dom był opieczętowany groźnie wyglądającą lakową pieczęcią, przypominającą plamę zakrzepłej krwi, i nikt, poza Aronem Dudakiem lub jego pomocnikiem Powilasem Henisem, nie miał prawa tam wchodzić. Bruchisowi-seniorowi pozwolono zabrać jedynie coś z mebli – nie sypialnię zaprojektowaną według francuskiego czasopisma, ale żelazne łóżko ze sprężynami, na którym zazwyczaj sypiała służąca – kołdry i poduszki, jak również nieco odzieży, czyli rzeczy nie posiadające żadnej wartości dla nowej władzy.

Jednak Amosa najbardziej oburzało to, że Aron Dudak, jego stary znajomy, czeladnik Gedalego Bankweczera, do którego córek w swoim czasie obaj uderzali w koperczaki, zabronił mu zabrać oklejone gumą rakietki i skoczne piłeczki wielkości gołębiego jaja.

– Nie wolno – surowo powiedział Aron Dudak, kiedy Amos poprosił o nie.

– Ale dlaczego? Dlaczego? – Młody Bruchis nie mógł się uspokoić. – Przecież to nie są srebrne spodki! Nie lustro w złoconych ramach! Nie perskie dywany!

– Nie wolno – krótko, jak przystało na przedstawiciela młodej władzy, rzucił Aron. – Dzisiaj – oddamy ci rakietkę, jutro – srebra.

Więcej Amos Arona o nic nie prosił. Uparty i ambitny, odszukał Jechiela Drukmana, takiego samego nieszczęśnika jak on, i powlókł go przez całe miasteczko do znacjonalizowanego rodzicielskiego domu.

Jechiel nie bardzo zdawał sobie sprawę, dokąd go Amos prowadzi, ale przywykł mu się podporządkowywać jeszcze od czasu, kiedy rodzice wywozili ich latem nad morze, do Połągi, gdzie dzień w dzień ścigali się na piaszczystym brzegu, przy wtórze szumu fal i bojaźliwych okrzyków znużonych słońcem matek.

– Co będziemy robić? – bez żadnego zainteresowania, jakby w ogóle nie spodziewając się odpowiedzi, zapytał Jechiel, zerkając na ogromną lakową pieczęć na drzwiach.

– Grać – spokojnie odparł Amos.

– Grać?

– Ty stań po tej stronie, ja stanę po tamtej – polecił swojemu partnerowi Amos, wskazując na stół.

– Czy ci się nie pomieszało w głowie?

– Rozegramy tylko jedną partię – chłodno powiedział syn właściciela fabryki mebli i lewą ręką uderzył w wyimaginowaną piłeczkę.

– Niech mnie licho, tyś naprawdę zwariował! – z przerażeniem powiedział Jechiel.

– Ja serwuję – zapowiedział Amos.

– Co to za gra bez rakietek? Bez piłeczki?

– No, jazda... – jak gdyby nigdy nic ciągnął młody Bruchis. Jego oczy zwęziły się. Uwypukliły się żuchwy. Grube zmysłowe wargi, ocienione wojowniczym puszkiem, zadrżały.

– Jeden zero! – oznajmił i dodał: – Już my im wszystkim pokażemy!

– Komu? – ożywił się Jechiel.

– Tym sukinkotom. Oni myślą, że nasza gra się skończyła. Ale nie! Nasza gra trwa nadal...

– Nie mogę – zaczął błagać Jechiel. – Żebyś mnie zabił, nie mogę.

– Graj! Na złość tym, którzy nam wszystko zabrali. Jedenaście dwa – rzucił Amos i znowu uderzył w wyimaginowaną piłeczkę. Zdawać by się mogło, że wkłada w to uderzenie całą swoją nienawiść, całą rozpacz i pogardę dla Arona Dudaka i Powilasa Henisa, którzy pewnego czerwcowego dnia pozbawili go i domu, i ogrodu, i tego stołu z naciągniętą siatką.

W przeciwieństwie do Jechiela Drukmana, dla którego wprowadzenie w czyn pomysłu przyjaciela było prawdziwą udręką, młody Bruchis grał z pełnym wściekłości zapamiętaniem, jakąś upajającą złością i bez przerwy coś mruczał pod nosem – czy to modlitwę, czy przekleństwa, czy jakieś zaklinania.

Amos wpadał w szczególny ferwor, kiedy na podwórzu pojawiał się jakiś gamoń czerwonoarmista albo wracający z pracy robotnik.

W takich chwilach dokonywał po prostu cudów – jak kocur rzucał się to w prawo, to w lewo, nachylał się nieprawdopodobnie nisko, to znów jak kania wzbijał się w górę, jak kamień spadał w dół, starając się przejąć i posłać na pole przeciwnika mknącą w przesyconym niewinnym błękitem letnim powietrzu nie istniejącą piłeczkę.

Młody Bruchis, podobnie jak Mera i Baruch, pragnął zemsty. Ale jego zemsta nie była tak prosta jak zemsta rodziców. Mera marzyła o podpaleniu domu, aby nagromadzone w ciągu długich lat dobra – srebro, niemiecka porcelana, futra kupione w Memlu i Królewcu, złocone kandelabry i lustra w złoconych ramach, mahoniowe szafy, dywany i obrazy przedstawiające sceny z Pisma Świętego (*Abraham składa w ofierze syna Izaaka*) porozwieszane na ścianach, nie opaskudzone przez ani jedną pchełkę czy pluskwę – zgorzało doszczętnie, żeby z domu pozostała jedynie góra ostygłego popiołu. Baruch Bruchis był człowiekiem bardziej zrównoważonym niż małżonka, i dlatego jego marzenia nie sięgały tak daleko – zwracał pełen mściwości wzrok na sąsiednie Niemcy, na Berlin: „Hitler już odpłaci za wszystko tym bolszewikom!"

Natomiast Amos nie liczył ani na podpalenie, ani na Hitlera – też znaleźli sobie mściciela za żydowskie krzywdy! Uważał, że najważniejszą rzeczą jest pokazać tym golcom-grabieżcom, że nic, ale to n i c a n i c, się nie zmieniło. Muszę z Jechielem jak dotąd grać w ping-ponga – chociaż bez rakietek i piłeczek. Ojciec powinien codziennie – tak jak to robił przez ponad trzydzieści lat – chodzić do pracy i wydawać polecenia – a oni niechaj ich sobie nie wykonują. Matka rano powinna malować usta – choćby bez szminki. Wszystko musi być tak jak dotąd.

Amos zapewniał rodziców, że władza radziecka nie utrzyma się długo, ale ani Baruch, ani Mera nie wierzyli tym zapewnieniom. Praktyczni i przezorni wiedzieli, że to, co straciło się dzisiaj, jest stracone na zawsze.

– Jeżeli długo nie widać słońca, nie oznacza to jeszcze, że go nie ma – protestował Amos.

Czasami razem z ojcem szedł do fabryki i nie mógł się nadziwić, kiedy widział, z jakim szacunkiem i szczerym poważaniem odnosili się do niego robotnicy, którzy jak dawniej nazywali Bruchisa-seniora „właścicielem". Bo rzeczywiście był jedynym i prawowitym właścicielem, nie był nim natomiast lakiernik Kiastas Henis, który zasiadł w jego fotelu.

Bruchisowi-seniorowi nieznośny ból sprawiała zabawa Amosa w „minione życie". Baruch nie mógł zrozumieć, po co jego syn i Jechiel tak się gimnastykują na opustoszałym podwórzu. Czemu mają służyć te zwierzęce podrygi? Jaki sens mają te dzikie, męczące zmagania, w których wszystko dzieje się jak we śnie – i przeciwnicy, i broń, i czas, i miejsce są jak ze snu.

Bruchis-senior doradzał synowi, żeby za ostatnie pieniądze kupił rakietki i piłeczki, ale Amos tylko się opędzał. Po co? Prawdziwa rakietka i zwinne piłeczki sprowadziłyby grę do roli zwykłej rozrywki. A cała sprawa polega właśnie na tym, że oni się nie bawią. Oni protestują... sprzeciwiają się... walczą... przeciwko bezprawiu i gwałtowi... Jeżeli ktoś woli, przeciwko o k u p a c j i.

To, czego nie pojmował Bruchis-senior, natychmiast zrozumiał zastępca miszkińskiego oddziału NKWD, Aron Dudak, przyzwyczajony we wszystkim doszukiwać się nie zwykłego znaczenia, ale znaczenia klasowego. Nawet w tym, gdzie człowiek załatwia swoją dużą potrzebę, dopatrywał się k l a s o w e g o pierwiastka – jeden chodzi do stojącego na podwórzu przekrzywionego wychodka, inni – do wyłożonej kafelkami toalety. Nigdzie nie ma równości. Nigdzie!

– Co ty, Amos, ludzi zabawiasz? – Aron próbował przywołać go do rozsądku. – Zaraz wam wyniosę z domu piłeczki i rakietki. Gdzie je masz schowane?

– Nie trzeba – głucho odparł Amos.

– Rakietki to nie strzelby, a piłeczki nie kule.

– Kule – odciął się Amos.

– My nie jesteśmy zwierzętami – powiedział Aron. – Jak chcesz, chodźcie ze mną!

– Idź – popchnął milczącego Amosa Jechiel Cukierman. Wiedział, że władzy, jakakolwiek by była, nie można się sprzeciwiać, zwłaszcza w tych wypadkach, kiedy ta władza chce zrobić coś dobrego. – Idź!

– Jaki wynik? – rozzłościł się Amos.

– Zero pięć – odparł Jechiel.

– Idziemy – powtórzył przedstawiciel nowej władzy. Chciał okazać wielkoduszność, czy to dlatego, że na biodrze czerniała mu kabura z nowiutkim pistoletem, czy też dlatego, iż nagle przypomniał sobie, jak matka Amosa, Mera, jeszcze zupełnie niedawno dawała mu ubrania po synu, a może dlatego, że Amos – gdyby córka Bankweczera Eliszeba się nie uparła – mógł zostać jego powinowatym; może dlatego, że dla niego, Arona, nie było najmniejszym problemem w ciągu dziesięciu-piętnastu minut opatrzyć drzwi nową lakową pieczęcią. – No?

Kusił Amosa swoją dobrocią i na krótki, wstydliwy moment stanowczość młodego Bruchisa zachwiała się. Jego duszę zalała fala dziwnej, smutnej czułości – czułości do domu rodzinnego, do każdego kącika i każdego przedmiotu: młody Bruchis w myślach dotknął masywnej mosiężnej klamki drzwi, starego pianina w salonie, pozłacanej menory na potężnym kredensie, i jego dłonie zostały jakby oparzone zapalonymi świecami, woniejącymi tysiącletnim zapachem świątyń, który w dzieciństwie ochraniał go od wszelkich nieszczęść i zmartwień.

Podczas gdy rozmawiali, na podwórze niepostrzeżenie wśliznęła się Mera. Podeszła do Amosa i zaczęła mu coś szeptać po francusku. Obcy język, śpiewnie i słodko brzmiący, jedynie podkreślał nierealność, ułudę tego, co się działo na podwórzu.

Amos słuchał matki, nie przerywając jej, z rzadka wtrącał dziwaczne francuskie słowo i spod oka popatrywał na Dudaka. Aron wiedział, że Mera mówi o nim i dlatego nie odchodził, najwidoczniej czekając na jakąś prośbę. W tym, że Bruchisom znacjonalizowano dom, Aron nie widział nic zdrożnego. Ale nie mógł zabronić, żeby Baruch, Mera i Amos byli niezadowoleni. Zresztą, gdyby jemu samemu przydarzyło się coś podobnego, też nie byłby zachwycony.

193

– O co ona prosi? – z gburowatą bezceremonialnością zapytał Aron Amosa, jakby Mera była głuchoniema.

– Mama proponuje okup – z niechęcią odpowiedział młody Bruchis, pragnąc dogodzić nie tyle Dudakowi, co Merze.

– Za rakietki?

– Nie... Za rodziców.

– Za rodziców? – powtórzył Aron i zwrócił się do Jechiela, jakby szukając u niego pomocy.

Drukman stał obojętnie koło stołu pingpongowego i coś przeżuwał. Zawsze w wolnych chwilach żuł, a ponieważ wolnych chwil, jeśli nie liczyć gry z Amosem, miał pod dostatkiem, na tym krowim przeżuwaniu schodziło mu niemal całe życie.

– Za ojca i matkę – z wyzwaniem powiedział Amos.

– Tak – rzekł Aron. – Ale o ile mi wiadomo, Icchak Lew i Kajla Lew już dawno umarli.

Mera podniosła głowę i bez złości, nawet z pewną wdzięcznością, wpatrzyła się w Arona. Boże! On pamięta jej panieńskie nazwisko! Zupełnie przypomina normalnego człowieka!

– Ona chce – wyjaśnił Amos – żebyście zwrócili jej fotografie... Każdy przyzwoity człowiek ma zdjęcia swoich rodziców.

– Święta prawda. – Jechiel Drukman przerwał na chwilę swoje przeżuwanie.

Aron Dudak speszył się. Jego zapadnięte, porośnięte czarną szczeciną policzki zaczerwieniły się, jakby ktoś chlusnął na nie pomidorowym sokiem. „Każdy przyzwoity człowiek ma fotografie swoich rodziców." To znaczy, że on Aron, nie jest przyzwoitym człowiekiem. Nie posiada zdjęcia ani Szachny (zdjęcia Szachny już się nie zrobi!), ani Danuty. Dopóki nie jest za późno, trzeba przyprowadzić na cmentarz fotografa. Niech sfotografuje matkę! On, Aron Dudak, też pragnie być przyzwoitym człowiekiem.

– Dobrze, dobrze – szybko powiedział Aron. – Pomówię, z kim trzeba... słowo honoru.

Nazajutrz Aron rzeczywiście zjawił się na podwórzu Bruchisów w towarzystwie Powilasa Henisa, brata tego, który został dyrektorem fabryki mebli.

Otworzyli zapieczętowane drzwi i po chwili wynieśli z domu dwie fotografie w oszklonych ramkach z czarnego dębu.

– Dziękuję, dziękuję – zdławionym głosem powiedziała Mera. – Teraz już można umierać.

– Za co ty im dziękujesz? Za co? – nie wytrzymał Amos. Ale Mera go nie słuchała. Otarła rękawem najpierw oszklone zdjęcie matki, potem ojca i wpatrzyła się w nie lękliwie szczęśliwym wzrokiem. Icchak Lew miał na sobie aksamitny surdut i aksamitną jarmułkę; bujna broda opadała na szeroką kupiecką pierś, i każdy włos, każdy najmniejszy siwy kosmyk w kędzierzawych pejsach świadczyły nie tylko o jego pobożności, ale również o ciężkich trudach, jakich mu w życiu nie brakowało. Kajlę Lew nieznany fotograf uwiecznił w długiej czarnej sukni, podobnej do chmury burzowej, i w wysokiej surowej peruce; na jej przegubach, jak ciepłe domowe ciasteczka, wydymały się pulchne białe mankiety.

– Teraz już można umierać, teraz już można umierać – jak nieprzytomna powtarzała Mera.

Dla Amosa nie była miła ta upokarzająca radość matki. Nie spuszczał wzroku z zadowolonego z siebie Powilasa Henisa, z jego tajemniczego mapnika, w którym, jakby się mogło wydawać, spoczywał plik wyroków na Bruchisów, Drukmanów i Tarajłów.

Mera nadal bez przerwy przecierała rękawem szkiełka, usiłując ożywić niezapomniane twarze rodziców, przywrócić im poprzednie barwy i rysy – dawny blask oczu, dawną różowość policzków i dawny, nieomal biblijny spokój.

– Przestań! – krzyknął na nią syn, ale Mera nie wiedziała, co z sobą począć – nikomu niepotrzebna, zagubiona, niczym kura z namokniętymi skrzydłami. W końcu przytuliła ramki do wyschniętych piersi, w których – nie bacząc na wszystkie straty – żyło jeszcze tyle miłości i smutku, iż wystarczyłoby

ich dla wszystkich, nawet dla Arona Dudaka, zastępcy miszkińskiego oddziału NKWD, i jego towarzysza, ponurego Litwina z mapnikiem na kościstym biodrze, po czym cicho, jakby stąpając po rozbitym szkle, odeszła z podwórza.

– Zamiast robić z siebie durniów, lepiej zajęlibyście się
jakąś pracą – powiedział Aron, kiedy Mera zniknęła. Nam są
potrzebni ludzie wykształceni.

– Do czego? – zainteresował się Jechiel.

Amos surowo spojrzał na swojego partnera.

– Do sporządzania spisów. Niedługo będą wybory – Aron
podchwycił nić rozmowy.

Czuł się winny, że Bruchisowie zostali pozbawieni domu,
że gwałtem ich zrujnowano i że sam brał udział w tym
gwałcie, ale pocieszał się myślą, iż wszystko to zostało zro-
bione nie dla własnej korzyści, ale dla dobra większości.
W i ę k s z o ś c i! Niewątpliwie dlatego chciał w jakiś sposób
złagodzić sytuację Bruchisów, chociażby na pewien czas;
chociażby częściowo. Aron z żaden sposób nie mógł się pogodzić ze swoim nauczycielem – Mejłachem Blochem, który
gromkim głosem zapewniał, że nowa władza z każdym dniem
przysparza sobie więcej wrogów – ukrytych i jawnych. Co,
zastanawiał się Aron, warta jest władza, której codziennie
przybywa wrogów? Prawdziwa władza nawet z wrogów powinna czynić przyjaciół. Czy z Amosa można by zrobić przyjaciela?

– Cóż z tego, że jest synem fabrykanta i wnukiem kupca
pierwszej gildii? A Marks? A Engels? Ich ojcowie też nie cha-
dzali po prośbie. Pochodzenie nie przeszkodziło im zostać
przywódcami światowego proletariatu. Amos oczywiście nie
będzie żadnym przywódcą – jest na to zbyt słaby! Ale jakąś
korzyść można z niego mieć. Należy postępować sprawiedli-
wie. Na przykład, po kiego licha władzy radzieckiej rakietki
do ping-ponga i piłeczki? Albo zdjęcia jakichś staruszków?
Bo niby co – władza radziecka będzie się wpatrywać w fotografie dwojga przedpotopowych Żydów?

– No i jak ci się podoba moja propozycja? – zapytał Aron Amosa.

– Jaka propozycja?

– Sporządzanie spisów.

– A może lepiej zostaniemy dozorcami – odgryzł się młody Bruchis. – I będziemy wywieszać czerwone flagi.

– Cha-cha! – parsknął Jechiel.

– Moją rzeczą jest zaproponować – powoli powiedział rozczarowany zastępca miszkińskiego oddziału NKWD. – Zastanów się.

Aron odwrócił się i spokojnie wyszedł z podwórza.

– Zastanów się! – dodał po litewsku Powilas Henis. Pogładził mopnik i ruszył biegiem, żeby dogonić Dudaka.

Urzędowa dobroć byłego krawczyka, jak wydawało się Amosowi, nie oddalała, lecz przybliżała niebezpieczeństwo. Najmądrzej ze wszystkiego jest wyjechać, zniknąć, rozpłynąć się, przesiedzieć w spokojnym miejscu te ciężkie czasy, a potem wrócić do Kowna. Kowno to nie Miszkino. W wielkim mieście łatwiej jest na jakiś czas ukryć się na dnie.

Ale ojciec, Baruch Bruchis zapewniał, że ma pewien plan i że jeżeli ten plan się powiedzie, to wszyscy zostaną uratowani.

Amos nie wierzył ojcu. Nie ma żadnego planu. Po prostu nie chce zostawać sam z chorą żoną, dla której w domu nie było nic droższego nad te dwie oszklone fotografie w ramkach i umilkłe pianino w pokrowcu.

– Jaki jest ten twój plan? – zapytał ojca bez ogródek.

– Istnieje możliwość przedostania się do Szwecji.

– Do Szwecji?

– Przez Rygę... Glazer pomoże...

Młody Bruchis nie znał żadnego Glazera. Ojciec nigdy nie wtajemniczał go w swoje plany, ale Amos domyślał się, że oprócz dochodów z fabryki mebli ma on jeszcze jakieś oszczędności – najprawdopodobniej nie w litach, ale w dolarach. Nie miało jednak najmniejszego sensu pytać go o to. Od czasu do czasu Bruchis-senior dokądś wyjeżdżał, zostawiając Merę samą. Czasami Amosowi wydawało się, że ojciec ma gdzieś kochankę – może istotnie tak było – i że już nie wróci, ale wracał po dwóch, trzech tygodniach wesoły, odmłodzony.

Czyżby ojciec miał zamiar wyjechać sam?

Jeszcze w dzieciństwie Amos zauważył, że stosunki między rodzicami opierają się raczej na wzajemnej wyrozumiałości, że łączy ich raczej rozsądek niż obopólna miłość. Bo i skąd miała się wziąć? Narzeczona była starsza od narzeczonego o sześć wiosen, i różnica wieku, początkowo niedostrzegalna, z każdym rokiem ujawniała się coraz ostrzej. Icchak Lew, kupiec pierwszej gildii, wydając swoją jedynaczkę, pannę, a właściwie już starą pannę, nie wymagał od młodego chłopaka Barucha Bruchisa, miłości. Wymagał od zięcia, żeby był pracowity i płodny, żeby w domu przybywało i pieniędzy, i potomstwa. Dochody i żona, jak powiedział Icchak Lew, powinny rozmnażać się równocześnie.

Pieniędzy w rodzinie Bruchisów przybywało istotnie, ale Mera rodziła tylko dwa razy, a i to z dziesięcioletnią przerwą.

Kiedy urodził się Calik, stosunki pomiędzy rodzicami się poprawiły, ale kiedy utonął w zdradliwym Niemnie, w domu znowu powiało chłodem. W miasteczku przepowiadano rozwód, widocznie jednak długa procedura sądowa i kłopotliwy podział majątku powstrzymywały Barucha Bruchisa od takiego kroku.

Na oko wydawało się wszystko w porządku, ojciec zachowywał się wobec matki przyzwoicie, kupował jej wytworne prezenty – kolie, suknie, bransolety. Jak gdyby odpracowywał posag, który pozwolił mu wypłynąć z dna na sam szczyt fali – najpierw kupić trak, potem fabrykę mebli, którą dzięki swojemu sprytowi i zręczności potrafił uczynić sławną w całej północnej Europie.

Kiedy tylko załatwię wszystko w Rydze, natychmiast po was przyjadę – powiedział ojciec.

Amos milczał.

– Nie wierzysz mi?

Milczenie syna stawało się wyzywające.

– Nie wierzysz?

– Można by pomyśleć, że od mojej odpowiedzi cokolwiek zależy – powiedział Amos. – Dzisiaj nikt nikomu nie wierzy.

– Nawet syn ojcu?

– Ani syn ojcu, ani kraj krajowi, ani naród narodowi... Na świecie jest zbyt wiele gówna. A wiara to taki ptak, który nie gnieździ się w gównie... Czy jesteś ślepy? Nie widzisz, co się dokoła dzieje?

– Widzę, widzę... nie bez powodu związałem się z Glazerem. On przysięga, że łotewscy rybacy za trzy tysiące dolarów przewiozą nas na tamten brzeg. Sprawa nie utknie z powodu pieniędzy. Dzięki Bogu zawczasu się domyśliłem, że ich część należy przerzucić do Sztokholmu.

Wyznania ojca nic ucieszyły Amosa, lecz zrobiły na nim wręcz nieprzyjemne wrażenie. Ile jeszcze tajemnic ukrywa?...

– Zupełnie jakbyś mnie o coś podejrzewał – poskarżył się ojciec. Nie liczył na zachwyt syna, ale nie spodziewał się takiej obojętności. Wydawało się, że kto jak kto, ale Amos pierwszy podchwyci jego pomysł.

– Ależ o nic cię nie podejrzewam – powiedział Amos. Ale jego głos brzmiał nieszczerze. Amos nie potrafił uwolnić się od uczucia, że ojciec „tę całą Szwecję" wymyślił dla siebie, że postanowił się od nich wszystkich uwolnić, oswobodzić.

– Mam zamiar pojechać do Kowna... – ochrypłym głosem rzekł Amos. Dowiedzieć się, czy relegowali mnie z uniwersytetu, czy przez pomyłkę tego nie zrobili...

– Jedź. – Ku jego zdziwieniu ojciec nie wyraził sprzeciwu.

– A co z mamą?

– Mama na razie zostanie w Miszkine. Jakoś się dogadam z Danutą. – Baruch Bruchis zaczerpnął tchu i mówił dalej:

– Danuta nie odmówi. Przygarnie mamę, a jeżeli się namyślisz, to ciebie też przyjmie. Pomieszkacie na cmentarzu, dopóki nie wrócę z Rygi.

Szczerze mówiąc, Amos nie żywił najmniejszej nadziei, że wszystko da się jakoś załatwić. Wydawało mu się, że nowa władza zapanowała na długo, może na całe życie. Niemniej godnie ocenił nieoczekiwaną propozycję ojca. Mamie na cmentarzu naprawdę będzie lepiej. Danuta Dudak to swój człowiek. Z pewnością jeszcze do dzisiaj chodzi w sukienkach podarowanych jej przez Merę Bruchis. Jej jedynej Mera się zwierzała, jedynie z nią radziła się jak siostra z siostrą. Młodszy syn Danuty – Aron, obecny zastępca naczelnika miszkińskiego oddziału NKWD, do pięciu lat chował się razem z Amosem, jadał z nim przy jednym stole, donaszał jego buciki i szubki.

Mera Bruchis długo się upierała, nigdzie nie chciała się przenosić, ale w końcu mężowi i synowi udało się ją przekonać. Jakub Dudak przyjechał po Merę furmanką i przewiózł na cmentarz cały jej dobytek składający się z dwóch puchowych poduszek, jednego flanelowego koca, dwóch oszklonych fotografii w ramkach z czarnego dębu i kilku kuchennych naczyń.

Kiedy furmanka, na której poza Merą siedzieli jeszcze Baruch Bruchis i Amos, podjechała pod cmentarną bramę, odwieczną ciszę przeszył głośny lament. Było w nim tyle goryczy, był tak przejmujący i żałosny, że z nagrzanych sosen niczym czarne żałobne chusty wzniosły się do nieba wiecznie ruchliwe wrony.

Mera płakała, dławiąc się łzami upokorzenia.

– Pogrzebcie mnie, pogrzebcie! – prosiła unosząc i opuszczając głowę. – Dla wszystkich jestem jedynie ciężarem.

– Niechże się pani uspokoi – błagała Danuta. Pomogła jej zsiąść z furmanki, ujęła pod ręce i powoli, mamrocząc jakieś przymilne, niemal zapomniane słowa, poprowadziła kobietę polną dróżką w kierunku chaty.

– Jaka ze mnie pani! Jaka pani! – lamentowała Mera, załamując ręce. – Jestem dziadówką! Żebraczką!

– Pani, pani – powtarzała Danuta. – I zawsze pani zostanie panią! Szlachcic nawet bez majątku jest szlachcicem. A hołysz w pałacu pozostanie hołyszem.

– Biada mi, biada! – Bruchisowa nie mogła się uspokoić.

– Mamo! – nie wytrzymał Amos.

Mera nagle umilkła, obrzuciła syna smutnym spojrzeniem i rzekła:

– Pamiętasz Danutę? Ona jest dobra, dobra – śpiewnym głosem powiedziała matka i znowu zalała się łzami.

– Akurat! Dobra! – Zaprotestowała Danuta. – Prawdziwa wiedźma ze mnie!

Weszli do chaty.

– Proszę się rozgościć. To pani pokój... – Danuta wskazała na szczodrze oświetlony słońcem kwadrat. – A to – nasz! Ty, Amosku, będziesz musiał spać na podłodze... na sianie, dopóki Jakub nie sklei łóżka.

– Dobrze – zgodził się Amos.

Danuta nakryła do stołu, zrobiła herbatę, z piwnicy przyniosła dzbanek miodu i kozi ser.

Wbrew wszelkim oczekiwaniom, Amos bardzo szybko zadomowił się na cmentarzu. Cmentarz wydawał mu się miejscem, gdzie nie istnieje żadna władza, gdzie nierozłącznie i zgodnie, na równych prawach, włada życie i śmierć, gdzie nikogo przed pochówkiem nie pytają: jesteś czerwony czy biały, jesteś komunistą czy syjonistą? Wszystkich zrównuje łopata. Łopata jest sprawiedliwsza niż Stalin czy Chamberlain, niż Hitler czy Benesz. Na jej końcu znajduje się więcej równości niż na całym świecie.

Od rana do wieczora Amos wałęsał się z Jakubem Dudakiem po cmentarzu, pielił, podmiatał, przenosił kamienie, odnawiał napisy, naprawiał ogrodzenie.

Na szczęście nikogo nie chowano i można się było wylegiwać w wysokiej cmentarnej trawie albo postać w zadumie nad grobem dziadka Icchaka Lewa. Albo brata Calika.

– W lecie zawsze jest tak mało pogrzebów? – zapytał kiedyś Amos Jakuba

– Przed wojną niewielu ludzi umiera – wyjaśnił grabarz.

– To, twoim zdaniem, będzie wojna?

– Będzie – mruknął Jakub. – W czasie wojny grabarze nie mają nic do roboty.

– Dlaczego?

– Dlatego, że wojna to czas, kiedy nie grzebie się zmarłych.

Dni mijały i Amos coraz bardziej przyzwyczajał się do nowego miejsca pobytu.

Niezwykła przemiana dokonała się nie tylko w nim, ale i w Merze – zmieniła się nie do poznania, przestała płakać; jej ponura twarz, szara jak zakurzone okno, nagle się wygładziła. Pewnego razu Mera poprosiła nawet Danutę o grzebień i przed zmętniałym ze starości lustrem przeczesała sobie włosy, podobne do ostatniego, zmieszanego z błotem śniegu.

Danuta starała się spełniać wszelkie jej życzenia, opiekowała się nią jak chorym dzieckiem (Mera rzeczywiście była chora), podawała jej, jak wiele lat temu gorącą herbatę do łóżka – co prawda, nie ze świeżą bułeczką z konfiturami z truskawek, ale z kawałkiem niebieskawego jak giez cukru.

W ciągu dnia Bruchisowa albo sama, albo razem z Danutą przechadzała się po cmentarzu, zbierała kwiaty, najczęściej rumianki, plotła z nich wianki, wkładała je na głowę albo bez łez, zaciskając wyschnięte wargi, kładła je na grobie Calika, który utopił się w Niemnie lub na nagrobku swojego ojca, Icchaka Lewa, kupca pierwszej gildii, który wydał ją za mąż za rosłego, pięknego Barucha Bruchisa; jeśli nawet Baruch ją kochał, to wyłącznie ze względu na posag.

– To ja, Caliku – przemawiała Mera do milczącego kamienia. – Nie poznajesz mnie? – Odwracała się do Danuty i powtarzała: – On mnie nie poznaje.

– Poznaje – pocieszała ją Dudakowa.

– Nie – upierała się Mera. – A Danutę, Caliku, poznajesz? Ubierała cię na święto Chanuki... prowadziła na ślizgawkę... Boże, Boże – wzdychała ocierając suche oczy – co to się wyprawia na tym świecie!... Syn nie poznaje matki!

Odzywać się do niej w takich chwilach nie miało sensu, i Danuta nie przerywała jej wynurzeń. Były to zbawienne majaki, podnoszące na duchu, napełniające serce miłością, przywracające sens obumarłemu życiu – życiu-kłamcy, życiu-złodziejowi; codzienne obcowanie z nieżyjącym Calikiem znowu czyniło z niej m a t k ę – siwowłosa, niemal obłąkana staruszka umierała w niej i odradzała się k o b i e t a, obdarzona wytwornymi sukniami i koliami, z którą mąż wyjeżdżał za granicę – do Karlsbadu i Baden-Baden, i która posiadała dwóch pięknych niczym judejscy królewicze synów.

Im dłużej to trwało, tym bardziej Mera odrywała się od grzesznej ziemi. Wydawać by się mogło, że nie dokuczają jej już powszednie, zwykłe troski – może sobie zrywać kwiaty, rozmawiać z Calikiem i ojcem, Icchakiem Lewem, i wspominać, wspominać, wspominać. Wspomnienia były jedyną władzą, której podporządkowywała się bez reszty, z jakąś rozkoszną, a zarazem pełną udręki pokorą.

Wyjazd ojca zmusił Amosa, by odłożył swój wyjazd do Kowna.

Kiedyś wieczorem przy kolacji, kiedy Mera położyła się już spać – spała w łóżku Szachny – Danuta zapytała:

– Powiedz mi szczerze, Amosku: macie złoto, pieniądze?

– Nie wiem... Chyba nie... – odparł zmieszany.

Dudakowa obrała kartofla z łupiny, posypała go solą i podała Amosowi.

– Nie pytam o to bez powodu... – Jej głos brzmiał cicho, niemal konspiracyjnie. – Chcę odkupić winę.

– Czyją winę? – Amos jeszcze bardziej się speszył.

– Syna... Arona... To on wam wszystko odebrał.

– On – przyznał Amos.

– Jeżeli zostało złoto lub pieniądze w banknotach, to oboje z Jakubem natychmiast je pogrzebiemy.

Amos zakrztusił się kartoflem, wypluł go i zaczął nań dmuchać.

– Wykopiemy dół i pogrzebiemy – ciągnęła Danuta. – A kiedy powróci stara władza, wskrzesimy je...

– Stara władza nigdy nie wróci – rzekł zaskoczony Amos.

– Wróci. Wszystko wraca, jak jest powiedziane w Piśmie. I wiatr, i ptaki, i stara władza.

Nad stołem kopcił kaganek, i w jego niepewnym, chybotliwym świetle wszystko w chacie przybierało niezwykły, jakiś widmowy wygląd. Nawet kartofle na stole wydawały się bryłkami zmatowiałego złota.

– Amosku, jak przyjedzie ojciec, powiedz mu to – wyszeptała Danuta, – A my na wszelki wypadek wykopiemy jamę. Niedaleko od twojego dziadka Icchaka. On zawsze umiał pilnować pieniędzy... – Uśmiechnęła się i ten jej uśmiech, jak kaganek, niepewnym migotliwym światłem opromienił ciemność.

Amos bez słowa wyszedł na podwórze. Na kamienie nagrobne spływał daleki i niedosięgły blask gwiazd. Nagrobki sunęły po nim niby tratwy po Niemnie – bezszelestnie, w nierozdzielnym szyku. Pochwyciły Amosa, czyniąc go bezwolnym, uniosły w stronę dającego się odgadnąć w ciemności lasu, a stamtąd jeszcze dalej, za stację kolejową, gdzie bez przerwy przybywały pociągi załadowane czołgami.

Wydawało się Amosowi, że również i w tej chwili słyszy jakiś łoskot, ale odgłos ten dochodził nie z lasu, nie ze stacji kolejowej, lecz z jego wnętrza. Całą jego istotą wstrząsał jeden dźwięk, który się nasilał, wświdrowywał w świadomość. Może był to strach, może przeczucie jakiejś tragedii, której się nie da zapobiec; pozbawiało go ono woli, zdolności przeciwstawienia się okolicznościom. Bo w istocie – w jaki sposób znalazł się na tym cmentarzu, wśród tego skupiska niemych kamieni, w tej przedpotopowej chacie? Co tu robi? Na co liczy – on, znawca prawa rzymskiego, erudyta, o którym profesor Antanawiczius mawiał, że jest urodzonym prawnikiem, prawdziwą gwiazdą. Dlaczego siedzi i potulnie wysłuchuje bredni matki zamiast uciec stąd do Kowna, na uniwersytet, do „Moniki" czy „Konrada", gdzie na razie nie ma ani czołgów, ani czerwonych flag, natomiast jest francuskie czerwone wino i usłużni kelnerzy w białych gorsach.

Amos patrzył na gwiazdy i myślał o tym, jak wszystko nagle się pogmatwało, splątało, zasupłało w jeden nierozerwalny węzeł: i ta gra w ping-ponga do utraty sił, i te mogiły pod rozgwieżdżonym niebem, i ta łotewsko-szwedzka tajemnica ojca, i postępująca błyskawicznie choroba matki.

Chciało mu się wyć, płakać, zwinąć się w kłębek, stać się maleńką kępką, ale w tej chwili usłyszał odgłos kroków.

– Danuta!...

– Młodzi nie powinni sypiać na cmentarzu – powiedziała podchodząc. – Kiedy byłam młodsza, też nie mogłam usnąć. Myślałam: zamknę oczy i już nigdy się nie obudzę. Ale potem przywykłam. Człowiek przywyka do wszystkiego – do cmentarza, do więzienia, do śmierci. Do wszystkiego, poza cudzym łóżkiem. – Danuta pomilczała chwilę i ciągnęła dalej: – Ale ty Amosku, nie słuchasz... myślisz o ojcu... ale niedobrze myślisz... niedobrze...

– Skąd wiesz? – wyrwało mu się.

– Ja wiem wszystko.

Amos jeszcze w dzieciństwie słyszał o jej cudownym darze przepowiadania przyszłości – zwłaszcza jeśli to dotyczyło nieszczęść i wszelkich utrapień... Zapewniała, że posiada ten dar po prababce – besarabskiej Cygance, z którą w niepamiętnych czasach ożenił się kornet Skujbyszewski.

– Niedługo wróci twój ojciec. Przywiezie wam ważną wiadomość.

– Jaką? – niecierpliwie zapytał Amos. – Dobrą czy złą?

– Raczej złą niż dobrą. Ale nie upadaj na duchu. Czeka was daleka droga...

– Dokąd? – Amos domagał się, żeby Danuta wymieniła konkretne miejsce – kraj, miasto.

– To nieważne, Amosku, dokąd, ważne – skąd. Wyjeżdżajcie, zanim nie jest za późno. Wyjeżdżajcie.

– A wy?

– A my to niby dokąd? Z jednego cmentarza na drugi? – rzuciła Danuta i powoli poszła w kierunku chaty.

Po dwóch dniach przyjechał ojciec, przybity, milczący, wychudzony. Już po samym jego wyglądzie Amos odgadł, że wydarzyło się coś niedobrego.

Ojciec nie zasiadł do jedzenia, umył się w chłodnej studziennej wodzie, skrył się przed palącym słońcem pod rosochate sosny przy samym ogrodzeniu cmentarza i zaczął poprzez ich wierzchołki wpatrywać się w niebo.

Było cicho. W błękitnym powietrzu krążyły odurzone trzmiele.

Brzęcząca cisza, niby daleki odgłos obracających się młyńskich kamieni, usypiała.

Ale Baruch-senior nie spał. Nadal wpatrywał się w niebo, jak gdyby tam, pośród pierzastych obłoków, lada chwila miała pojawić się boska wskazówka – jak żyć, co robić?

– Opowiadaj! – poprosił Amos, podchodząc do ojca z uczuciem świerzbiącego wstydu za swoje niedobre podejrzenia. Boże, jak on śmiał podejrzewać ojca, że zdecydował się na ucieczkę, zapominając o honorze, przyzwoitości, o obowiązkach głowy rodziny! Gdyby ojciec rzeczywiście myślał o ucieczce, to ani słowem nie napomknąłby o Rydze, a tym bardziej o Szwecji, nie zaczątłby z nikim omawiać szczegółów, wymieniać żadnych nazwisk.

– A co tu jest do opowiadania? – nachmurzył się Bruchis--senior. – I tak wszystko jest jasne.

– Klapa?

– Jakby ci tu powiedzieć: i tak, i nie. Na miejscu pozostała Zatoka Ryska, na miejscu są rybacy ze swoimi łodziami, na miejscu jest Szwecja – ponuro zażartował ojciec. – Brakuje jedynie pośrednika – Glazera.

– Umarł?

– Dla nas umarł. Nie mógł, łajdak jeden, znaleźć się za kratkami miesiąc później!

A Danuta przepowiadała daleką drogę! Ale może miała na myśli inny kierunek. Nie Szwecję, lecz Wschód... Wschód... aż strach wypowiedzieć to słowo – Rosja! Amos na trzecim roku czytał książkę *Czerwony terror*. Na błękitnej okładce – sierp i młot; z sierpa skapuje krew, a na końcu młota jest czaszka. W książce tej wszystko opisano: chłopów, kupców, fabrykantów zesłanych na Sybir wyłącznie za to, że żyło im się lepiej niż ich dozorcom więziennym i konwojentom.

– „Wyjeżdżajcie! Wyjeżdżajcie, dopóki nie jest za późno!" I dokąd teraz wyjechać? Dokąd?

Za cmentarzem jest następny cmentarz. Za obczyzną – następna obczyzna.

Powrót ojca nie wniósł żadnych zmian do ich życia.

Mera jak gdyby nigdy nic nadal zbierała kwiaty i prowadziła rozmowy z Calikiem. Szwecja do niczego nie była jej potrzebna. A Sybirem w ogóle się nie przejmowała.

Grób Calika płonął złoto-czerwonym płomieniem – nie ugaszonym jak sterta siana, i Mera wynurzała się z niej niby prorok Mojżesz – rozpromieniona i zwycięska.

Ojciec czule ujmował ją pod rękę – taki czuły był tylko w dzień ślubu! i próbował odprowadzić ją do chaty.

Codziennie rano szedł do fabryki, gdzie nowy włodarz Kiastas Henis z litością, ale i z szacunkiem dla bystrego, niezawodnego umysłu Bruchisa, mianował go buchalterem. Zmęczony i zastraszony, z rękami poobijanymi kostkami liczydeł, wracał wieczorem z pracy i zastawał żonę przy tym samym żałosnym i bezsensownym zajęciu.

– Mero! – przekonywał ją Bruchis. – Czy zapomniałaś, że Żydzi nie składają kwiatów na grobie?

Bruchisowa mrużyła oczy i wyraźnie, jak na lekcji, odpowiadała:

– Nie wszystko, co robią Żydzi, jest dobre. Żydzi, na przykład, rzucają kwiaty pod czołgi. Pamiętam, jak to było rok temu. Stałam w oknie i patrzyłam.

Wyrywała się z rąk Bruchisa, podbiegała do jakiejś sosny czy ogrodzenia, zrywała dopiero co rozkwitnięty rumianek i uroczyście, żeby było słychać na całym cmentarzu, w całym miasteczku, na całej Litwie, na całym świecie oznajmiała:

– Wspomnicie moje słowa: niedługo ich samych rzucą pod czołgi.

Proroctwa Mery sprawiały, że Amos dygotał ze strachu.

– Należałoby ją oddać do szpitala – mówił ze smutkiem, kiedy udawało się odprowadzić matkę do chaty.

Łatwo powiedzieć – do szpitala. Dawniej Bruchis natychmiast zawiózłby żonę do lekarzy w Szawlach albo Kownie. Mógł sobie pozwolić na to, żeby pojechać z nią nawet do Królewca (począwszy od trzydziestego trzeciego roku Żydów tam nie leczono, ale żydowskie pieniądze były silniejsze od wszelkich zakazów). Tak było dawniej, a teraz? Pensja buchaltera nie wystarczy nawet na pokrycie kosztów podróży. Gdyby miał pieniądze, sam by się położył w szpitalu i umieściłby tam również Amosa, dopóki te wszystkie okropności by się nie uspokoiły.

Stan Mery przerażał go, ale nie mógł i nie chciał pogodzić się z myślą, że pomieszało się jej w głowie. Czy Żydzi nie rzucali kwiatów pod radzieckie czołgi? Rzucali! I Aron Dudak, syn Danuty, i ten stuknięty introligator Mejłach Bloch, i Chaskiel Bregman. Sklepikarz, a nie oparł się pokusie, rzucił bukiecik nie po to, by złożyć hołd nowej władzy, ale z przywiązania do własnego sklepiku; a nuż mu go zostawią.

Mimo iż Barucha Bruchisa niepokoił ogromnie stan żony, najbardziej gnębiło go co innego – niemożność rozerwania tego zaczarowanego kręgu, ucieczki z tych zatrutych nienawiścią obszarów, wyzwolenia się spod tej władzy, dla której nie istniało takie pojęcie jak c u d z e. Jeśli nie ma c u d z e g o, rozważał Bruchis, cudzej wiary, cudzego majątku, cudzego życia, to znaczy, iż dozwolone jest wszystko.

Sam pobyt na cmentarzu, upokarzający, narzucony przez okoliczności, wydawał mu się jakimś złym snem. Zgodził się tu przenieść wyłącznie dlatego, że nie chciał swoim nieszczęściem kłuć ludzkich oczu, sprawiać przyjemności wrogom. Cmentarz był jak gdyby tarczą chroniącą przed ohydnymi drwinami, przed otwarcie okazywanym złośliwym zadowoleniem, przed własną pokusą, by wejść na ganek zarekwirowanego domu, zajrzeć w okna, poprzechadzać się po ogrodzie opadającym w stronę Niemna, podotykać otulonych dobroczynną bielą gałęzi jabłoni.

Bruchis-senior przekonywał siebie i Amosa, a czasami i Merę, że cmentarz – to przejściowy etap, że niebawem wszystko się zmieni. Ale czas płynął, a nic się nie zmieniało.

Do wszystkich utrapień i niewygód dołączyły się jeszcze ponure pogłoski o mającym nastąpić przesiedleniu „byłych" fabrykantów, właścicieli domów, dużych sklepów, rabinów, ludzi żyjących Torą i Palestyną. Jehuda Drukman, właściciel fabryki zapałek, ojciec Jechiela, zaklinał się i przysięgał, że w Kownie i n już się zaczęło.

Mózg Barucha Bruchisa, który go nigdy nie zawodził i zawsze znajdował jakąś ścieżynkę w najgęstszych zaroślach, gorączkowo pracując poszukiwał wyjścia z sytuacji.

Ale wyjścia dla wszystkich razem nie było.

– Amosie! – powiedział Baruch Bruchis, pragnąc uratować bodaj syna. Mimo że Litwa jest taka mała, jeden człowiek zawsze zdoła się w niej ukryć. Dam ci list do księdza Zalatoriusa do Szylel.

– Nie – uciął krótko Amos.

– Ale dlaczego?

– Ja chcę żyć, a nie ukrywać się. Ż y ć!

– Są czasy, kiedy nie można żyć, nie ukrywając się – usiłował przekonać go ojciec.

Im bardziej jednak go przekonywał, tym ostrzej odczuwał Amos beznadziejność ich sytuacji. Natarczywość ojca, jego nieoczekiwane, niemal fantastyczne pomysły, żeby zaszył się w klasztorze albo podał za cudzoziemca (Bruchis obiecywał zdobyć dla niego podrobiony paszport – niemiecki lub austriacki), budziły w Amosie nie współczucie, lecz jakieś tępe rozdrażnienie. Jedyną rzeczą, o której marzył z jakimś nienawistnym uporem było to, żeby jak najszybciej nadszedł koniec.

I koniec nadszedł.

Był najzwyklejszy ranek – cichy, jasny, nie zapowiadający ani błyskawic, ani piorunów.

Nad cmentarzem wstawało ogromne i sprawiedliwe słońce.

Pierwsza odgryzła słoneczny kąsek koza. Zabeczała radośnie i jej bek, niczym jasny ciepły deszczyk, zastukał w zapaskudzone przez muchy okna i spadł na ziemię.

Amos obudził się na skleconym przez Jakuba łóżku.

Otworzył oczy. Zaczął nasłuchiwać.

Warkot silnika zagłuszał modlitwę kozy.

Amos szybko wciągnął spodnie i podbiegł do okna.

Do cmentarza, owiewając kłębami dymu słońce, zbliżała się ciężarówka.

W kabinie siedział starszy już żołnierz w furażerce – kierowca.

Obok niego, jak na fali, kołysał się Aron. Wiatr mierzwił jego czuprynę.

Ciężarówka wjechała przez otwartą na oścież bramę cmentarza i zatrzymała się przed chatą.

Aron otworzył drzwiczki i zeskoczył na wydeptaną trawę.

Amos zobaczył, jak żołnierz w furażerce, który został w kabinie, wyciągnął papierośnicę, wyjął z niej papierosa i zapalił.

Bluźnierczy dymek popłynął nad żydowskimi grobami.

Z chaty wyszła Danuta.

Podbiegła do Arona, objęła go.

– Powiedz mu, żeby nie palił – poprosiła.

– Wasilij! – krzyknął Aron. – Zapalisz, jak będziemy wracać. Długo tu nie zabawimy.

Żołnierz grubym niczym korek od butelki palcem zgasił papierosa.

– Zawsze się śpieszysz – poskarżyła się Danuta. – Nigdy nie możesz z nami...

– Śpieszę się, matko, śpieszę... Wszyscy są na miejscu?

Danuta w pierwszej chwili nie zrozumiała, o kogo syn pyta, ale szybko zorientowała się i zmarkotniała.

– Wszyscy oprócz Jakuba.

– Jakub nie jest mi potrzebny – odparł Aron.

– Przyjechałeś po nich? – Danuta zwróciła ku chacie ciężką nagle głowę.

– Tak.

– Ale oni przecież nie zrobili ci nic złego. Poili cię, karmili, odziewali...

Z chaty wyślizgnęła się Mera. Uśmiechając się pokornie, pokłoniła się Danucie i Aronowi, obrzuciła wzrokiem żołnierza i szybko, biegiem, puściła się w głąb cmentarza.

Aron stał przed matką obcy, zniecierpliwiony, z kaburą na biodrze, i rozglądał się dokoła, jakby znalazł się tu po raz pierwszy.

W oddali, wśród nagrobków, przechadzała się Mera i spokojnie, powoli, zrywała kwiaty.

– Przynajmniej ją zostaw – pochwyciwszy wzrok syna, wyszeptała Danuta. Po co wam taka jak ona?...

Prośba matki uraziła Arona, drgnął i chcąc zakończyć ten okropny targ, rozkazał żołnierzowi krótko:

– Wasilij! Otwieraj skrzynię!

Żołnierz ruszył do ciężarówki, wspiął się na palce i rozsunął brezent.

Skrzynia samochodu czerniała jak grób.

– Boże, Boże! Dlaczego milczysz? – uderzyła w lament Danuta.

Zaczęła się miotać, podbiegła do chaty, ale w tej chwili zza niedomkniętych drzwi wysunął się Amos.

– Amosku! Amosku! – zawołała Danuta i rozpłakała się.

Nie mówiąc ani słowa, młody Bruchis jak skazaniec ruszył w kierunku ciężarówki i po chwili Aron ujrzał, jak szybko po opuszczonej drabince wspiął się do skrzyni.

Po chwili jej grobowa ciemność wchłonęła również zaspanego Barucha Bruchisa.

Tylko Mera wciąż jeszcze rozmawiała z Calikiem.

– Ja sama ją przyprowadzę – powiedziała Danuta, kiedy Aron ruszył ku bramie.

211

Grób Calika tonął w kwiatach.

Koza wtykała w nie swoją białą mordkę, ale Mera jej nie odganiała...

– Proszę pani – podchodząc powiedziała Danuta. – Pan Baruch i Amos czekają na panią... Wyjeżdżacie... wyjeżdżacie... wyjeżdżacie... – Jej słowa przypominały zgraną płytę.

– Dokąd? – zapytała grzecznie Mera.

– Pan Baruch mówi, że do Palestyny. Tam jest dużo, dużo kwiatów.

– A Calik? A mój ojciec Icchak? A moja matka Kajla?

Danuta ujęła ją pod rękę i poprowadziła przez cmentarz do krytej brezentem ciężarówki.

Drabinka była niewysoka, ale Mera w żaden sposób nie mogła trafić nogą na stopień, bez przerwy się ześlizgiwała.

– Wasilij! – krzyknął Aron.

Żołnierz zrozumiał go w pół słowa.

Unieśli Merę i lekko, niczym szmacianą lalkę, podsadzili do samochodu.

– Jedziemy! – ryknął Wasilij, ucieszony, że w końcu będzie się mógł zaciągnąć dymkiem, na który tak rzetelnie zapracował.

Aron poprawił kaburę, przeczesał niesforną czuprynę, i jakby prosząc matkę o wybaczenie, przytulił się do niej nie ogolonym policzkiem.

– Nie przejmuj się... Jakiś czas pożyją w obcych stronach i wrócą.

– Bóg was skarze – powiedziała Danuta, zagryzając wargi. Dzisiaj jej serca nie można było rozgrzać ani pieszczotą, ani czułymi słowami. – Tylko mnie nie przekonuj, że Go nie ma. Bóg jest i pozostanie na wieki, bo gdyby Go nie było, to byście chyba cały świat nakryli brezentem i zamienili w jedną wielką skrzynię.

Mówiła coś jeszcze z rozpaczliwym uporem, ale Aron jej nie słyszał – warkot silnika wstrząsał niebiosami.

Rejzł

Od chwili, kiedy Aron Dudak został naczelnikiem – kiedy przewiesił na biodrze kaburę z pistoletem i wdział wojskową bluzę – prawie przestał się pokazywać w domu teścia. Bywało, że wpadał na chwileczkę, cmoknął Rejzł w policzek, z zadowoleniem w oku jak właściciel, obrzucił spojrzeniem żonę, przełknął plasterek wołowiny czy talerz zupy grochowej i tyle go widziano.

W dzień i w nocy Aron jeździł po okolicy i nikt, nawet wszechwiedzący Chaskiel Bregman, przed którym nie mogło się ukryć najmniejsze wydarzenie w miasteczku, nie potrafił dokładnie określić, czym się zajmuje.

Gedali Bankweczer, który równocześnie stracił i zięcia, i czeladnika, był głęboko przekonany, że Arona kiedyś zastrzelą. On kiepsko skończy, prędzej czy później, zapewniał Bankweczer córkę, żądając od niej stanowczych posunięć, do rozwodu włącznie.

Ale Arona nie można było przestraszyć ani rozwodem, ani kulami.

W zeszłym roku ledwie uszedł cało z Paszilajcziaj. Co go zmusiło, żeby gnać dwieście wiorst, i do tego jeszcze w bożonarodzeniowy mróz, pozostanie tajemnicą. Może wybrał się w tę głuszę, by wytłumaczyć chłopcom korzyści płynące z wprowadzenia kołchozów, może postanowił systemem poglądowym, opierając się na przykładach historycznych, udowodnić, że religia to opium dla narodu, a może pojechał tam, żeby kogoś aresztować – skoro jest nowa władza, potrzebni są nowi aresztanci.

No więc Aron wyjechał do Paszilajcziaj i przepadł.

Minął dzień drugi, a tu ani słychu, ani dychu.

Przyzwyczajona do nieobecności męża Rejzł nie przywiązywała do jego zniknięcia większej wagi. Znajdzie się, nie zginie, kozioł jeden.

Ale reb Gedali zaniepokoił się nie na żarty. Boże, czyżby on sam rzeczywiście ściągnął nieszczęście na swój dom? Czyżby jego wnuk, niewinne, jeszcze nie narodzone dziecię, miał zostać sierotą, a Rejzł – wdową?

Pod koniec drugiego dnia zatroskany Bankweczer wybrał się do nauczyciela Arona – Mejłacha Blocha. Kto jak kto, ale burmistrz powinien wiedzieć, gdzie się znajdują jego bojownicy.

Reb Gedali wszedł do gabinetu Tarajły, gdzie zamiast wizerunku Smetony wisiał na ścianie ogromny portret Stalina z fajką w ręce. Wódz miał na sobie mundur i Bankweczer okiem znawcy natychmiast dostrzegł w nim usterkę – prawe ramię było o dwa, trzy centymetry niższe od lewego i brakowało jednego guzika. Widocznie malarzowi zabrakło farby.

– Słucham was – odezwał się uprzejmie Mejłach Bloch, spojrzawszy na portret.

– Brakuje jednego guzika – oświadczył reb Gedali i haczykowatym palcem wskazał ścianę. – Na mundurze powinno ich być do pary.

– Tak? – zdumiał się Mejłach Bloch zupełnie zbity z tropu i szybko oczyma przeliczył guziki. – W czym mógłbym wam pomóc?

– Nasz Aronek zaginął – poskarżył się Bankweczer.

– Nie trzeba się niepokoić. Znajdzie się. Jak nie żywy, to martwy, ale na pewno się znajdzie.

Ładna mi pociecha – znajdzie się martwy!

Bankweczer spojrzał na burmistrza z wyrzutem. Co można od niego zarobić? Odkąd pamięta Mejłacha, zawsze chodził w tej samej marynareczce. A kto przez całe życie chodzi goły, ten nie może rządzić ubranymi.

Zaginiony zięć objawił się na trzeci dzień.

Od Arona zalatywało wonią nawozu i zatęchłego siana; trząsł się cały; bez przerwy pocierał swoją rudą szczecinę, długo i głośno czkał, na próżno usiłując zdjąć buty – jego służbowe obuwie jakby przymarzło do łydek.

– Gdzieżeś się ty, kochaniutki, podziewał? – nie spodziewając się odpowiedzi i akcentując słowo „kochaniutki", które zawsze zastępowało mu przekleństwa, zainteresował się Bankweczer.

– Nie pytajcie, reb Gedali – wyjęczał zięć. – Nalejcie mi lepiej szklankę wódki.

– Słyszysz, Rejzł? – teść aż się zakrztusił, słysząc podobną bezczelność. – Kiedy Żyd prosi o szklankę wódki, to albo sam kogoś zabił, albo jego samego o mały włos nie zabili.

W duchu Bankweczer cieszył się, że Aron niewątpliwie wpadł w tarapaty. Mimo że reb Gedalemu początkowo pochlebiał jego awans - przesież to nie byle co – zastępca na oczelnika NKWD w Miszkine – to jednak mimo wszystko marzył o dniu, kiedy Aron znowu usiądzie za krawieckim stołem, przy maszynie Singera. Reb Gedali dzięki niej objechał pół świata. Był tam, gdzie nikt nie bywał: w Brazylii, Urugwaju, w Paryżu i Wiedniu. Naciśniesz pedał i przenosisz się, gdzie ci się żywnie podoba. Władzą – i to w dodatku jeszcze nie we własnym kraju – to nie sprawa dla Żydów, tak czy siak ich oplują, tak czy owak dadzą kopniaka w tyłek, nawet jeżeli pałęta się na nim kabura. Na świecie obalają królów, prezydentów, generałów, a spróbuj obalić igłę - malutką, stalową, błogosławioną igiełkę!

– Nikogo nie zabiłem – rzucił Aron. – Po prostu przez dwa dni wylegiwałem się w stajni.

– To stajnia jest dla ciebie milsza niż dom rodzinny? – docięła mu Rejzł.

Przepełniało ją poczucie krzywdy. Miała zamiar zwymyślać Arona, wyrzucić z siebie wszystko, co nagromadziło się jej w duszy, ale reb Gedali nie pozwolił się córce wygadać.

– Nalej mu szklaneczkę!

Rejzł podeszła do kredensu, otworzyła skrzypiące drzwiczki, wyjęła matową, podobną do perliczki z obciętą głową karafkę i nalała dwa kieliszki: jeden dla męża, drugi – dla ojca.

– L'chaim – poweselał Aron. Nie spodziewał się takiej serdeczności od reb Gedalego, a już tym bardziej od Rejzł. Wódkę w domu Bankweczera piło się wyłącznie w wyjątkowych okolicznościach. Trzymano ją nie na własny użytek – Bankweczer nie brał do ust alkoholu – ale dla klientów. I to bynajmniej nie dla wszystkich. Głównie dla pana Tarajły. I stąd przyjęło się w domu określenie – „tarajline" czyli „tarajłówka".

– L'chaim! – poparł zięcia Bankweczer, ale nie tknął swojego kieliszka. – Cóż to, kochaniutki, się z tobą działo?

Reb Gedalemu było najzupełniej obojętne, co Aron odpowie. Jak zawsze, coś tam nałże, naplecie nie wiadomo co. Ale niech tam. Weselej jest, kiedy się słyszy kłamstwa. Widocznie tak już jest urządzony ten świat: słysząc prawdę człowiek czuje się gorzej niż słysząc kłamstwa.

– Co się ze mną działo? – jakby dla rozbiegu powtórzył Aron i zaczął opowiadać o swoich przygodach; o tym, jak przyjechał do Paszilajcziaj, jak zebrał chłopów, jak zaczął im wbijać do głowy, co to takiego stalinowska konstytucja; jak oni słuchali, kiwali głowami, częstowali go piwem własnego wyrobu i wieprzowiną.

– Wieprzowiną? – przeraził się Bankweczer.

– Co je naród, to je i władza – odparł teściowi Aron.

– Świńska władza – powiedział Bankweczer, ale natychmiast się zreflektował. Takimi komentarzami jedynie zgasi się szczerość zięcia. Zamilknie i słowa się z niego nie wydusi. – No dobrze, opowiadaj!

– Związali mnie, bestie jedne, o, takimi sznurami – zezując na „tarajłówkę" powiedział Aron i rozpostarł ręce. – Leżę godzinę, leżę dwie – ani żywego ducha... Tylko koń! Patrzy na mnie swoimi ślepiami i mruga: że niby koniec z tobą, ty żidialisie – żydziaku.

– I słusznie – warknął reb Gedali. – Po co się wałęsałeś po wsiach? Czemu chcesz uczyć Litwinów rozumu? Myślisz, że bez twoich rad nie wiedzą, jak żyć? Wiedzą... A jeżeli nie wiedzą, ksiądz ich nauczy. Czy doiłeś kiedyś w życiu krowę?

– Co ma do tego krowa? – wysapał Aron. – Ja opowiadam wam o koniu.

– Pytam: doiłeś czy nie?

– Nie, nie doiłem – przyznał się zięć. Wiedział, że to nie jest odpowiednia chwila, żeby złościć starego. Rozzłościsz go i nie dostaniesz więcej wódki. A on ogromnie chciał się jeszcze napić. Ciepło, jakie po pierwszym kieliszku rozlało się w jego wnętrzu, ulotniło się; w żołądku znowu zapanował chłód.

– Jakże ty możesz uczyć kogoś dojenia, jeżeli sam nie miałeś nigdy w ręku wymienia?

– A kto cię rozwiązał? – pośpieszyła mężowi na pomoc Rejzł.

– Szklaneczkę za odpowiedź! – Aron próbował zażartować, ale nikt się nie roześmiał. – Rozwiązał ten sam, który związał – burknął, kiedy Rejzł zapłaciła za odpowiedź.

– I to wszystko? – z rozczarowaniem, przeciągle zapytał Bankweczer.

– Wszystko

– I nie aresztowałeś ich?

– Piwo mi przeszkodziło... Zapamiętałem tylko konia. Patrzył na mnie swoimi ślepskami i mrugał – zupełnie jak człowiek.

Przygoda w Paszilajcziaj nie na wiele się zdała Aronowi. Jak dawniej, wałęsał się po okolicy, ale teraz nie przygodnymi furmankami, nie piechotą, ale motocyklem, harleyem, odebranym Jechielowi Drukmanowi, synowi właściciela fabryki zapałek.

W nasuniętym na oczy hełmie, w grubych skórzanych rękawicach, w ogromnych wypukłych okularach, podobnych do oczu rozdeptanej żaby, Aron jak wicher wpadał do sennych wsi albo na ciche, tonące w pogodnej zieleni stacyjki kolejowe, kontrolując, jak się wyrażał „sygnały z terenu".

Rejzł i przemądry Gedali Bankweczer długo nie mogli pojąć, co to są te tajemnicze „sygnały z terenu", dopóki przy

pomocy samego Arona nie zrozumieli, że sprawa dotyczyła najzwyklejszych skarg czy donosów – na przykład tu
zerwano portret Stalina i oblano atramentem, tam spalono
czerwoną flagę czy uszkodzono tory kolejowe.

Aron musiał pędzić na złamanie karku do wszystkich pil-
nych spraw w całej okolicy. Do późnego wieczora, zadręczając się najgorszymi przeczuciami, domownicy czekali na
niego, wypatrywali przez okna, wsłuchiwali się w każdy
dźwięk – czy aby nie zawarczy harley. Jacy się czuli szczęśliwi – i Rejzł, i reb Gedali, kiedy od strony rynku dobiegał znajomy warkot motocykla!

– Jedzie ten parszywiec, jedzie! – jak dziecko cieszył się
Bankweczer, wybaczając Aronowi i długą nieobecność, i podejrzaną, a z punktu widzenia krawca, bezsensowną działal-
ność.

Do domu Aron wracał podniecony, z pałającymi oczami,
bardzo z siebie zadowolony. Czasami przywoził ze swoich
podróży gomółkę wiejskiego sera z kminkiem albo plastry
miodu, przesiąknięte zapachem spalin z motocykla.

Pewnego razu Rejzł omal nie zemdlała, kiedy Aron
w szklanym słoju przyniósł na Rybacką węża.

– Co to jest? – zapytała przerażona.

– Dowód rzeczowy – odparł nie speszony Aron i jak zwy-
kle zaczął opowiadać historię, jak schwytano węża. Okazuje
się, że wrzucili go do urny wyborczej jacyś przestępcy, oczywiście wrogowie nowej władzy.

– Natychmiast go wyrzuć – uparła się Rejzł.

Ale Aron był nieubłagany. Żarliwie i bezładnie tłumaczył
Rejzł, że na wężu są odciski palców, że lada dzień przyjadą
z Kowna eksperci, którzy ustalą, do kogo te odciski należą,
i wtedy wróg klasowy, usiłujący zbezcześcić wybory, zostanie
zdemaskowany i ukarany z całą surowością prawa.

Rejzł doskonale zdawała sobie sprawę, że Aron wygaduje
nonsensy, plecie jakieś głupstwa – no bo jakież ślady można
znaleźć na łusce węża? – ale nie przeczyła mu, nie chciała od-

stręczać go od domu. Zamiast znikać na całe dnie Bóg jeden wie gdzie, zamiast leżeć w zimnej stajni, niech lepiej zabawia się z wężem w ciepłym domu i czeka na ekspertów z Kowna. Zamysły Rejzł powiodły się jedynie połowicznie.

Aron rzeczywiście początkowo poświęcał wężowi – a co za tym idzie i domowi – więcej uwagi niż dotąd: wcześniej wracał z posterunku, po drodze nigdzie się nie zatrzymywał. Czekając na ekspertyzę, Aron podkarmiał zbrodniczego gada, nalewał na talerzyk mleka, stawiał w kącie i wyciągnięty na kanapie, uszczęśliwiony obserwował, jak wąż, który stał się orężem w rękach wrogów władzy radzieckiej, otwiera swój maleńki pyszczek i ssie biały płyn.

Ale tiwało to jednak niedługo.

Eksperci z Kowna nie zjawiali się, więc Aron oddał węża pod opiekę litościwej żony i wyzutego z wszelkich idei teścia.

– Boże, Boże! – powtarzał przygnębiony Bankweczer – Zamiast męża i zięcia dostaliśmy węża! To gadzisko odstraszy wszystkich moich klientów!

Korzystając z tego, że zięć wyruszył na swoim (?) wiernym harleyu w kolejny objazd okolicy, Bankweczer owinął węża w kawałek starej nogawki i, jak złodziej rozglądając się na wszystkie strony, wyniósł go do sąsiedniego ogrodu.

Rejzł czekała na awanturę. Aron przyjedzie i rozniesie wszystko w drobny mak. Obwini Gedalego Bankweczera o najstraszliwsze grzechy – sprzyjanie wrogowi klasowemu, współudział w przestępstwie, nieomal spisku.

Ale do burzy nie doszło.

– Macie szczęście – burknął Aron, spoglądając zezem na pusty słój. – Centrala postanowiła zrezygnować ze śledztwa.

Rejzł spadł kamień z serca.

W ciągu ponad dwóch lat wspólnego życia przekonała się, że w głowie Arona nie istnieje żadna granica pomiędzy zmyśleniem a prawdą. Nigdy nie można było być pewnym, kiedy mówi poważnie, a kiedy żartuje. No i rozeznaj się tu, człowieku, czy rzeczywiście podrzucono do urny wyborczej zwinnego żmudzkiego węża, czy też Aron po prostu schwytał go gdzieś w trawie. Schwytał i postanowił sobie z niej zakpić. A ona i ojciec zamiast potraktować jego żart z wyrozumiałym uśmiechem, nagle się wystraszyli.

Chwilami Rejzł wydawało się, że również harley i przedziwna praca Arona, i ten pistolet w kaburze na biodrze, to nic innego jak zabawa. Aron rozweseli sobie trochę duszę i da sobie z tym wszystkim spokój. Rzuci to i znowu powróci do szycia.

W jego ustawicznych męczących rozjazdach, które do niczego nie prowadziły, w nieustannej gorliwej krzątaninie więcej było chłopięcego nieokiełznania, buntu przeciw bezbarwnej i nudnej młodości, w której dzień w dzień łatał cudzą odzież, niż przckonania i wiernej służby, starała się pocieszyć Rejzł.

W sporach z ojcem zawsze broniła i osłaniała męża. Pamiętała go jako przyjaciela – serdecznego i czułego – i wierzyła, że pozostał taki jaki był.

Wystarczyło, żeby Aron zaczął śpiewać jakąś piosenkę, a oczy Rejzł natychmiast wilgotniały. Pokój wypełniała mgła, słodka, pachnąca rybami i wodorostami mgła.

Melodia uprowadzała Rejzł nad Niemen, tam gdzie jeszcze tak niedawno biegali z Aronem się kąpać.

Rejzł nie wiedziała dlaczego, ale kiedy jej duszę ogarniał smutek, zawsze przypominała sobie te kąpiele, ten piaszczysty stok, z którego Aron rzucał się do wody, ten radosny, szalony, rozkochany krzyk:

– Licz!

A ona stała na brzegu, wystraszona, szczęśliwa i niczym kukułka odliczała, jak długo Aron wytrzyma bez oddechu w wodnym odmęcie.

– Raz, dwa... pięć... dwadzieścia...

– Aron wynurzał się na powierzchnię i wśród bryzgów wody, z zachwytem w oczach, pytał:

– Ile?

– Pięćdziesiąt cztery.

– Mało!

I znowu znikał pod płynnym zielonym aksamitem.

– Aron! – krzyczała nie swoim głosem, tracąc rachubę, Rejzł. – Aron! Aron!

Echo roznosiło jej krzyk na wszystkie strony.

Straciwszy cierpliwość, Rejzł rzucała się do rzeki, i woda jednoczyła ich oboje; zlewali się w jedną dziwaczną czworonogą istotę, na długo, na zawsze, na wieki.

– Kukułeczko! – prychając i otrząsając na nią krople wody ze swoich rudych włosów wołał Aron, i wszystko zaczynało się od nowa: i stok, i plusk, i liczenie.

Teraz kąpiele zostały zapomniane, jakby Niemen wysechł. Teraz Aron nie nazywa jej już „kukułeczką". A jeżeli śpiewa, to wyłącznie tę swoją *Międzynarodówkę* albo *Świt różowi Kremla ściany.*

– Co Żyda może obchodzić, na jaki kolor świt ubarwia ściany Kremla? – gorączkował się Gedali Bankweczer i na złość zięciowi zaczynał swoją urzekającą piosenkę, która przetrwała dziesięciolecia, i którą jeszcze jego prababka śpiewała nad kołyską.

> *Wen dy west wern rajch, majn jidełe,*
> *West dy dermon en sich daj mames lidełe.*
> *Rozinkes mit mindłen –*
> Co znaczyło:
> *Kiedy zostaniesz bogaty, syneczku,*
> *wspomnisz piosenkę swej mamy*
> *o rodzynkach i migdałach...*

Rejzł nie wtrącała się do ich piosenkowych pojedynków. Czy to ważne, co się śpiewa? Ważne, żeby to wypływało z głębi duszy. Lepiej oczywiście śpiewać kołysankę o rodzynkach i migdałach, zwłaszcza jeżeli pod sercem porusza się dzieciątko. Ale

221

co w tym złego, jeżeli śpiewa się o głodnych i zniewolonych? Ojciec powiada, że takie pieśni śpiewa się wyłącznie na placach i na cmentarzach... No i co z tego? Jeżeli Aronowi sprawia przyjemność śpiewanie, niech sobie śpiewa. Pieśń jeszcze nikogo na świecie nie zraniła. Żeby tylko był obok, żeby nie wałęsał się po okolicy na tym swoim śmierdzącym harleyu.

Nie mogła ścierpieć ani samego motocykla, ani jego wymyślnej nazwy.

„Harley", „centrum", „ekspertyza", „stalinowska konstytucja"... Tfu! W miasteczku nigdy nie słyszano i nie używano takich słów. Nie przydawały się ani na targu, ani w sklepiku, ani w domu modlitwy.

Rejzł tęskniła za tymi czasami, kiedy wszystko dokoła było proste i zrozumiałe: i słowa, i piosenki, i praca.

A teraz?

Teraz próbowała odpowiedzieć sobie na pytanie, na czym właściwie polega praca Arona. Niby jest policjantem, ale niezupełnie policjantem. Niby jest urzędnikiem, ale niezupełnie jest urzędnikiem.

– Kim ty właściwie jesteś? – zapytała go kiedyś.

– Jak to kim jestem? – zdumiał się Aron. – Ludzie mówią, że twoim mężem.

– To wiem – odparła Rejzł i zanurzając rękę w jego włosach zaczęła nawijać na palec rude kosmyki. – Dawniej byłeś krawcem.

– Tak – bezmyślnie, pobłażliwie przytakując jej czułym, usypiającym słowom mruknął Aron.

– A teraz?

– Teraz też jestem krawcem.

– Krawiec z pistoletem?

– Z pistoletem.

– Ale co można uszyć pistoletem?

– Tego nie można wytłumaczyć jednym słowem.

– Wszystkie rzemiosła można określić jednym słowem. Grabarz. Garncarz. Rymarz. Kowal. – Przytuliła się do niego napęczniałym brzuchem i Aron znieruchomiał z zadowolenia.

– Czujesz?

– Co?

– Twój syn się rusza.

– Syn? – cicho, obawiając się odsunąć od ciepłego jak snop pszenicy brzucha, mruknął Aron.

– Syn – uśmiechając się potwierdziła Rejzł. – Tylko nie wiadomo czyj.

– Przecież nie sąsiada! – z udanym przerażeniem zawołał Aron.

– Ja nie o tym mówię – zaprotestowała Rejzł. – Na przykład ty jesteś synem grabarza. A on jest czyim synem – krawca czy policjanta? W miasteczku opowiadają o tobie najróżniejsze rzeczy.

– Niech sobie mówią. Bóg zamiast szczęścia dał Żydom język.

– Nie wiem, zamiast czego Bóg dał Żydom język, ale dla mnie... dla mnie to okropne... – Rejzł zagryzła wargi. Po co ty, na miłosierdzie boskie, rozjeżdżasz się na cudzym motocyklu?

W ciszy, jaka zapadła, słychać było, jak za ścianą szaleje świerszcz.

Cykanie świerszcza przypominało odgłos, jaki wydaje maszyna do szycia.

– Mój ojciec – tylko nie śmiej się, Aronie – mój ojciec nieraz znajdował igłę i każdego, kogo spotkał, pytał: do kogo ona należy? – Rejzł zniżyła głos, jakby zwierzała się mężowi z jakiejś rodzinnej tajemnicy. – Obchodził pół miasteczka i pytał, czyja to igła... Cudza igła, jak mawiał, kłuje nie palce, ale serce.

Aron nie przerywał jej; nie wiedział do czego żona zmierza, ale było mu to zupełnie obojętne. Snopek pszenicy wydzielał kojące ciepło. Miało się ochotę zamknąć oczy, usnąć i o niczym nie myśleć. Jutro znowu czeka go znojny, niespokojny dzień, krzątanina, spory, przesłuchania.

– Ale przecież dom Bruchisów... Motocykl Jechiela to nie igła.

– Co tak mielesz w kółko jedno i to samo? Nie igła, nie igła. Sam wiem, że to nie igła. Ale czy robię to dla siebie?

– Więc dla kogo?

– Dla innych.

– A czy oni cię o to prosili?... Nikt cię nie prosił. Ani twojego nauczyciela Mejłacha Blocha... i twojego koleżki Powilasa Henisa. – Rejzł strofowała go jak chłopczyka, który coś przeskrobał. – Aronie, jeżeli choć odrobinę mnie kochasz...

– Dobrze, dobrze – nie wiedząc, jak się uwolnić od jej męczących pouczeń; wyszeptał Aron. – A teraz spać – spać! Spać! I jeszcze raz spać!

Objął ją i Rejzł ucichła, wstrzymała oddech.

– Daj mi słowo honoru! – uderzyła go lekko głową w ramię.

– Sło... – zasypiając wymamrotał Aron.

Mimo swoich przyrzeczeń, stanowczych i całkowicie szczerych, nadal zajmował się wszystkim poza normalnym życiem – tropił „szkodników", wyprowadzał na czyste wody sabotażystów i złośliwie uchylających się od płacenia podatków, brał udział w niezliczonych wiecach, na których wygłaszał płomienne tyrady o promiennej przyszłości ludzkości, zupełnie zapominając o przyszłym życiu swoim i dziecka, no i oczywiście o swoim rzemiośle.

Jeżeli nawet wpadał do domu, to nie po to, żeby pobyć razem z rodziną, lecz po to, by dalej prowadzić swoją robotę – dowiedzieć się czegoś lub powęszyć.

Rejzł była zdumiona, kiedy Aron, nie interesujący się specjalnie nikim z domowników, nagle zaczął ją wypytywać o Eliszebę.

– Dalej jest w Judgiriaj?

– Tak.

– Powinienem do niej pojechać.

– Po co?

– Porozmawiać... uprzedzić...

– Czy grozi jej jakieś niebezpieczeństwo?

– Czas, żeby skończyła z tą swoją Palestyną... Jeszcze chwila – i prędzej znajdzie się za kratkami niż w Jerozolimie. W Kownie już się zabrali do syjonistów...

Troska Arona o Eliszebę zbijała Rejzł z tropu. W jego słowach było coś, co przeszkadzało jej się cieszyć. Czy on rzeczywiście dobrze życzy Eliszebie? Przecież bez przerwy darli ze sobą koty.

Wszystkie jej wątpliwości rozwiał Gedali Bankweczer, który dość szybko przejrzał gierki Arona.

– Lęka się o własną skórę – orzekł staruszek. – Jeszcze wypomną mu jego krewniaczkę-syjonistkę... i przegonią go na zbity łeb!

Daj Boże! Daj Boże!... Ale może mimo wszystko uprzedzić Eliszebę?

Eliszeba niczym się nie różni od Arona. Tyle że on nosi czerwone spodnie z pięcioramiennymi gwiazdami zamiast lampasów, a ona biało-niebieską spódnicę... Z gwiazdą Dawida!

Rejzł też była niezadowolona, że Eliszeba bezustannie tkwi w chutorze, w Miszkine prawie się nie pokazuje. Jeszcze trochę i zostanie nie mieszkanką Palestyny, ale Litwinką. Będzie doiła krowy, strzygła owce i kosiła trawę.

Ojciec ma rację: Aron i Eliszeba są w czymś bardzo do siebie podobni. Ten sam upór, to samo opętanie. Dla niego bożyszczem jest Związek Radziecki, dla niej – Palestyna.

Rejzł w duszy tak samo złościła się na siostrę jak na męża.

Nie daj Boże, zaczną się bóle porodowe, kiedy nikogo nie będzie w domu. Gedali Bankweczer był znakomitym krawcem, ale akuszer z niego żaden. Przyjmować dziecko to nie to, co zdejmować miarę.

Ach, gdyby Eliszeba wróciła!

Obawy Rejzł potwierdziły się, kiedy dotarła do niej wiadomość, że Arona mają wysłać gdzieś na szkolenie. Tego tylko brakowało, żeby wyjechał. Mimo że taki z niego pędziwiatr, w takiej chwili nie odważy się jej opuścić. Sumienie mu nie pozwoli. Czy to mało rzeczy może się zdarzyć? Szyje się jednakowo, ale rodzi się różnie. Jeden ochoczo pojawia się na świecie, a innego – żeby się to tylko jej nie przytrafiło – trzeba wyciągnąć kleszczami.

– Aronie, czy ty wyjeżdżasz? – zdławionym głosem w obecności ojca zapytała Rejzł.

Żeby tylko nie kłamał, żeby się nie wykręcał. Wyjeżdża, to trudno. Ona i tak go prawie nie widuje.

– Nie ja wyjeżdżam, tylko my wyjeżdżamy – z dumą oświadczył Aron.

– Z Powilasem... Henisem?

– I z nim, i z tobą – dumnie oświadczył Aron.

– Ze mną? Jakże ja mogę... – speszyła się Rejzł. – Z takim towarzyszem podróży?... – I pogładziła się po brzuchu.

– A co ty myślisz? Że tam dzieci się nie rodzą? Rodzą! Najszczęśliwsze na świecie! – Radość aż rozpierała Arona.

– To znaczy w Związku Radzieckim? – zapytał domyślny reb Gedali.

– Skąd wam to przyszło do głowy? – połapawszy się, że powiedział zbyt wiele, wykrztusił Aron. Nie miał najmniejszego zamiaru wtajemniczać teścia w swoje sprawy. Powie, kiedy będzie wyjeżdżał.

Ale Gedali Bankweczer nie należał do ludzi, którzy odkładają jakąkolwiek nowinę do jutra. Zwłaszcza taką, jak wyjazd na koniec świata. Wszystko w nim się buntowało przeciwko temu niezrozumiałemu i smutnemu rozstaniu, które tylko pogłębiało jego samotność wdowca. Młodsza córka opuściła dom Bóg jeden wie dlaczego. A teraz starsza... Nie, nie, uspokajał sam siebie, Rejzł za nic nie zgodzi się zostawić ojca samego, bez opieki! Nie wywabi się jej z domu żadnymi obiecankami. Co dla niej znaczy Związek Radziecki? To Aron dostał fioła na jego punkcie. Już wszystkim nakładł do uszu: Związek Radziecki, Związek Radziecki! Królestwo szczęśliwych!... Najszczęśliwszych kalek, najradośniejszych wariatów... Naj!, naj! Jakby tak posłuchać Arona – wszystko tam jest lepsze, oprócz krawców! Tego już nie mógłby powiedzieć – widać to gołym okiem. Kiedy się widzi, jak poubierani są ci czerwoni oficerowie i ich żony, człowieka aż zgroza ogarnia. Wszystko wymaga poprawek.

– Powiedz mi, kochaniutki, po co cię tam wysyłają? – pytaniem na pytanie odparł Bankweczer.

– Żebym się uczył.

– Uczył – to zawsze jest dobre. Żyd powinien uczyć się całe życie. Kiedy przestaje się uczyć, przestaje być Żydem – powiedział reb Gedali, pragnąc zjednać sobie zięcia. – Ważne jest tylko – czego?

– Wybaczcie reb Gedali, ale na razie nie mogę wam tego powiedzieć.

– Dlaczego?

Gedali Bankweczer najbardziej nie lubił, kiedy na swoje pytania nie otrzymywał odpowiedzi. Niech odpowie cokolwiek, ale niech odpowie. Chociażby z przyzwoitości, chociażby z szacunku dla jego wieku. Czy on nie ma prawa, żeby usłyszeć odpowiedź? Przecież nie jest człowiekiem obcym, postronnym, gdyby Aron wyjeżdżał sam, mówi się trudno. Ale ten kochaś ma zamiar wywieźć Rejzł.

– Dlaczego? – powtórzył teść.

– Są powody.

– Wstydzisz się?

– Czy uczyć się to wstyd? – Aron nie odkrywał swoich kart.

– Zależy, czego się uczysz. Co innego, kiedy uczy się człowieka szyć albo robić buty, golić brodę, a co innego, kiedy uczy się kraść, grabić, wsadzać ludzi do kryminału.

Aron pojął jego aluzję, ale nadal nie ustępował.

– Wiecie co, lepiej porozmawiajmy o czymś innym – zaproponował.

Reb Gedali jednak odrzucił tę propozycję. Jak można mówić o czymś innym, kiedy się ważą ich losy?

– Załóżmy, że twojego kompana Powilasa Henisa będą tam uczyć pić rosyjską wódkę, a ciebie?

227

– To tajemnica wojskowa! – uginając się pod ciężarem oskarżeń teścia rzucił Aron.

Był przekonany, że na takie słowa Bankweczer odczepi się od niego, przestanie go nękać pytaniami, że w końcu ulituje się nad Rejzł, która miała łzy w oczach. Ale Aron się rozczarował.

Jego słowa jeszcze bardziej rozpaliły niespokojne domysły teścia.

– Odkąd to Żydzi mają tajemnice wojskowe? Do dnia dzisiejszego mieli inne sekrety – związane z rzemiosłem, handlem, ale wojskowe?

Zanosiło się na to, że spór przekształci się w długie i zażarte wzajemne domysły.

– Coś się do niego tak przyczepił? Nie masz nic lepszego do roboty? – Rejzł próbowała ratować sytuację. – Zupełnie oduczysz się szyć!

Miotała się pomiędzy ojcem a mężem, nie wiedząc, którego z nich wcześniej ratować. Było jej żal i jednego, i drugiego.

Uwaga córki tylko dolała oliwy do ognia. Znalazła się nauczycielka! On, Gedali Bankweczer, lepiej wie, kiedy ma szyć, a kiedy nie szyć! Upłynął rok od dnia, kiedy nastała nowa władza, a on ma tyle roboty, co kot napłakał. Siermięga Czeslawasa, ubranie Chaskiela Bregmana i bryczesy naczelnika garnizonu Kowalewa, którego przyprowadził Aron. I na tym koniec! Niedługo będzie można zdjąć szyld i odłożyć igłę.

Reb Gedali zwichrzył resztkę włosów – co oznaczało, że znajduje się w stanie najgłębszego wzburzenia – i oznajmił:

– Nie ma takich tajemnic, o których Żydzi by się nie dowiedzieli. Wszystkiego się dowiemy.

I dowiedział się.

Aron i jego kolega jadą do Moskwy, do głównej szkoły NKWD – roztrąbił na całe miasteczko wszechwiedzący Chaskiel Bregman.

– Czy to prawda? – w dwa dni później zapytał Arona Gedali Bankweczer.

– Prawda – odparł zdumiony zięć.

– Ale ty, kochaniutki, nie skończyłeś nawet szkoły podstawowej – rzekł staruszek i jego brwi, niby spłoszone jerzyki, wzbiły się w górę.

– Tato! westchnęła Rejzł.

– „Tato" trzeba było krzyczeć, kiedyś za niego wychodziła! – zawołał Bankweczer i obiema rękami objął lśniącą, pokrytą błękitnymi żyłkami łysinę. – Boże! Boże! Teść faraona... Donosiciela!... Szpiega!... I to ma być szyld krawca? Kto tu przyjdzie sobie szyć? No kto?

Jego pytanie jak lodowaty podmuch przemknęło przez pokój.

Aron zbladł, rzucił się do drzwi, wybiegł na podwórze, wsiadł na swojego (?) harleya i odjechał.

Trudno, niechby wyjechał na dzień.

Ale on zniknął na tydzień.

– To ty jesteś wszystkiemu winien! Ty! – zawołała Rejzł i zamknęła się w swoim pokoju.

Gedali Bankweczer skrobał w drzwi, głośno jak starosta synagogi wzywał córkę po imieniu, mruczał kołysankę o rodzynkach i migdałach – nic nie pomagało. Sama nie brała nic do ust i jemu nie dawała jeść. Nie otwierała – leżała w łóżku i chlipała.

– Jeżeli kocha, to wróci! – krzyczał do zamkniętych drzwi Bankweczer w nadziei, że drzwi, jak w bajce, rozewrą się, i w domu zapanuje spokój i pomyślność. Rejzł ma rację: rzeczywiście przesadził. Cóż tu mówić, szkoła NKWD, główna czy nie główna, to nie jeszybot, nie nauczą tam człowieka nic dobrego, ale trzeba było łagodniej potraktować zięcia – przynajmniej go nie obrażać. Kto lubi słuchać takich słów: donosiciel, szpieg, i tak dalej...

Widząc, iż żadne argumenty nie działają na córkę, reb Gedali postanowił uciec się do podstępu.

Jeszcze jako młody chłopak zauważył, że najbardziej ze wszystkiego Żydzi boją się nie krzyków, ale całkowitej martwej ciszy.

Przez dwa dni reb Gedali nie odzywał się – chodził na palcach, nie szurał krzesłami.

Cisza w sąsiednim pokoju, brak codziennych odgłosów – terkotania maszyny do szycia, pokaszliwania ojca, ciężkiego stąpania Juozasa – zachwiały niezłomną stanowczość Rejzł.

Wyśliznęła się z ukrycia, i zobaczywszy przyczajonego ojca, powiedziała wielkodusznie:

– Idź i przeproś go!

I znowu skryła się za drzwiami.

Co? Przepraszać smarkacza? Nigdy w życiu! On, reb Gedali Bankweczer, nigdy nikogo nie przepraszał. I nie będzie.

Sama myśl, że trzeba pójść na posterunek, wydawała mu się czymś potwornym.

Co robić?

Kobiecie brzemiennej nie można niczego odmawiać. Odmówisz, i urodzi jakiegoś potworka.

Może posłać Juozasa?

I w tej chwili Gedali Bankweczer doznał olśnienia.

Pójdzie na posterunek, ale nikogo nie będzie przepraszał. Aron przybiegnie jak baranek, kiedy tylko usłyszy jego słowa. Wszystko rzuci i przybiegnie.

Posterunek w Miszkine mieścił się na rogu Sadowej i Kudirkos, naprzeciwko karczmy Joszuy Mandla, oskarżonego kiedyś o zamordowanie chrześcijańskiego chłopca i zesłanego na Sybir. Gedali Bankweczer po dziś dzień pamięta, jak prowadzono Joszuę w kajdankach koło kościoła.

A w tej chwili on sam ma na sobie takie kajdany i brzęk, jaki wydają, roznosi się po całym miasteczku.

– Wy do towarzysza Dudaka? – zapytał go młody Litwin, kiedy Gedali przestąpił próg.

Pomocnik Arona, czy jak?

Reb Gedali obrzucił go nieco pogardliwym spojrzeniem. O Goteniu – Boże Wszechmogący – czy to ma być ta nowa władza? Wpuszczone do butów sukienne spodnie i piegi. Zajęczy puszek nad górną wargą.

– Tak – odparł reb Gedali. – Do towarzysza Dudaka.

– Towarzysz Dudak jest na instruktażu – poinformował piegowaty chłopak i wskazał Bankweczerowi krzesło.

Z gabinetu Arona dochodziły głuche odgłosy – mówione nie po litewsku, nie po żydowsku, ale po rosyjsku.

Reb Gedali znał tylko kilka rosyjskich słów: „Armia Czerwona" i „Ile to kosztuje?".

Do poczekalni z gabinetu sączyła się, jak nitka, cieniutka strużka dymu z machorki.

– Czy to długo potrwa?... – reb Gedali wiercił się na krześle.

– Trzeba będzie poczekać... Macie do niego jakąś sprawę?

– Pilną – wyjaśnił Bankweczer, nie zagłębiając się w szczegóły.

Piegowaty ze współczuciem spojrzał na przybysza. Że niby nic nie da się zrobić: towarzysz Dudak ma instruktaż.

I o czymże oni tam, mądrale, decydują?...

Bankweczer wsłuchiwał się w głosy naczelników, ale niczego nie mógł zrozumieć.

Szkoda, pomyślał, że nie zabrałem spodni Chaskiela Bregmana, tyle czasu się marnuje!

Reb Gedali wyobraził sobie, jak siedzi w poczekalni i nitką, jak dymkiem z machorki, obrzuca nogawkę.

Kiedy dochodziło południe, „towarzysz Aron" był wreszcie wolny.

– Proszę – powiedział oschłym tonem, zapraszając teścia do gabinetu.

Gedali Bankweczer ogromnie chciał zobaczyć gabinet zięcia, ale nie uległ pokusie.

– Nie ma czasu się rozsiadać. Rejzł rodzi.

– Co?

Chwyciło, ucieszył się Bankweczer, ale nie okazał radości. Cieszyć się można po porodzie, ale nie przed.

– Może już urodziła. – Teść rozsnuwał swoją pajęczą sieć.

– Czekam od samego rana.

231

– Od samego rana? – oburzył się Aron i zwrócił się do piegowatego: – Dlaczegoś od razu nie zameldował?

– Prosiliście, żeby do końca instruktażu nikogo nie wpuszczać – poskubując puszek nad górną wargą, śpiewnie odparł chłopak.

– Jedziemy! – huknął Aron do Bankweczera. – Siadajcie za mną! – dodał, kiedy obaj podeszli do harleya.

– Lepiej pójdę piechotą...

Jeszcze tylko tego brakowało, żeby reb Gedali pędził przez miasteczko na cudzym motocyklu. Po co mu ten pożar na kołach, ta zwariowana szybkość, to ohydne trzęsienie na kocich łbach? Na piechotę, tylko na piechotę. Na piechotę i do piekła, i do raju. Nie ma się do czego śpieszyć.

W domu od razu zaczęła się awantura.

– I nie wstyd wam? – napadł na niego zięć. – Macie siwe włosy, a tak bezczelnie okłamujecie ludzi! Powiedzieliście przy świadkach: rodzi...

– Rodziła i przestała – zaczął się usprawiedliwiać Bankweczer. – Czy to się nie zdarza? Da Bóg, jeszcze urodzi...

Reb Gedali uśmiechnął się żałośnie i cierpiętniczo, i Rejzł z Aronem nagle umilkli, jakby się nigdy z ojcem nie kłócili.

Rejzł była zadowolona z tego rozejmu, ale nadal żyła w ustawicznym lęku. Chociaż władze Arona przesunęły jego wyjazd do Moskwy na jesień, bała się, że jakieś nowe wydarzenia oderwą męża od domu i znowu wykrzeszą nie dogasłą iskrę waśni.

I taką iskrą stało się wywiezienie z Miszkine co bogatszych ludzi.

Rejzł szczególnie przygnębiła wywózka do jakichś nieznanych miejsc rodziny Bruchisów.

Amos i Baruch Bruchisowie byli stałymi klientami Gedalego Bankweczera. Ojciec lubił szyć dla nich nie tylko dlatego, że dobrze płacili, lecz i dlatego, że dzięki nim mógł się popisywać swoją sztuką i w Kownie, i w Szawlach, i wreszcie za granicą. Poza tym Amos zalecał się do Eliszeby, i kto wie, gdyby okazała się bardziej ustępliwa, może doszłoby do wesela. Ale główną przyczyną wzajemnej sympatii Bruchisów i Bankweczerów była nieboszczka Pnina, matka Rejzł.

Ponad połowę życia przepracowała w sklepie z artykułami chemicznymi i żelaznymi u Kajli Lew, babki Amosa.

Kajla Lew wydała ją nawet za mąż za krawca Gedalego Bankweczera. Mało powiedzieć wydała – oprócz tego wyposażyła ją. Obcego człowieka! Coś podobnego nie zdarzyło się w miasteczku od wiek wieków! Żeby pani dawała posag komu – właściwie służącej! Dzięki pieniądzom Kajli Lew, Gedali Bankweczer stanął na nogach, otworzył własną pracownię, przyjął czeladnika, sprawił sobie to i owo. Młody zięć Kajli Lew, Baruch Bruchis, nie pozostał w tle – ofiarował Gedalemu szafę i małżeńskie łóżko, na którym zostały poczęte Rejzł i Eliszeba.

Wszystko pomiędzy Bankweczerami i Bruchisami układało się jak najlepiej, aż tu masz – wywózka!

I przeprowadza ją nie kto inny, ale sam Aron Dudak ze swoimi kompanami – milicjantami i czerwonoarmistami.

– A ty dokąd? – zaniepokoił się reb Gedali, kiedy Rejzł nagle szybko się zebrała i skierowała do wyjścia.

– Odetchnąć świeżym powietrzem.

Gdyby powiedziała prawdę, nie pozwoliłby jej przestąpić progu. Mali ludzie, w kółko powtarza Bankweczer, nie powinni mieszać się do historii. Największym szczęściem na świecie jest przejść przez życie niedostrzeżonym. Na każdą odważną mysz znajdzie się kot. Lepiej nie wysuwać się z norki niż znalćć się w potrzasku. A historia to właśnie taki potrzask – ogromny i bezlitosny.

Nie, nie, Rejzł do niczego mu się nie przyzna. Ojciec jest mocny w języku, ale niezdolny do czynów. A tu potrzeba nie dyskusji, lecz działania.

W czym ma się ono wyrazić, Rejzł sama nie wiedziała. Ale w domu pozostać nie mogła.

Do jednopiętrowego murowanego domu właściciela mebli nie było daleko, ale Rejzł wyruszyła tam okrężną drogą – koło stacji pomp wodnych i stacji benzynowej. Nie ma sensu rzucać się ludziom w oczy, a poza tym będzie miała więcej czasu na zastanowienie się.

A zastanawiać się jest nad czym. Przekonywanie Arona, prośby, żeby zostawił Bruchisów z spokoju nic nie dadzą. Nie będzie jej nawet słuchał. Jeszcze gotów jej nawymyślać. Albo zacznie się rozwodzić o sprawiedliwości. Co to za sprawiedliwość, do licha, jeżeli ludzie cierpią? Ludzkim cierpieniem nie umocni się sprawiedliwości.

Pierwszą rzeczą, jaką Rejzł zobaczyła, był przeklęty harley stojący na podwórzu.

Nieco dalej czerniała kryta brezentem ciężarówka.

Kręciło się koło niej dwóch żołnierzy w rozpiętych bluzach.

Było tak gorąco, jak to się zdarza tylko w połowie czerwca. Ani wiaterku, ani maleńkiej chmurki.

Skądś z góry, niemal z nieba, dobiegała cicha i smutna muzyka.

Rejzł przeszła obok ciężarówki i weszła na ganek.

Zadzwoniła do drzwi.

Cisza.

Za drzwiami, na parterze, słychać męskie głosy: Arona i Powilasa Henisa, sklepikarza Chaskiela Bregmana i zlituanizowanego Niemca Szulcasa, najwidoczniej świadków.

Rejzł pchnęła drzwi i po kręconych schodach weszła na górę, tam, skąd na rozżarzone letnim upałem podwórze, niby chłodna strużka spływały przygnębiające i, jak się mogło wydawać, zupełnie bezsensowne dźwięki.

Przy otwartym pianinie siedziała Mera Bruchis, obojętna na wszystko dokoła; coś grała.

– Dzień dobry – powiedziała Rejzł, ale Bruchisowa nawet nie odwróciła głowy.

Dla Rejzł gra Mery nie była czymś nowym. Pamiętała, jak wieczorami nad sennym miasteczkiem płynęły obce, potężne dźwięki, wywołujące pełen zawiści zachwyt przemieszany z zabobonnym lękiem.

Ale w tej chwili te dźwięki były inne – pełne zadumy, jakby pożegnalne.

Widocznie Mera żegnała się z domem, z ojczyzną, a niewykluczone, że i z życiem.

Obecność Rejzł w niczym nie speszyła pani domu. Mera po prostu nie dostrzegała gościa, jak nie zauważała krzątaniny żołnierzy na podwórzu, męskich głosów w salonie: była bez reszty skupiona na grze i na czymś jeszcze, dla czego Rejzł nie potrafiła znaleźć nazwy.

Spokój Mery, jej wyniosła obojętność potęgowały skrępowanie Rejzł. I po co ona, idiotka, przywlokła się tutaj? Oni nic potrzebują ani jej słów, ani czynów.

To, co tak wyraziście zarysowało się w jej głowie, zanim wybrała się do Bruchisów, nagle rozwiało się, rozsypało. Ze zdecydowania Rejzł, z jej nieprzepartej chęci, żeby coś przedsięwziąć, sprzeciwić się złu, niesprawiedliwości, gwałtowi, nie pozostało ani śladu. Nagle poczuła się równie bezsilna jak jej ojciec, Gedali Bankweczer.

Poczucie własnej bezsilności upokorzyło ją, pozbawiło sensu jej wielkoduszne intencje, które ją tutaj przywiodły.

– Mamo! – rozległ się nagle za jej plecami głos i Rejzł odwróciła się.

Na progu stał Amos w czapce studenckiej i rakietą tenisową w ręce.

– Dzień dobry! – szybko powiedziała Rejzł i skinęła mu głową. Ale Amos, tak samo jak Mera, nie zauważył ani jej skinienia, ani jej skruchy.

– Mamo! – powtórnie zawołał młody Bruchis.

Jedynie podwójna odzież – na letnią marynarkę i spodnie w paski włożył jesienny garnitur – świadczyła o tym, że wybierają się w daleką i niebezpieczną drogę.

Przez chwilę Rejzł, przestępując z nogi na nogę, patrzyła na otwarte pianino, wypolerowane do połysku wieko, w którym niczym w granitowym nagrobku odbijała się sylwetka Mery Bruchis, po czym przygnębiona i upokorzona zeszła na dół.

Na podwórzu odbywał się załadunek.

Dwóch żołnierzy wlokło ogromny płócienny wór, najwidoczniej wypchany bielizną pościelową i zimową odzieżą.

Poruszali się – w każdym razie tak wydawało się Rejzł – w takt dobiegającej z pierwszego piętra muzyki, lekko podrygując, zwłaszcza gdy wracali z pustymi rękami po nowe bagaże.

Rzecz przedziwna, ale czerwonoarmiści ładujący cudzy dobytek do samochodu też nie zauważali Rejzł, jakby wszystkich jednoczyła jakaś tajemna umowa.

Rejzł rozglądała się oszołomiona.

Gdzie jest Aron?

Z pierwszego piętra nadal lały się na podwórze dźwięki muzyki i żołnierze w takt tego samego powolnego rytmu, jak we śnie, dalej dźwigali cudze i dlatego tak ciężkie rzeczy.

A oto z domu wyszli świadkowie – sklepikarz Chaskiel Bregman i szewc Waldemaras Szulcas.

I oni także jej nie zauważyli – ponurzy, przygarbieni, przeszli obok i rozeszli się – jeden do sklepiku, drugi do szewskiego kopyta.

A teraz wypadł z drzwi Aron.

Czy on też jej nie zauważy?

Zauważył.

Pomachał jej z daleka ręką, ale nie podszedł, nie zapytał, po co tu przyszła, jakby nie miał z nią nic wspólnego.

Rejzł zamknęła oczy i ślepota na krótką chwilę uczyniła ją szczęśliwą.

Kiedy je otworzyła, zobaczyła Amosa w dwóch garniturach i Merę.

Bruchisowa była ubrana w sweter i jasnoszary elegancki beret; z ramienia zwisała jej torba podróżna, na nogach miała pantofle na wysokim obcasie. Ruchy jej były powolne, jakby stąpała nie po wyłożonym kocimi łbami podwórzu, ale po łamliwym, kruchym wiosennym lodzie.

Przy samej ciężarówce Mera przystanęła i klasnęła w dłonie – wątłe i pomarszczone.

– Zapomniałam!

– Czego, mamo, zapomniałaś?

Głos Amosa.

– Wszystkiego, Mero, nie zabierzesz.

Głos Barucha Bruchisa.

– Zapomniałam nut...Szopena! – wyjaśniła Mera. – Czy można?...

Baruch Bruchis i Aron Dudak wymienili spojrzenia.

– Można, wzrokiem wyraził zgodę Dudak.

Amos popędził na pierwsze piętro i przyniósł cieniutką książeczkę o wystrzępionych brzegach.

Zawarczał silnik ciężarówki, zawarczał harley.

Rejzł znowu zamknęła oczy. Kiedy je otworzyła, podwórze było puste.

W czerwcowym wietrze poskrzypywały otwarte drzwi i z pierwszego piętra – Rejzł gotowa była na to przysiąc – zagłuszając łoskot i warczenie nieubłaganie, nieustannie płynęły dźwięki cichej, niepowtarzalnej muzyki, której nie można było ani wywieźć, ani przywłaszczyć sobie, ani odmienić.

Tego samego dnia Rejzł Bankweczer, żona zastępcy naczelnika miszkińskiego oddziału NKWD, w imię sprawiedliwości dokonała swojego pierwszego czynu – podpaliła mężowskiego harleya.

Oblała go naftą i podpaliła.

Ognisty słup wzbił się w usiane gwiezdnym alfabetem niebo.

Z domu wylegli przestraszeni Żydzi.

– Pożar! Pożar! – rozległy się krzyki.

– Gdzie się pali!? Co się pali?... – dołączyły się do nich radosne babskie wołania. Pożar wprawił w podniecenie całe miasteczko.

237

Wyrwany ze snu Gedali Bankweczer wychylił się przez okno.

– Twoja władza się pali! – zaczął tarmosić śpiącego Arona.

– Co? Co? – jak ziarna z kobiałki posypały się pytania zięcia.

– Twój przeklęty motocykl! – wyjaśnił Bankweczer.

Aron wypadł na ulicę goły, w samych kalesonach z wiadrem wody w ręce.

Rozepchnąwszy gapiów, chlusnął wodą na ogarniętego płomieniem harleya, i gęsty gryzący dym, niby jakaś przedziwna roślina, rozpełzł się nad brukowcami.

Mimo że Aron zrobił wszystko, co było w jego mocy, nie udało mu się uratować motocykla: pozostała z niego żałosna kupka poskręcanego, opalonego żelastwa.

– Dywersja! Dywersja! – ryczał Aron, skarżąc się Gedalemu Bankweczerowi, który zdążył nadbiec.

Reb Gedali miał zamiar odpowiedzieć coś zięciowi, ale nagle obaj zorientowali się, że nie ma Rejzł. Ani w domu, ani na miejscu pożaru. Nigdzie.

– Boże! Niechaj będzie przeklęty dzień, w którym wszedłeś do mego domu! Wybacz, o Panie, mam na myśli nie Ciebie, ale jego, mojego zięcia. No i co tak stoisz? Idź, szukaj jej! Rejzełe, moje słoneczko, moje złotko, Rejzełe!

I łzy, te perły wszystkich nieszczęśników na świecie, ozdobiły jego pomarszczoną, pobladłą twarz.

– Dokąd ona mogła pójść?… W środku nocy… W ciąży…

Aron niechcący potrącił wiaderko, spojrzał na wilgotne dno, i to przelotne, bystre spojrzenie wystarczyło, żeby zaświtał mu w głowie okropny, przenikający ciało dreszczem domysł.

A może Rejzł postanowiła… Była taka cichutka jak myszka, aż tu nagle…

Nad rzekę, jak najszybciej nad rzekę!

Jeszcze nigdy – ani w dzieciństwie, ani w latach chłopięcych Aron nie pędził tak, jak w tej chwili; nie dogoniłoby się go nawet na harleyu. Z taką szybkością nogi niosły go tylko wtedy, kiedy polował na motyle Szachny, żeby rozświetlić umysł ojca i na zawsze wyzwolić go z obłędu.

Niech wezmą harleya! Niech diabli wezmą kaburę na biodrze, stanowisko, naukę w Moskwie. Żeby tylko Rejzł była żywa i zdrowa!

Od domu Bankweczera do rzeki było kilka kroków. Nie darmo ulica nazywała się Rybacka.

Aron, zadyszany, wbiegł na stok, z którego kiedyś skakał do Niemna, i zaczął przeczesywać wzrokiem wąskie pasemko brzegu.

Nie, to nie jest człowiek, to chyba jakiś pień.

A tam – przewrócona łódka.

– Rejzł! – zawołał co sił w płucach.

– Rejzł! – powtórzyło echo.

Nagle jego wzrok natrafił na czyjeś zgarbione plecy, ledwo widoczne w mroku.

– Na pewno jakiś rybak łowi klenie.

Aron pędem zbiegł ze stoku na brzeg i zaczął się zbliżać do nieznajomego.

Kiedy odległość między nimi zmniejszyła się na tyle, że można było rozróżnić ubranie, Aron uświadomił sobie, iż ma przed sobą nie mężczyznę, lecz kobietę.

Siedziała nad samą wodą i coś mruczała do siebie.

– Kukułeczko! – dławiąc się ze zdenerwowania zawołał Aron.

Ale kobieta nie obejrzała się.

– Licz! – krzyknął Aron i dał nura w cicho płynącą, roztopioną ciemność.

Chciał, żeby wszystko się cofnęło do początków ich miłości, nieskąplikowanej i niczym nie zaciemnionej, do tego beztroskiego szczęśliwego wyliczania, którym Rejzł znaczyła i jego lata i sukcesy. Gotów był wybaczyć jej wszystko – nawet podpalenie motocykla. Co do tego, że to właśnie ona podpaliła harleya, nie miał cienia wątpliwości.

Mokry, dygocząc z chłodu napływającego od rzeki usiadł koło Rejzł.

239

– Idziemy do domu. Serce twojego ojca nie wytrzyma. Jest słabe jak nitka.

Po podpaleniu harleya w domu na jakiś czas zapanował ład i zgoda.

Gedali Bankweczer nie mógł się zięciem nacieszyć. Wydawać by się mogło, że jeszcze chwila, a Aron weźmie igłę i zacznie szyć, i wszystkie jego rozjazdy po okolicy, płomienne mowy wygłaszane w przesyconym zapachem machorki gabinecie i na rynku, wywiezienie Bruchisów – że wszystko to ulegnie zapomnieniu, niby jakiś koszmarny sen.

Wieczorami Aron rzeczywiście zasiadał przy stole, nawlekał igłę i pomagał reb Gedalemu albo szyć, albo nicować.

Dobrze ci to idzie, Aronie. Zapamiętaj sobic: jedno dobrze uszyte ubranie przynosi narodowi żydowskiemu więcej chwały niż te wszystkie twoje rewolucje.

Aron nie spierał się, kiwał głową, lekko, z radością, potakiwał.

Gedali Bankweczer aż promieniał.

Promieniała również Rejzł.

Ale, jak mawiał Bankweczer, po święcie Paschy nawet wyczyszczone do połysku naczynia matowieją.

Aron znowu wciągnął się w swoje sprawy społeczne, zaczął znikać jak dawniej. Harleya zastąpił zarekwirowany koń, który należał do zbiegłego burmistrza Tarajły. W tej chwili zastępca naczelnika miszkińskiego NKWD rozjeżdżał po okolicy bryczką ze skórzaną budą. Bojąc się podpalenia, stawiał swój pojazd w obszernej szopie miasteczkowej straży pożarnej, którą, nawiasem mówiąc, też dowodził.

Rejzł nie miała już najmniejszej nadziei, że uda się go obłaskawić. Jedyną rzeczą, na którą liczyła, było to, że Aron niewątpliwie będzie przy jej porodzie. Na ojca w takich przypadkach nie ma co liczyć.

Był piętnasty czerwiec czterdziestego pierwszego roku – Rejzł na całe życie zapamięta tę datę – kiedy wszystko się zaczęło.

Gedali Bankweczer na prośbę córki, na łeb, na szyję popędził do Arona.

Na posterunku, tak jak się tego spodziewał, odbywało się zebranie. Zgiełk, machorka i piegi.

Staruszek nie zamierzał czekać, aż się skończy zebranie, odepchnął piegowatego pomocnika Arona i wdarł się do gabinetu.

– Rejzł rodzi! – oznajmił.

Aron się tylko roześmiał.

– Rejzł rodzi! – reb Gedali nie dawał za wygraną i na oczach wszystkich uczepił się ręki zięcia.

– Chwileczkę – zwrócił się Aron do zebranych w jego gabinecie i wyprowadził Bankweczera za drzwi.

– Mam dosyć tych głupich kawałów – powiedział z wściekłością.

– Zlituj się!... Jakich kawałów? Rejzł rodzi! Zaprzęgaj do bryczki! Teraz szybko... do Rosień... do doktora!

– Ludzie na mnie czekają – burknął zięć, odwrócił się na pięcie i zawrócił w stronę gabinetu.

Piegowaty pomocnik Arona nigdy nie widział, jak płaczą Żydzi, dlatego nie spuszczał wzroku ze szczupłego, zarośniętego staruszka, który nawet nie próbował ocierać łez.

Toczyły się niepowstrzymanie i reb Gedali znowu przeklinał dzień, kiedy Aron Dudak przestąpił próg ich domu, przeklinał nową władzę, która ukradła żonie męża, dziecku – ojca, przeklinał swoją bezsilną starość. Od łez i przekleństw zrobiło mu się nagle jakoś lekko, poczuł się wewnętrznie pusty. Boże, co to za świat, co to za obyczaje, jeżeli szale wagi, na której waży się sprawiedliwość i niesprawiedliwość spoczywają w rękach takich ludzi jak Aron? Przecież tu, o Boże, chwilami pudowy odważnik przeważa płatek śniegu.

Z imieniem Boga na ustach Gedali Bankweczer wrócił do domu, zabierając ze sobą po drodze akuszerkę Minę Glazer, rudą, gniewną staruszkę, która przyjmowała jeszcze porody Pniny.

Mina Glazer krzątała się koło Rejzł aż do wieczora.

Aż do wieczora powoli, z każdą chwilą coraz bardziej odchodząc od zmysłów, kłując się igłą, pełen współczucia i solidarności z Rejzł, Bankweczer wsłuchiwał się w jęki dobiegające z sąsiedniego pokoju.

W końcu jęki umilkły.

– Już po wszystkim – powiedziała akuszerka wychodząc od położnicy i odmawiając przyjęcia zapłaty.

Po wszystkim? Ale dlaczego bez krzyku?... Mój ptaszku, moja śnieżynko – czyżby cię wiatr uniósł?

– Rejzł! – jak oszalały zaczął krzyczeć nieszczęsny ojciec, który nie został dziadkiem. – Rejzełe!

Czeslawas

Nigdy jeszcze Czeslawas Lomsargis nie czuł tak przygnębiającego, tak dręczącego lęku, jak w tej chwili, w czterdziestym pierwszym od początku wieku lecie. Ani zboże, które szczodrze obrodziło, ani radosny szczebiot ptaków, nie milknących do późnej nocy, ani błękitne jak wyprane na dzień świętojański niebo, ani błogi szelest drzew, które niezawodnie broniły poranku przed złym spojrzeniem, nie cieszyły go, ani nie radowały.

Co tam zboże, co ptaki, co drzewa, jeżeli z każdym dniem narasta dokoła coraz większy strach.

Strachem, niby ostami, zarastały i pola, i zagajniki, i polne drogi, i nawet niebo. Mimo że Czeslawas za wszelką cenę próbował sam siebie uspokoić, pokonać strach, lęk mimo wszystko wpijał się w duszę jak giez w koński ogon: możesz go sobie odganiać, opędzać się, ale po chwili znowu nadleci.

Na pozór, jakby się mogło wydawać, nic się nie zmieniło. Czeslawas nadal był rolnikiem, nadal orał, siał i żął. Ale wewnątrz, w jego zamkniętym, rozsądnym, oddalonym od wszelkich sporów i zwad świecie, coś nagle pękło, rozłupało się, rozsypało, coś, czego nie sposób ani skleić, ani pozbierać.

Lomsargis znakomicie pamięta, jak ubiegłego lata, również w połowie czerwca, doznał tego obcego, dręczącego duszę uczucia – ni to niepokoju, ni to straty, ni to nieokreślonego, lepkiego strachu. Wczesnym rankiem, jak zawsze, wyruszył na skraj Czarnej Puszczy (od niej, jak widać, wzięła swą nazwę miejscowość Judgiriaj), naostrzył kosę i wdychając uzdrawiający zapach skoszonej trawy, zaczął spokojnie kłaść pokos za pokosem. Żadna praca nie sprawiała mu takiej przyjemności jak koszenie. Czekał na rozpoczęcie sianokosów jak w dzieciństwie na odpust; zeskrobywał przytępioną brzytwą szczecinę, wdziewał czystą koszulę, odmawiał pacierz, żegnał się i prosił Boga wyłącznie o jedno – żeby nie było deszczu i żeby Bóg pozwolił mu, swojemu słudze, w pełni nacieszyć się dźwiękiem niestrudzonej stali, terkotaniem koników polnych i zapachem ziół.

Było już południe, kiedy do zwykłego poświstu kosy, do chóru ptaków i trzmieli, do niepowtarzalnego, kadzidlanego aromatu dopiero co skoszonej trawy dołączył się świdrujący, nie milknący w powietrzu dźwięk. W pierwszej chwili Lomsargis pomyślał, że to odległy huk grzmotu, ale po chwili, kiedy dźwięk się nasilił i przeszedł w natarczywy i zatrważający łoskot, wetknął stylisko kosy w ziemię i uniósł głowę.

Nad Czarną Puszczą, nad wykoszoną łąką wisiał samolot. Był jak przyszpilony do nieba – nie poruszał się, nie przybliżał. A może Czeslawasowi tak się tylko zdawało. Na pewno wydawało mu się tak dlatego, że coraz wyraźniej rozróżniał ogromne stalowe skrzydła – jak długo żył, nie widział czegoś podobnego; w jego świecie latały wyłącznie ptaki i ważki; co prawda w młodości, na polsko-litewskiej granicy widział niemiecki sterowiec – ż y w y – jak mówił sterowiec, ale to było za młodych lat. Sterowiec był lekki, śmieszny, niezgrabny, podobny do gigantycznego raka, który wysunął kleszcze – nie to, co ten warczący nad Czarną Puszczą dziwoląg, którym swoim diabelskim, nic dobrego nie wróżącym łoskotem zakłócał odwieczną, niemal świętą ciszę.

Ku zdumieniu Czeslawasa samolot zaczął się zniżać, jakby miał zamiar usiąść na skoszonym, przepojonym zapachem macierzanki i miodunki skraju lasu, i Lomsargisa ogarnął lęk nie o siebie, o siano, o nową kosę, która sterczała z ziemi jak krzyż nagrobny z jednym zgiętym ramieniem. Czerwone gwiazdy na burtach samolotu gorzały w czerwonym słońcu jak rozpalone węgle: upadnie taki węgielek w gęstwinę i zapłonie Czarna Puszcza, pożar ogarnie całe Judgiriaj, potem przerzuci się na Miszkine, a potem jeszcze dalej i nikt na całej Litwie nie zdoła się przed nim uchronić.

Oszołomiony Czeslawas wytrzeszczał oczy na oszpecony cudzymi gwiazdami błękit, i kiedy samolot przeleciawszy nisko nad skoszoną łąką, oddalił się w stronę morza, zacisnął pięść i pogroził mu – za późno, z wściekłością, bezradnie.

Długo jeszcze stał na skoszonej łace z zacisniętą pięścią, nie będąc w stanie pokonać lęku i z powrotem chwycić za kosę. W końcu przemógł się, wyszarpnął stylisko z ziemi i zaczął kosić znowu, ale już nie tak lekko i z takim zapałem jak dotąd, bez poprzedniej energii i świątecznego, ulotnego jak zapach trawy nastroju. Lomsargis nie odczuwał już takiej błogości, tej zmuszającej do zapomnienia o wszystkim, z niczym nie dającej się porównać radości, które ogarniały go w czasie kośby.

Kosił aż do wieczora, raz po raz zadzierając głowę, by spojrzeć w niebo. Było spokojne i czyste. Boże, myślał wymachując kosą, dusza ludzka to przecież też niebo. Dlatego cała pogrążona jest w burzowych chmurach? Dlaczego?

Prane nic nie powiedział. Nie ma sensu jej nicpokoić. A zresztą, czy baba zrozumie się na takich sprawach? Jeszcze go wyśmieje, zacznie wygadywać jakieś głupstwa: że niby co cię to obchodzi, niech sobie latają, przecież nie mieszkamy w niebie, ale na ziemi.

Lecz milczeć też nie było łatwo. Strach, zasiany w ten cichy czerwcowy poranek, rósł bez pielenia i podlewania.

Dla spokoju duszy Lomsargis postanowił porozmawiać z księdzem proboszczem. Ksiądz proboszcz wie wszystko, sprowadza gazetę z Kowna, słucha radia, dzień w dzień rozmawia z Bogiem.

Znalazł Powilajtisa w świątyni, przy konfesjonale. Ksiądz proboszcz był niskim, tęgim mężczyzną o białym, niewinnym czole i z chorobliwymi workami pod błękitnymi, nie starzejącymi się oczyma. Od jego długich miękkich włosów, tak samo jak od sutanny, bił jakiś przedziwny, słaby aromat. Ksiądz wysłuchał Lomsargisa z uwagą, jak przystoi słudze Bożemu, skrzyżował żylaste palce i opuszczając pełen bojaźni bożej wzrok, cichym, nie licującym z jego tuszą głosem powiedział:

– Trudne czasy nadchodzą, mój synu. Trudne. I dla pasterza, i dla oracza.

Czeslawas sam wiedział, że nadchodzą trudne czasy. Ale jak długo to potrwa?

– Jak długo to potrawa? – Powilajtis powtórzył pytanie. – Jednemu Bogu wiadomo.

– Jednemu Bogu wiadomo! A Czeslawas chciał, żeby on też to wiedział. Czyżby on, maleńki, niezauważalny człowieczek, nie miał prawa tego wiedzieć? Miał!... Oczywiście że tak! I może nawet w pierwszym rzędzie.

Milkliwość Powilajtisa wprawiła go w jeszcze większe przygnębienie. Trudne czasy! Po taką odpowiedź można by było nie jeździć do Ojca Świętego. A przecież Czeslawas miał nadzieję, że ksiądz proboszcz chociażby podzieli jego strach. I co z tego wynikło? Na skutek tych niedopowiedzeń strach się tylko wzmógł.

Lomsargis z wolna się przezwyczaił do samolotów z pięcioramiennymi gwiazdami na burcie, które przelatywały nad Czarną Puszczą. Teraz już nie zadzierał głowy, nie zaciskał dłoni w pięść – zaciskasz czy nie, i tak niewiele z tego wyniknie: z zaciśniętą pięścią w gospodarstwie niewiele się zdziała. Ale jego usiłowania, żeby poskromić strach, znów zaznać spokoju, okazywały się daremne. Każda pogłoska czy nowina docierająca na folwark przyprawiała Lomsargisa o bezsenność, pozbawiała nadziei, która i bez tego była nikła i mizerna.

O ile w roku czterdziestym zagrożenie całego dotychczasowedo układu Czeslawasa, które ledwo dawało się wyczuć, nie dotykało jeszcze bezpośrednio ani jego folwarku, ani jego pola, to w ciągu niespełna roku ogromnie przybrało na sile.

W kościele, na targu albo najzwyczajniej po kątach, groźba jak Cyganka-wróżbitka naszeptywała: kołchoz... Sybir... kołchoz albo Sybir... Tylko Sybir.

Początkowo Lomsargis nie chciał kojarzyć wszystkich pogłosek i słuchów ze swoim losem. No bo istotnie, sam sobie zadawał pytanie, zadręczając się i męcząc w besenności, dlaczego ja mam się bać? Całe życie żyłem jak świstak, nikogo nie zaczepiałem, nie byłem ani za jednymi, ani za drugimi, uznawałem wyłącznie dwie władze: Boga i ziemię! I nic więcej. Więc na czym ma polegać moja wina?

Czy na tym, że za Prane otrzymałem trzynaście hektarów ziemi? Trzynaście – na papierze. A w rzeczywistości? W rzeczywistości – trzy hektary trzęsawiska – stąpnie człowiek i zapada się po szyję. A tam gdzic suszcj – piach z gliną i kamienie. On, Lomsargis, świata bożego nie oglądał, od rana do wieczora wgryzal się jak kret w ten po trzykroć blogoslawiony, po trzykroć przeklęty posag. A potu wylał, że starczyłoby na jeziorko, gdyby zaś do tego dodać jeszcze pot Prane – to i na całe jezioro! Jeżeli najmował robotników, to tylko na dniówkę, do żniw i omłotów. Eliszeba, córka krawca, sama wprosiła się, jakiś kaprys kazał dziewusze tu przyjeżdżać, zachciało jej się zostać chłopką, pracować bez żadnej zapłaty i przymusu, i jeszcze dziękować za to.

Czy na tym polega jego wina, że w roku osiemnastym był ochotnikiem, walczył o niepodległą Litwę z Niemcami i Rosjanami, a potem zapisał się do szaulisów? Chociaż, jeśli się tak dobrze zastanowić, jaki z niego, u diabła, szaulis? Skrupulatnie opłacał składki, raz pojechał do Rosień na zbiórkę, postał pod rozwiniętym sztandarem. Gdzieś w domu zachowało się nawet zdjęcie. Czeslawas Lomsargis w pierwszym szeregu, na prawo od oficera. Trzeba tego zdjęcia poszukać i spalić je. Ach, gdyby tak można było również spalić ludzką pamięć: przytkniesz zapałkę i już po niej, zginęła. Ale gdzie tam! Każdy obwieś może cię sprzedać jak Judasz, wyłącznie za to, że kochałeś ojczyznę. Miłość – to wina, praca – wina. Czymże jest w takim razie cnota?

Każdy przechodzień, każdy wędrowiec, każda furmanka grzechocząca na polnej drodze wywoływała w Lomsargisie niedobre podejrzenia. Wstrzymując oddech czekał, czy skręci w stronę jego folwarku, czy nie skręci? Niebezpieczeństwo posiadało wiele oblicz, a równocześnie nie miało żadnego, i zgadnij tu, człowieku, skąd nadciągnie!

I wtedy, jak na złość, na przełomie zimy i wiosny pojawił się krewniak – ze strony Prane. I to nie byle kto, ale znakomitość, sam burmistrz Miszkine, Tadas Tarajła. Kiedy indziej Czesławas by się ucieszył, rzuciłby mu się w objęcia, ale w tej chwili... W tej chwili Tadukas – jak Prane nazywała krewniaka – mógł ściągnąć na nich nieszczęście. W całej okolicy wszyscy wiedzieli, że pan burmistrz uciekł i że znajduje się albo gdzieś za Niemnem, w Tylży, albo w ogóle gdzie indziej.

Jeszcze dwa lata temu, zanim przyszli czerwoni, Tarajła nie bardzo się chwalił pokrewieństwem z nimi. Czy godzi się sokołowi pamiętać o wróblach? Jednak czasy się zmieniają. Wczoraj byłeś sokołem, dzisiaj jesteś wróblem – przemokniętym, zagubionym wróblem. Takiego nawet grzech przepędzić. Dziob sobie, biedaczku, grzej się!

Prane rzuciła się nakrywać do stołu, wyjęła odświętny obrus, przyniosła z kuchni najlepszą zastawę, której używali wyłącznie w czasie największych świąt, i zaczęła znosić ze spiżarki i piwnicy wszelkie jadło: różową jak dziewczęcy rumieniec szynkę, marynowane grzybki, kiszone ogórki podobne do prosięcych ryjków – wydawało się, że jeszcze chwila i zaczną chrumkać, żółte półksiężyce przyprawionych kminkiem serów, domowe wino.

Gość powiesił na haku chłopską siermięgę, czapkę z zajęczych skórek – nosił ją zapewne, żeby go nie poznano, ciężko osunął się na dębową, wyślizganą od długiego używania ławkę i wsunął pod nią torbę podróżną.

Czesławas przed starym zmętniałym lustrem zaczesał mokre od potu, opadające włosy, schował grzebień do kieszeni i usiadł obok Tarajły.

Nie mógł się doczekać rozpoczęcia rozmowy, ale nie chciał się wydać natrętny i co najważniejsze, strach zamykał mu usta, by jakimś niezręcznym słowem czy pytaniem się nie zdradzić.

Gość również nie palił się do rozmowy. Widocznie zmęczyła go długa droga; siedział z przymkniętymi oczyma, jakby pogrążony w drzemce – a może naprawdę drzemał – jego twarz była nieprzenikniona, pokryta nie zarostem, ale zmęczeniem, jedynie jego stopy pod stołem żyły swoim własnym życiem – coraz to ściskały torbę.

– Tadukas, skosztuj naszego wiejskiego jadła – powiedziała śpiewnie Prane; cała aż promieniała ze szczęścia.

– Spróbuj, spróbuj! – poparł ją Czeslawas zerkając na żonę i zachęcając gościa do jedzenia.

Tarajła otrząsnął się, otworzył zamglone zmęczeniem oczy, ale nie odezwał się ani jednym słowem.

– Próbuj, Taduk! – ciotka nie dawała mu spokoju... – Z zeszłorocznej czarnej porzeczki.

Lomsargis znowu spojrzał na nią z ukosa. Głupia baba! Rozgdakała się jak kura! Nie daj Boże, żeby ktoś zauważył, jak jej Tadukas skręcił do ich folwarku. Nie bez powodu tak się wystroił – w siermięgę i czapkę z zajęczych skórek... Nie bez powodu. A jeżeli on się boi, to co dopiero oni mają powiedzieć.

– Jeden Bóg wie, kto tej jesieni będzie je zbierał – mruknął, ostudzając zapał Prane.

– Dajże człowiekowi spokojnie pojeść – wymamrotała Prane i zaczeła nakładać Tarajle na talerz grzybki.

Nie spuszczała oczu z gościa. Kto jak kto, ale Tadukas niewątpliwie wie, co ich czeka, jaki los sądzony jest całej znękanej cierpieniem Litwie. Ale skoro milczy, nie trzeba się na niego złościć. W życiu już tak jest: zawsze bardziej bolesny jest upadek z wysoka.

Tarajła leniwym gestem sięgnął po jedzenie, uniósł na widelcu kawałek słoniny i bez pośpiechu, jakby zupełnie nie był głodny, włożył go do obrośniętych szczeciną ust. Cisza gęstniała w izbie, jak wino z czarnej porzeczki w butelce.

Pod stołem, niby seter po nieudanym polowaniu, zastygła torba.

Czeslawas nie tykał jedzenia, bacznie wpatrywał się w Tarajłę, zastanawiając się w duchu, czemu zawdzięczają jego wizytę – nie przybył tu przecież na szklaneczkę porzeczkowego wina i kawałek różowej słoniny.

Na dworze pustymi wiadrami pobrzękiwała, obrządzająca świnie, Eliszeba.

– Kto to jest? – niespodzianie, wsłuchując się w brzęk wiader, zapytał gość.

Lomsargis poczuł się urażony, że Tarajła rozpoczął rozmowę nie od nich – mimo wszystko są jakoś tam spokrewnieni, ale od Eliszeby.

– Pracuje u ciebie?

– Nie – odparł Czeslawas. – To Żydówka.

– Czy Żydówka nie może pracować? – z uśmiechem zapytał Tadas. – Co to, nie ma rąk? Nie ma nóg?

– Powinieneś ją znać – ostrożnie zaczął Lomsargis. – To córka krawca Bankweczera...

– Znam ją – odparł Tarajła. – Co ona u ciebie robi?

– Uczy się.

– Czego?

Lomsargis nie odpowiedział od razu. Żeby Tarajła zapytał choć o cokolwiek, co by ich dotyczyło – jak im się żyje, jak wiedzie. Ale na ich temat nie odezwał się słowem. Oczywiście spłoszona wrona każdego krzaku się boi. Nie daj Bóg, i Eliszeba doniesie, gdzie trzeba. A wtedy koniec z nimi wszystkimi. Ale Czeslawas w to nie wierzy. Eliszeba też nie kocha obcej władzy. Podobno czerwoni zawsze byli przeciwko tym, którzy są zwolennikami państwa żydowskiego. Już niejednego zgnoili w więzieniu.

– Czego się uczy? Tkać i prząść, obrządzać bydło, kosić siano, wiązać snopki. Wybiera się do Palestyny. Powiada, że tam jest ojczyzna wszystkich Żydów, że niebawem będą mieli wszystko własne: i łąki, i krowy, i konie.

Tarajła sam napełnił sobie szklaneczkę, odchrząknął, zakąsił.

– Każdy naród powinien mieć swoją ojczyznę – powiedział. – Ale zanim oni się tego doczekają, rzeki krwi popłyną.

Tadas wiedział to, czego nie wiedzieli ani Czeslawas, ani Prane, i ta wiedza, ta napawająca lękiem świadomość, czyniły go w ich oczach jeszcze bardziej tajemniczym i niedostępnym.

– Boże uchroń i zmiłuj się! – nabożnie wyszeptała gospodyni.

Lomsargis nie dopytywał się, o czyjej krwi mówi Tadas. Niewątpliwie nie tylko o żydowskiej, chociaż, jak opowiadała Eliszeba, żydowska krew leje się już w Niemczech i w Polsce. Litwę na razie Bóg uchronił. Ale tu też może się polać. Ludzie nie są zadowoleni z Żydów – zbyt wielu z nich objęło wysokie stanowiska, chociaż rodzinnych pyskaczy też nie brakuje. On, Czeslawas, nie ma nic przeciwko Żydom, niechaj sobie żyją i mnożą się, ale ostatecznie nie oni są gospodarzami Litwy. Tak samo jak Litwin nie może rządzić Żydami w Palestynie, tak samo Żyd nie może rozkazywać Litwinom na ich ziemi.

Wyrzekłszy zagadkowe słowa o rzekach krwi, umilkł i Tarajła. Siedział za stołem, dziobał widelcem talerz, delektując się bardziej spokojem niż jadłem, pociągał znakomite wino z czarnej porzeczki.

Im bardziej tajemniczo Tadas się zachowywał, tym większy lęk przenikał serce Czeslawasa. Już niemal nie miał wątpliwości, że Terajła zjawił się tu nieprzypadkowo – przybył z jakimś poleceniem albo prośbą. Zaszczyt to niewątpliwie wielki, ale jeżeli topór zawisa nad głową, to honor schodzi na dalszy plan; człowiek myśli nie o tym, jakby tu naostrzyć topór, ale jak unieść głowę.

Chwilami Lomsargisowi wydawało się, iż może jego obawy są wyolbrzymione. Przecież jak dotąd, dzięki Bogu, wszystko jest na swoim miejscu: i folwark, i kościół, i nagromadzone w ciągu wielu lat dobro, ale przeczucie, że to wszystko jest tymczasowe, chwiejne, niepewne, coraz bardziej zakorzeniało mu się w duszy, wbrew jego woli, na przekór wszystkiemu, co sam sobie usiłował wmówić.

Przybycie Tarajły zamiast upragnionego spokoju wywołało w jego duszy jeszcze większy zamęt, sprawiło, że Lomsargis stał się współuczestnikiem jakiejś niezrozumiałej i nielegalnej sprawy; nagle znalazł się jakby w zmowie z takimi samymi ściganymi i prześladowanymi jak on sam.

Żeby tylko Tadas nie chciał zostać na folwarku. Niech przenocuje i odejdzie w zdrowiu i spokoju. Szczerze mówiąc, im też, to znaczy Czeslawasowi i Prane, często przychodzi do głowy rozpaczliwa, desperacka myśl, żeby stąd odejść. Chociażby na jakiś czas. Przesiedzieć gdzieś, przeczekać. Co prawda, nie zdycydowali się jeszcze gdzie. Prane ciągnie do Widukli, do ciotki, a on namawia żonę, żeby się wybrać jeszcze dalej – aż na polską granicę, do Lazdijaj lub Sieriaj, skąd Czeslawas pochodzi.

To okropne porzucać gospodarkę na pastwę losu – tyle w nią włożyli i pracy, i nadziei. Eliszeba może jej na razie doglądać. Jeżeli wszystko się dobrze ułoży i wrócą, odwdzięczą się jej. W tej chwili Żydzi to to samo, co list żelazny.

Lepiej nie myśleć o tym. Jak się pomyśli, to człowiek czuje się żywcem złożony do grobu...

– Odpoczniesz u nas, Taduk – zaproponowała litościwa Prane.

– Rad bym odpocząć, ale nie ma czasu... Zostanę u was tylko przez jedną noc...

– Tak krótko? – z udanym zdziwieniem zapytał Lomsargis.

– Robota – krótko wyjaśnił Tarajła.

Czeslawas zmienił się w oczach: jego twarz stała się jakby zupełnie inna; i wino z czarnej porzeczki, i uczucie skrywanej radości ubarwiło ją nienaturalnym rumieńcem. No cóż, jedną noc można wytrzymać. Da Bóg, w ciągu jednej nocy nic się nie stanie. A raniutko gość pożegna się i on Lomsargis, będzie podwójnie wygrany. Po pierwsze, oddali od folwarku niebezpieczeństwo, a po drugie, zapewni sobie sympatię Tadasa na przyszłość. Kiedy zmieni się władza – a kiedyś przecież musi się zmienić! – przypomną sobie o jego zasługach: w końcu zapewnił schronienie ściganemu przedstawicielowi starej władzy.

Ścięty z nóg przez wino i zmęczenie Tarajła poziewywał, i Prane, która nie spuszczała z niego pełnego szacunku i zachwytu wzroku, nagle zakrzątnęła się, zaczęła ścielić łóżko.

– Czeslawas – zwrócił się nagle Tadas do gospodarza, kiedy zostali sami. Mam do ciebie prośbę.

Niefrasobliwy nastrój, jaki przed chwilą ogarnął Lomsargisa, prysnął. Strach, który jakby zamarł dzięki skąpemu światełku nadziei, znowu się poruszył niby karaluch.

– Do mnie?

Pytanie było zbyteczne i pozbawione sensu. Ale Czeslawas chciał bodaj na chwilę oddalić od siebie nieprzyjemną, a może niebezpieczną prośbę. Co do tego, że słowa Tarajły nie wróżą nic dobrego, gospodarz nie miał najmniejszych wątpliwości. Gość po prostu odsunął najmocniejszy cios na koniec, żeby uczynić go mniej bolesnym.

– Czy nie mógbyś odwieźć do Widukli mojej torby podróżnej?

– Co?

– Mojej torby podróżnej – powtórzył gość z uśmiechem. – Nie bój się. Nie ma w niej dynamitu. Zwykłe papiery.

Ale go pocieszył! Czeslawas nie jest dzieckiem, wie, że najzwyklejsze papiery bywają gorsze niż dynamit!

– Widukle, ulica Żemajcziu osiem. Dla Piatrasa. Powiesz: od Szarunasa.

– Powiem, powiem – zapewnił go szybko Lomsargis, nie wnikając w sens swoich słów i przyrzeczeń.

– Nie trap się – próbował podnieść gospodarza na duchu gość. – Niedługo wszystko się zmieni. Gospodarz zostanie gospodarzem, parobek – parobkiem, a Litwin – Litwinem.

– Daj Boże! Daj Boże! – wychrypiał Czeslawas.

Po to, żeby gospodarz znowu został gospodarzem, parobek parobkiem, a Litwin Litwinem, warto pojechać nie do Widukli, ale na skraj świata.

Aż go świerzbiło, aż się cały trząsł, tak bardzo chciał się dowiedzieć, kiedy nastąpią te długo wyczekiwane i całkowicie sprawiedliwe przemiany, ale wystrzegał się zbędnych pytań. Dzisiaj nietrudno się znaleźć w więzieniu i za samo pytanie, i za odpowiedź. Jedno było jasne: Tarajła liczy nie na siły wewnętrzne, ale zewnętrzne, to znaczy na Niemców. A jeżeli na Niemców, to na wojnę. Myśl o wojnie tak zaprzątnęła Lomsargisa, że zupełnie zapomniał o prośbie gościa. Liczenie na Prusaków, jeśli nawet nie było słuszne, to w każdym razie jedyne. Czeslawas od dawna ich nie lubił – jeszcze od osiemnastego roku. Niemcy – wyzwoliciele? Kompletny nonsens! Oni jeszcze nigdy nikogo nie wyzwolili. Wyzwalanie ujarzmionych – to nie ich interes. Czy duży z tego pożytek, że zamiast dżumy zapanuje cholera? Wyzwolą Litwę i zapomną odejść! Cóż to za radość dla ptaka, jeśli przenosi się go z jednej klatki do drugiej! Ale może rzeczywiście w niemieckiej niewoli gospodarz będzie gospodarzem, a parobek – parobkiem.

I w tej chwili myśl Lomsargisa nieoczekiwanie zahaczyła o Eliszebę. Dla wszystkich wojna to nieszczęście, bo wojna już taka jest, ale dla córki krawca przybycie Niemców to gorzej niż pętla na szyję. Pętla może się jeszcze urwać, a Niemców jest nieprzebrane mrowie. Dlaczego się tak zawzięli na Żydów. Przecież Chrystus też był Żydem. I Najświętsza Maria Panna – Żydówką. Chociażby tylko ze względu na nich powinno się Żydów oszczędzić.

W sieni rozległy się kroki.

– Jak myślisz – pozna mnie? – zapytał Tarajła zadumanego Czeslawasa.

W naszych stronach wszyscy cię znają – przypochlebnie odparł Lomsargis.

Tarajła wsłuchał się w kroki w sieni, rzucił spojrzenie na drzwi, poobracał w ręku kieliszek, dopił resztkę wina, otarł ręką usta. W zmroku, jak chrabąszcz, rozbłysnął pierścień na jego palcu.

– Długo jeszcze ona u ciebie będzie? – zapytał gość.

– Dopóki nie wyjedzie.

– Dokąd?

– Do swojej Palestyny.

– Jeżeli nie wyjechała do tej pory, to teraz już raczej nie wyjedzie. Rosjanie jej nie wypuszczą, a...

Tarajła nie dokończył. Ale dla Czeslawasa i tak było jasne, kogo miał na myśli.

– To dobra dziewczyna. Uczciwa – wzbijając poduszki odezwała się przez nos Prane. – Jej ojciec – Gedali Bankweczer – to też przyzwoity człowiek.

– Doskonale znam jej ojca. Zawsze u niego szyłem. – Tarajła pomilczał chwilę i dodał: – Moje ostatnie ubranie miałem zamiar wystąpić w nim w sejmie! Z pewnością jest już gotowe. Szkoda, szkoda – nie wiadomo kogo mając na myśli – ubranie, siebie czy Gedalego Bankweczera, powiedział gość. – Zawołaj ją!

Lomsargis ruszył ku drzwiom, ale Prane go uprzedziła.

– Wejdź, wejdź – zachęciła dziewczynę.

Eliszeba nieśmiało weszła do izby, ale nie usiadła przy stole – stała nieopodal i wbiła wzrok w podłogę.

– Pamiętasz mnie? – zapytał Tarajła.

– Nie.

– To niemożliwe. Tyle razy przychodziłem do twojego ojca na przymiarki. Przecież jesteś córką Gedalego Bankweczera?

– Tak.

Oczywiście że go poznała, jeszcze na podwórzu, kiedy rozglądał się dokoła i nie spuszczał oczu z polnej drogi.

– Może się z nami napijesz? – Tarajła podsunął na skraj stołu czarkę.

Najważniejsze, to dobrze ją usposobić do siebie, nie rozdrażniać. Im okaże się lepszy, tym mniejsze prawdopodobieństwo, że na niego doniesie. Mimo że oboje gospodarze nie mogli się nachwalić swojej pracownicy-praktykantki, z łatwością mogła złożyć na niego donos. W tej chwili nikomu nie można wierzyć. Nikomu. Zwłaszcza obcym.

Eliszeba podniosła do ust czarkę, upiła odrobinę cierpkiego, pachnącego krzakami czarnej porzeczki wina i zamierzała się pożegnać.

– Dokąd idziesz? – zapytał ją Tarajła.

– Muszę wcześnie wstać.

– Kto rano wstaje, temu Pan Bóg daje. Wypijże chociaż tę czarkę do dna.

Eliszeba nie śmiała nie usłuchać, przysiadła na skraju stołu, schowała spracowane dłonie.

– Słyszałem – powiedział gość – że wybierasz się do Palestyny.

– Tak – odparła Eliszeba.

Przecież mu nie powie, że ona już m i e s z k a w Palestynie. Te najzwyklejsze, dobroduszne owce Lomsargisa pasą się nie na litewskich wzgórzach, lecz na stokach Galilei, cierpliwe i mądre konie – nie na łące w Judgiriaj, ale na wypalonym słońcem płaskowyżu pod Jerozolimą, grube, niezgrabne kaczki pływają nie w sztucznym stawie, lecz po srebrzystej gładzi Jeziora Tyberiadzkiego.

– A w jaki sposób masz zamiar zrealizować swój plan? – ciągnął dalej Tarajła.

Eliszeba wzruszyła ramionami. Jeżeli dawnej wszystko było dla niej jasne i proste, to w tej chwili, po zmianie władzy, wszystko się pogmatwało, zrobiło się mgliste, odsunęło się na nieokreślony termin.

– Rosjanie biletu ci nie wystawią, a innej władzy, poza rosyjską, na razie nie ma... A jeżeli nawet będzie, to i tak w tym wypadku nie masz na co liczyć...

– Dlaczego? Czy władze litewskie komukolwiek zabraniały wyjeżdżać? Dokąd kto chciał – do Ameryki, do Palestyny, do Brazylii, bardzo proszę – powiedział Czeslawas.

– Ale władzy litewskiej trzeba jeszcze doczekać – wyjaśnił Tarajła. – Bóg mi świadkiem, że nie odnoszę się źle do Żydów. Uważam ich za naszych starszych braci. Oczywiście jeśli idzie o wiarę. Ale czy pomyślałaś, moja miła, co się stanie z tobą i z twoimi bliskimi, kiedy przyjdą Niemcy? Niemcy nie oszczędzają Żydów.

– To, co się stanie ze wszystkimi, stanie się i z nami – odcięła się Eliszeba.

Już miała sobie za złe, że nie odeszła od razu, że dała się wciągnąć w tę bezsensowną rozmowę. Do czego, sama sobie zadawała pytanie, on zmierza? Co go obchodzi Palestyna, co go obchodzi, jak ona zamierza się tam dostać? O Niemcach też nie powiedział nic nowego. Świadczy to tylko o tym, że ona ma rację: obronić Żydów może jedynie Erec Izrael – ziemia Żydów.

– A my... my zrobimy z niej Litwinkę – dobrodusznie powiedziała Prane. – Oczywiście, o ile Eliszeba się zgodzi... Zawieziemy ją do kościoła, ochrzcimy – i...

– I co?... Nieźle pomyślane... Nieźle – Tarajła poparł gospodynię. – Do czasu będą cię uważali albo za ich robotnicę, albo córkę. Przecież ty w ogóle nie jesteś podobna do Żydów. Już bardziej ja przypominam Żyda...

I gość roześmiał się.

Był lekko podochocony, ale mówił składnie i przekonująco; Czeslawas i Prane słuchali go z zapartym tchem, a Eliszeba siedziała bez ruchu i w jej rozszerzonych źrenicach połyskiwały łzy – ni to oburzenia, ni to wdzięczności, ni to żalu do wszystkiego na świecie – i do Litwy, i do dalekiej Palestyny, do bezdzietnych gospodarzy i ich znakomitego gościa, który rok temu uciekł, do swojego ojca Gedalego Bankweczera, który nawet nie podejrzewa niebezpieczeństwa, jakie nad nimi zawisło – to nie są żarty: jego córka jest niemal

257

gotowa się ochrzcić – i do samej siebie, która ugrzęzła tu, na głuchym folwarku, wśród żmudzkich lasów, tak mało podobnych do gajów, w których rosną cedry libańskie.

Od czasu do czas Czeslawas, jakby ocknąwszy się z jakiegoś półsnu, bez najmniejszego związku z tym, co docierało do jego uszu, mówił.

– Tak, tak, tak.

Mimo że Lomsargis tak bardzo się starał, nie mógł pogodzić dwóch dręczących uczuć: jakiejś nieokreślonej radości i lęku. Aluzja Tarajły, żeby uznać Eliszebę za córkę, z jednej strony jakby uwolniła go od obaw o jej los, w przypadku, gdyby Niemcy znaleźli w chutorze Żydówkę. Z drugiej zaś strony, odbierało to jak gdyby możliwość wykorzystania jej jako tarczy ochronnej przed rozpasaniem i przemocą nowych władców, dobrze nastawionych, jak przypuszczał, wobec Żydów. Dla Niemców Żydówka, chociażby i podobna do chrześcijanki – to zguba. Dla Rosjan, być może, zbawieniem.

– Tak, tak, tak – cedził.

Nikt nie mógł zrozumieć, czego ma dotyczyć to jego beztroskie, wywołane częściowo winem potakiwanie, ale gospodarz nawet nie liczył na to, że go ktoś zrozumie. Po prostu wypluwał pestki swoich niewesołych myśli. Jemu i Prane Bóg dał wszystko poza dziećmi. Ale na Boga, jak wiadomo, nikt nie narzeka. Możesz wzdychać, wyrzekać, i tak to niczego nie zmieni.

Jak podpowiadał Lomsargisowi jego chłopski rozum, w tej chwili byłoby korzystniej, żeby wszystko pozostało jak dotąd. Dopóki Eliszeba jest Żydówką, może folwarku nikt nie tknie, nie spustoszy, nie zabierze krowy, nie uprowadzi koni, nie wyłapie kur.

Czeslawas miał plan, żeby w ostatecznym razie przepisać gospodarstwo na Eliszebę. Rzecz oczywista nie na zawsze, na jakiś czas, umówią się co do tego, ale kiedy dowiedział się, że ziemi, która od chwili obecnej należy do państwa, nie można ani zapisywać, ani sprzedawać, zrezygnował ze swojego zamiaru. Ziemia stanowi własność państwa! Na samo wspomnienie o tym aż dreszcz go przenikał! Przecież on tę ziemię wypielęgnował, wypieścił, zrosił własnym potem i nagle – własność państwa! Co za nieprawdopodobna głupota! Ziemia należy do niego i tylko do niego! W jej obronie porwie się nie tylko na państwo, ale i na samego Pana Boga!

Eliszeba skończyła pić wino, wstała od stołu, ukłoniła się gościowi i cicho wyśliznęła się za drzwi.

– Tadas! – Lomsargis przerwał milczenie... – Opowiadałeś o zmianach. Czy szybko nadejdą?

– Ja – o zmianach? – z udanym zdziwieniem powtórzył Tarajła.

– O Niemcach – wyjaśnił gospodarz.

Chociaż Czeslawas ich nie cierpiał, mimo wszystko byli lepsi od Rosjan. Rosjanie wszystko odebrali, Niemcy wszystko zwrócą. Oczywiście, każdy obcy jest zły, ale z dwojga złego należy wybierać mniejsze zło. Dla niego, tęgiego gospodarza, Niemcy byli chyba mniejszym złem, dla Eliszeby – większym. Ale on, Lomsargis – nie będzie jej do niczego zmuszał. Niech sama dokona wyboru.

– Nadejdą – wykrętnie odparł gość. – Może przed latem. Może przed zimą. Nie będziemy bawić się we wróżby.

Pochylił się, wyciągnął spod ławki torbę, przesunął ją w stronę gospodarza i powiedział krótko:

– Nie zapomnij!

– Tak, tak, tak – podpitym głosem, bez sensu przytaknął Czeslawas.

Kiedy Tarajła wyjechał, przybity i zatroskany Lomsargis zapytał przy śniadaniu Eliszeby:

– Naprawdę go nie poznałaś?

– Poznałam.

– To dlaczego na jego pytanie odpowiedziałaś „nie"?

– Chciałam, żeby się tak nie bał. Jeżeli człowiek może pomóc drugiemu, to jedynie w taki sposób.

– W jaki? – gospodarz wytrzeszczył **na nią** oczy.

259

– Pomniejszając jego strach.

– Choćbyś nie wiem, o ile go umniejszyła, to nazajutrz i tak przybędzie go tyle samo. A może nawet więcej.

Ledwo Tarajła wyjechał, kiedy do chutoru wpadł Powilas Henis, pomocnik Arona Dudaka. W zeszłym roku też przyjeżdżał: dawaj gospodarzu zboże, otwieraj sąsieki, odsypuj, co ci zbywa, płać podatki.

Krzyki, wyklinania, pogróżki. Jak tylko otworzysz usta, żeby coś odpowiedzieć, natychmiast dostajesz sójkę w bok i reprymendę: że niby jesteś i taki, i siaki, i owaki, szkodnik, kułak.

Dawniej na takich jak Powilas Czeslawas spuściłby psa z łańcucha, a teraz, człowieku przypochlebiaj się, jeżeli nie chcesz napytać sobie większej biedy. Z jakiej to racji trzeba karmić cudzą armię – czerwoną czy białą? Chłop nie zapraszał tu obcych, żeby utrzymywać hurmę pyskaczy – rolnik pluje na ich przysięgi i płomienne przemówienia! Językiem nikt jeszcze nie wyhodował ani jednego ziarenka.

– Gospodarzu! – ryknął pod oknami Henis.

– Ja tu jestem gospodyni – wychodząc na ganek powiedziała Eliszeba.

– Ho–ho–ho! zachichotał Henis. – Mnie jest potrzebny Lomsargis.

– Nie ma go...

– I jego baby też nie ma?

– Jestem sama.

– A gdzież się oni, to kułackie nasienie, podziali? – Powilas upajał się swoją władzą, z zadowoleniem wsłuchując się w dźwięk własnego głosu, w duchu rozkoszował się swoimi władczymi gestami; jakby przyglądając się sobie z boku, marszczył wąziutkie, pokryte rudymi włoskami ściernisko czoła.

– Pojechali na pogrzeb krewniaka.

– Łżesz. A jak poszukam?

– Szukaj – spokojnie odparła Eliszeba wiedząc, że Powilas jak każdy pijak, jest odważny jedynie w gębie. Sam, bez niczyjego wsparcia nie wejdzie do domu ani do stajni: kiedy kogut zapieje, to aż się cały wzdryga.

– A kiedy wrócą? – dalej dopytywał się Henis.

– Nie powiedzieli. A o co chodzi?

– Nikt tu nie przychodził?

– Przychodził.

– Kto? – ożywił się Powilas.

– Sąsiad... O, z tego folwarku! – i Eliszeba wskazała ręką połyskujące w dali jezioro.

– Poza tym nikt?

– Nikt.

– Mamy wiadomości, że w okolicy pojawił się Tarajła... ludziom w głowie mąci... namawia do oporu...

– Tarajła?... Pierwszy raz słyszę!

– Uch, ale z ciebie chytruska!

Henis popatrzył na Eliszebę z pełnym podejrzliwości szacunkiem; jego naczelnikowski wigor nieco ustąpił miejsca najzwyklejszej ludzkiej zazdrości – Lomsargisowie umrą i zapiszą jej folwark. Jego pierś nagle opadła, gesty stały się niepewne, z głosu zniknął władczy ton, w jego miejsce pojawiła się znajoma, przymilna chrypka. Czekał, kiedy Eliszeba domyśli się i wyniesie mu z chałupy szklaneczkę wina z czarnej porzeczki – wino Lomsargisa słynęło w całej okolicy! – aby przepłukać utrudzone gardło. No bo i jakże: dzień w dzień wałęsasz się po chutorach i przesłuchujesz, przekonujesz, agitujesz.

– Posłuchaj – zapominając o sprawach państwowych powiedział Powilas. – Nie poczęstujesz mnie winkiem?... Z nóg padam ze zmęczenia.

Eliszeba ulitowała się nad nim, wyniosła szklankę wina, którą Henis wychylił jednym haustem. Wychylił, otrząsnął się jak wykąpany szczeniak i, przyglądając się zabudowaniom, ruszył w kierunku polnej drogi.

Ukryci w stajni Czeslavas i Prane promienieli z radości i przez łzy, na wyprzódki dziękowali.

– Zbawicielko nasza! Zginęlibyśmy bez ciebie jak wszy w łaźni!

Co prawda, w radości Czeslawasa, jak w dojrzałym jabłku, gnieździł się robaczek.

Powilas Henis to obibok, pijanica, ryży drab. Co będzie, jeżeli na folwarku zjawi się ktoś inny? Niepijący, sprytny, nieustępliwy. Wtedy człowiek nie wykupi się od niego szklanką wina.

– Wypytywał o Tarajłę – powiedziała tylko Eliszeba.

Nawet i ta krótka wiadomość wystarczyła, żeby Lomsargis nie na żarty się przestraszył. Co będzie, jeżeli na folwarku znajdą papiery Tarajły?

Przedtem też nie miał pojęcia, co zrobić z pozostawioną torbą, ale teraz zupełnie stracił głowę.

Schować? Odwieźć? Zniszczyć?

Czeslawas nie wiedząc, co począć, popadł w przygnębienie.

Jego myśl miotała się jak kura, której dopadł tchórz i nagle spłynęło na niego olśnienie.

Boże, że też mu to wcześniej nie przyszło do głowy: utopić! Utopić w jeziorze albo wrzucić do wychodka!

Do jeziora jest daleko, po drodze mogą go przyłapać, ale wychodek jest o kilka kroków.

Wstanie o świcie...

Ale na drugi dzień Czeslawas ciężko się rozchorował. Najpierw dostał gorączki, zaczęło go drapać w gardle, potem żebra jakby mu kto skuł rozpalonymi obręczami, i męczący, wyczerpujący kaszel zaczął rozrywać pierś. Lomsargis leżał w łóżku, obłożony ze wszystkich stron poduszkami, i walcząc z mgłą zasnuwającą rozpalone oczy, myślał o tym, iż żaden grzech – popełniony choćby w myślach, nawet nieurzeczywistniony, wgryza się mu w mózg jak mysz, nie uchodzi bezkarnie. Każdy taki grzech-mysz czeka wcześniej czy później pułapka. Grzechu nie można utopić w jeziorze ani wyrzucić do wychodka. Bóg widzi wszystko, wszystko i zewsząd wyciągnie wszelkie ludzkie przewiny. No i pokarał go,

Czeslawasa, ażeby na przyszłość odechciało mu się kręcić i oszukiwać. Jego, Wszechmocnego i Miłosiernego, nic nie obchodzi, że bez chytrości i oszustwa nie przeżyje się ani dnia na tym świecie. A przecież człowiek jest jak ta siermięga: im dłużej żyje, tym więcej na nim plam.

Gorączka Czeslawasa opalała jego myśli, które płonęły jak suche liście; chory raz po raz zapadał w stan głębokiej nieprzytomności; wystraszona Prane przykładała mu na czoło mokre kompresy, a Eliszeba przynosiła wodę ze studni. Ale ani kompresy, ani wywar z kwiatu lipowego nie pomagały. Lomsargis wyrzygiwał płyn, zrzucał z siebie koc, zrywał się z łóżka, chciał dokądś iść. Prane przy pomocy Eliszeby układała męża z powrotem, otulała go jak małe dziecko, i z lękiem i miłością łowiła każde jego słowo.

Kiedy utrata przytomności zmieniła się w majaczenie, Prane postanowiła wyprawić Eliszebę do Miszkine, po lekarza.

Doktor zbadał Czeslawasa, nie dopatrzył się w nim, ku zdumieniu Prane, żadnej choroby, kazał nalać choremu szklankę wina z czarnej porzeczki, sam też wypił ochoczo, poskarżył się na roztopy i nowe porządki, i otrzymawszy jako honorarium kawał słoniny i dwa pęta kiełbasy, odjechał.

Po chorobie Lomsargis zupełnie zamknął się w sobie, zrobił się rozdrażniony i milczący, prawie nic nie robił w gospodarstwie. Prane i Eliszeba ze strachem obserwowały, jak przenosi z miejsca na miejsce pozostawiony przez Tarajłę sakwojaż – albo chował go na strychu, albo w szopie na siano, albo spuszczał go w zardzewiałym wiadrze na dno starej wyschniętej studni.

Lomsargis nie sądził, nie przewidywał, że na stare lata przypadnie mu taki los – zacierać po kimś ślady. A przecież nikomu nic nie ukradł, nawet szczapki z cudzego obejścia sobie nie przywłaszczył, wszystko zdobył własną pracą. Cóż to za porządki, przy których człowiek musi być nieustannie między młotem a kowadłem? Co to za władza, która swoich karmicieli nagradza nie pieniędzmi, lecz strachem.

Męczyło go, że nie wywiązał się z przyrzeczenia, które dał Tarajle. Czas płynął, a torba dalej spoczywała na dnie starej studni. Czasami Czeslawas podchodził do studni i jak zaszczuty zaglądał w głąb, jak do grobu.

Skończyła się zima, przemknęły pełne lęku miesiące wiosny i nadeszło lato.

Przed samymi sianokosami z rozchybotanych oparów wypełzła wojskowa ciężarówka.

Lomsargis zobaczył, jak ze skrzyni wysypali się żołnierze i polną drogą ruszyli w stronę chutoru.

To już koniec, przeszyła go myśl.

Poczuł, jak kostnieją mu nogi, jak ohydna słabość rozlewa się po całym ciele, i w gardle zastyga bezradny, pełen nienawiści krzyk.

Czerwonoarmiści byli bez broni, w letnich mundurach. Przed nimi powoli, z mapnikiem przy boku, kroczył chudy oficer.

– Jak się macie, ojcze! – powitał Czeslawasa, który się krzątał przy stodole.

– Czeslawas znał trochę rosyjski, ale udał, że nic nie rozumie.

– To twoja ziemia? – zapytał oficer i zatoczył palcem koło jak pętlę.

Lomsargis skinął głową.

– Trzeba się będzie troszkę ścieśnić – oświadczył oficer. – Jak u nas powiadają, w ciasnocie, ale w zgodzie.

Czeslawas nie pojmował, czego tamten od niego chce, ale uznał, że lepiej o nic nie pytać. Głupio jest pytać, kiedy każda odpowiedź oznacza zgubę.

– Zgodnie z rozkazem, tutaj – oficer znowu zatoczył palcem koło, obejmując nie tylko budynki, ale i pole oraz zboża – zostanie zbudowane lotnisko polowe. Rozumiecie?

Ach, to tak! Czeslawasa ogarnęła tępa, ogłuszająca rozpacz. Patrzył zgnębiony na oficera i nagle przypomniał sobie czerwcowy dzień czterdziestego roku, warczące nad Czarną

Puszczą dziwadło z gwiazdami na burtach, swoją rękę zaciśniętą w pięść, kosę sterczącą wśród pokosów jak nagrobek. Koło budy z furią zaczął ujadać pies.

– Zły ten twój piesek – bez złości stwierdził oficer. – Ale dłużej stróż nie będzie ci potrzebny. My cię obronimy! Ładni mi obrońcy! Wcale nie potrzebuje ich pomocy! Przez dwadzieścia dwa lata bronił go nie ten pies, ale ta ziemia, te trzynaście hektarów, które uprawiali. I nie było, jak mu się wydawało, silniejszej broni na świecie. Nic było i z pewnością nigdy nie będzie.

– Nic na to nie poradzimy – widząc zmieszanie gospodarza wymamrotał oficer. – Rozkaz to rozkaz. Ną pewno sam służyłeś w wojsku i wiesz.

Lomsargis uśmiechnął się z przymusem i ten jego uśmiech był jak świeża rana, oślepiający i krwawy.

– A jeśli idzie o zboże, to niech cię, ojcze, głowa o to nie boli. Kiedy dojrzeje, przyślę swoich chłopaków – migiem skoszą, w snopki powiążą i zwiozą na gumno.

Tak jak każdy chłop Lomsargis zwlekał, jak długo się dało: dziesięć razy się zastanów, a dopiero potem coś postanawiaj. Ale pojawienie się żołnierzy, najście tych hołyszy z Miszkine, którzy ogłosili się władcami Litwy, nie pozostawiały najmniejszej nadziei. Dzisiaj – lotnisko polowe, jutro spustoszą gospodarstwo, wygonią z domu i ogołociwszy do suchej nitki wywiozą na koniec świata, do białych niedźwiedzi.

Zwłoka mogła spowodować nieodwracalne nieszczęście.

Czeslawas zastanawiał się rzetelnie i postanowił – do Prijekule, do ciotki Prane. Zaprzęgną buławego, załadują furmankę wszelkim dobrem – mąką, marynatami, zabiorą zimową odzież i w drogę. Ale przede wszystkim trzeba się dogadać z Eliszebą. Może zgodzi się zostać i dopilnować gospodarstwa? Przecież nie zostawią folwarku na łasce boskiej. Ale czy Eliszeba się zgodzi? Przecież to ani córka, ani żadna krewniaczka.

– Eliszebo – zaczął Czeslawas po odjeździe żołnierzy. – Sama widzisz, co się dzieje.

– Widzę – odparła ze smutkiem, myśląc o swoich sprawach.
– Naradziliśmy się między sobą i postanowiliśmy na krótko wyjechać... Czy zgodziłabyś się doglądać chutoru? Nie chcemy za darmo... Zapłacimy...
– Nie chcę żadnych pieniędzy.
Powiedziała to w taki sposób, że Lomsargis ani rusz nie mógł pojąć, czy to ma oznaczać zgodę, czy odmowę.
– W każdej chwili możesz wszystko zostawić i odejść – wybąkał speszony Lomsargis. – Nie pogniewamy się na ciebie. Każdy ma swoje własne kalkulacje. Ksiądz proboszcz powiada: Żydzi czekali na Stalina, żeby nie przyszedł Hitler, a my, Litwini, czekamy na Hitlera, żeby nie przyszedł Stalin.
– A ja nie czekam ani na jednego, ani na drugiego – poważniejąc powiedziała Eliszeba. – Żydzi przez całe życie czekali tylko na jedno: na sprawiedliwość. Ale widocznie nie ma sprawiedliwości na obcej ziemi.
– Czy Litwa jest dla ciebie obca, cudza?
– Nie obca, ale nie swoja.
– Wszystko się uspokoi i wyjedziesz...
– Daj Boże, ale jakoś nie bardzo w to wierzę...
– Maluczcy na tym świecie nie mają niczego poza wiarą. Wiara stanowi i obronę, i pocieszenie... No bo kim my jesteśmy? Ziarenkami piasku na pustyni?
Takich słów Eliszeba nigdy od niego nie słyszała. Mówili o wszystkim: o siewach i o żniwach, o krowach i koniach, o wiosennych roztopach i odpustach, o cenach mleka i wieprzowiny, ale nigdy o wszechświecie. Dla niego padnięcie konia znaczyło więcej niż upadek Polski czy Czechosłowacji.
– Ziarenko piasku do ziarenka i tworzy się skała – wymigując się od odpowiedzi na zasadnicze pytanie powiedziała Eliszeba.
Wielki, barczysty, w przesiąkniętej potem płóciennej koszuli, budził w niej współczucie, chęć, aby mu pomóc, chociaż zdawała sobie sprawę, że jej pomoc chyba nic nie zmieni. Diabelskie koło się obraca i ani współczucie, ani wiara go

nie powstrzymają. Biada temu, kto nie chce się uczepić jego bezlitosnych szprych!

Najprościej (i najmądrzej) byłoby odmówić, wrócić do Miszkine, do ojca, na Rybacką, ale nie chciała okazać się małoduszna i niewdzięczna.

– Dobrze – powiedziała i natychmiast poczuła jakąś ulgę. – Jedźcie.

Prane napłynęły łzy do oczu.

– Dziękujemy.

– Najważniejsze, to nie zapominaj o krowie. Niedługo będzie się cielić.

– Bądźcie spokojni.

– Niech Bóg ma cię w swojej opiece! – basem powiedział Czeslawas i uczynił nad nią znak krzyża.

Tego samego dnia na folwarku rozpoczęły się żniwa.

Lomsargis nie czekał aż żołnierze pod przewodem swojego dowódcy skoszą j e g o zboże.

Pole żyta było dla niego miejscem równie świętym jak kościół. Każdy kłos, każdy bławatek szeptał modlitwę. Modlitwę szeptał również i Czeslawas.

Obszedł swoje pole wzdłuż i wszerz, sierpem ściął pęczek kłosów, zabobonnie wsunął go pod kozioł furmanki, potem wszedł do stajni, ucałował krowę, podrapał za uchem każdą świnkę, nakarmił kury, zaczerpnął wiadrem wody ze studni, chciwie i z wdzięcznością ją wypił, otarł łzę wiernemu psu i pogładził go po grzbiecie. Przypomniał sobie o sakwojażu Tarajły, podreptał do starej studni, nakrył ją daszkiem, jakby zabijał trumnę.

Eliszeba odprowadziła ich aż do rozstajnych dróg.

Koń szedł wolno i Lomsargis go nie popędzał.

Na rozstajach, jak czterdzieści lat temu, stał obłąkany starzec Siemion Mandel, syn karczmarza Joszuy, oskarżonego o mord rytualny i zesłanego na Sybir.

Na wspomnienie o Sybirze Lomsargisowi ścisnęło się serce, oddech stał się krótki, urywany. Kierowany jakimś zabo-

267

bonnym uczuciem, zszedł z furmanki, pogrzebał w sianie, wyciągnął z płótna gomółkę sera, odłamał kawałek i podał nieborakowi. Po śmierci Marty, wdowy po karczmarzu, nieszczęsnego Siemiona dokarmiali wszyscy okoliczni mieszkańcy.

Obłąkany odłamał kawałek sera, włożył go do ciemnych i chropowatych jak dziupla ust, zazgrzytał pożółkłymi zębami.

– Wciąż czekasz? – zapytał go Czeslawas, nie spodziewając się odpowiedzi.

Siemion nigdy nie odpowiadał od razu – od stóp do głów oglądał pytającego, jakby go oceniając, a potem gwałtownie, niby nocny ptak, coś wykrzykiwał. Tym razem obłąkany nie zachował się tak jak zawsze; nie przestając jeść, cicho i poufnie powiedział:

– Wszyscy czekają na Mesjasza.

Popatrzył na Lomsargisa i dodał:

– A ty nie czekasz?

– Czekam – krótko odparł Lomsargis.

– Po co zaczynasz z nim jakieś gadki? – Skarciła Prane męża. – Jedźmy już!

Ale Czeslawas się nie śpieszył, jakby miał nadzieję usłyszeć od nieszczęsnego Siemiona coś takiego, czego mu nikt nie powie. Obłąkani dlatego są obłąkanymi, że spoglądają tam, gdzie normalnemu człowiekowi nawet do głowy nie przyjdzie zajrzeć.

– Czekajcie! – kończąc żuć okruch sera wychrypiał syn karczmarza Joszuy Mandla. – Jak wieczór czeka na noc, a noc na dzień. Jak drzewo na liście. Stańcie obok mnie i czekajcie! – Staruszek skinieniem głowy wskazał Prane i Eliszebę. – Może Mesjasz nie pojawia się właśnie dlatego, że każdy żyje oddzielnie.

Jaki tam z niego szaleniec, przemknęło Czeslawasowi przez głowę. Mówi zupełnie do rzeczy. Ale może na tym właśnie polega obłęd – mówić rozsądnie w pozbawionych rozsądku czasach. W takich czasach nie sposób czekać wspólnie. Tylko oddzielnie. Tylko oddzielnie. Każdy ma swojego Mesjasza. Jeden – Hitlera, inny – Stalina, jeszcze inny – diabła rogatego.

I nikt na to nic nie poradzi. Mesjasze są różni, a życie jest jedno. Boże, ileż w nim, takim krótkim, mieści się miłości i gówna!

– Żegnaj! – powiedział Czeslawas do Siemiona. – Kiedy doczekasz się Mesjasza, wspomnij mu o mnie.

Syn karczmarza pokiwał głową, wpatrzył się w Lomsargisa, potem przeniósł wzrok na przycichłego konia, usiłując sobie coś przypomnieć, ale nic się nie przebudziło w jego pamięci; wszystkie jej zakamarki zalane były lodowatą wodą zapomnienia. Ile furmanek tędy się przetoczyło, ilu jeźdźców przegalopowało, ile okruchów czyjegoś chleba, sera, pozostało w jego brodzie!

– Żegnaj! – krótko powiedział Lomsargis do Eliszeby.

– Do widzenia – powstrzymując łzy odparła córka krawca, nowa gospodyni chutoru.

– Namów swojego kawalera, żeby się przeniósł do ciebie. We dwójkę zawsze lżej.

Czeslawas splunął, wsiadł na furmankę, zaciął bułanego.

Eliszeba stała na rozstaju obok Siemiona, wsłuchiwała się w skrzypienie kół, ale niebawem i ono umilkło.

Dopiero w tej chwili pojęła z przerażeniem, jakie brzemię przyjęła na swoje barki. Chciała rzucić się za nimi, chwycić bułanego za uzdę i głośno, tak, żeby było słychać w niebiosach, zawołać: „Boję się! Weźcie mnie ze sobą! Dokądkolwiek! Żeby tylko bliżej Ziemi Obiecanej... bodaj o arszyn... bodaj o jeden krok!...

Ale jakby przyrosła do polnej drogi.

Siemion patrzył z ukosa na Eliszebę i w jego spustoszonym jak ptasie gniazdo mózgu jedno za drugim wykluwały się wspomnienia o innej kobiecie – o własnej ukochanej Marcie, która została nie jego żoną, lecz macochą.

– Marto! – cicho powiedział syn karczmarza.

– Boże, za kogo on mnie bierze!

– Marto! Marto! – powtórzył z zapamiętaniem, wyciągając ku niej wielkie szorstkie dłonie.

Eliszebę nagle ogarnął strach. Jeszcze nigdy w życiu nie doznała takiego wszechobecnego, ogarniającego całe ciało strachu.

– Marto! Marto! – jęczał obłąkany i jego jęk brzmiał niby wyrok.

Eliszeba rzuciła się do ucieczki. Biegła, potykała się, przeskakiwała przez rowy i kępy; wydawało się jej, że w jej piersi kołacze nie jedno serce, lecz trzy, i każde z nich stukało głośniej niż drugie.

W końcu zamajaczył przed nią folwark.

Zalewając się łzami wpadła Eliszeba do stajni.

Zobaczyła w mroku krowę, podbiegła do niej, przytuliła się. Krowa zaryczała i zaczęła szorstkim językiem po macierzyńsku oblizywać jej twarz.

Eliszeba nie protestowała. Krowie pieszczoty uspokajały, budziły dobre, niemal całkowicie zatarte wspomnienia. W pamięci wyłonił się dom rodzicielski, Jakub, siostra Rejzł, stajnia napełniała się znajomymi twarzmi, urywkami rozmów, a myśl o odpowiedzialności za ten folwark, za tę ufną krowę, za to jeszcze nie skoszone pole żyta już nie napełniały Eliszeby strachem jak przedtem.

W połowie czerwca, tak jak jej Czeslawas przykazał, Eliszeba przeniosła się do stajni, a po tygodniu, w wigilię Świętego Jana, przyszła na świat mokra, ciepła jałóweczka.

Danuta-Hadassa

– Boże, Boże, jeżeli już nie mogłeś darować słudze twojej Danucie Skujbyszewskiej-Dudak życia bez trosk, ześlij jej lekką śmierć, o Panie! Wargi jej się trzęsły i chcąc powstrzymać to drżenie Danuta zagryzała je starymi, wysłużonymi zębami.

W domu poza gospodynią, harcującymi bezczelnie myszami i Bogiem nie było nikogo. Bóg i myszy sprawiały, iż dom nie wydawał się taki ciasny, nieprzytulny – kiedy człowiek zwraca się do Najwyższego, zawsze rozszerza to i ściany, i duszę.

Siedziała na łóżku wpatrując się uporczywie w bezlitosną ciemność, z której jej umęczona wyobraźnia wyławiała to postać pierwszego męża Ezry, to drugiego męża Szachny, to hardą ciotkę Stefanię, to znów gościnne przydrożne traktiernie, to uwodziciela Judla Krapiwnikowa. Wszyscy krążyli przed nią, niczym na gimnazjalnej zabawie karnawałowej, tyle że bez masek, szeleszcząc sukienkami i surdutami, zmieniając partnerów i pozy. Razem z nimi aż do bladego świtu krążyła i ona, młodziutka, kochliwa Danuta Skujbyszewska, szlachecka córka, wnuczka powstańca.

Czyżby to wszystko rzeczywiście kiedyś istniało?...

Szlachecka córka, wnuczka powstańca. W jaki sposób znalazła się na tym cmentarzu, gdzie nie ma ani jednego krzyża, ani jednego napisu po polsku czy po łacinie? Jaka siła przywiodła ją tutaj, w tę litewską głuszę, pod ten zszargany przez wiatry i posępne widma dom?

Siła miłości? Ha–ha–ha!

Danuta zaśmiała się i sama się przelękła swojego śmiechu.

Jeszcze rok temu, kiedy żył Szachna (chociaż już śmiertelnie chory), a obok byli synowie – Aron i Jakub, nie czuła się taka samotna.

Świadomość, że jest komuś potrzebna, powstrzymywała ją od ostateczności, chociaż czasami usiłowała za jednym zamachem położyć kres wszystkiemu.

Jeden raz uratował ją Aron – wszedł na strych po latawiec, ujrzał ją z pętlą na szyi, krzyknął nie swoim głosem i zemdlał. Która matka zostawi rodzone dziecko w takim stanie? Danuta zdjęła z szyi pętlę, uklękła i gorącymi pocałunkami, niczym amoniakiem, przywróciła Arona do przytomności.

Następnym razem dzielnie spisał się Jakub – znalazł ją półżywą, z odmrożonymi rękami i nogami w paszilajczańskim lesie, kiedy to wybrała się do swoich Smorgoni.

Wyszła z domu w tęgi mróz i na piechotę wyruszyła za granicę.

Danuta nie lubiła wspominać ani o tym lesie, ani o sznurze.

Ale w tej chwili uczucie, że nie jest nikomu potrzebna, że jest taka porzucona, ciążyło jej jak nigdy.

Aron prawie nie pokazywał się na cmentarzu, a Jakub wyjeżdżał na noc do Judgiriaj, do Eliszeby. Jak na złość nie odbywały się żadne pogrzeby. Mimo że pogrzeby są takie smutne, w jakiś sposób urozmaicały jej dzień powszedni, ubarwiały niemiłą, obrzydłą starość.

Wpatrując się w ciemność, w której roiły się obrazy z przeszłości, szczerze prosiła Boga o największą łaskę – o śmierć, ale z Najwyższym zawsze jest tak samo! Im kto więcej prosi, tym dłużej czeka.

Czasami, mając już dość tak obficie rodzące dawne majaki męki ciemności, Danuta zapalała lampę, ustawiała na stole fotografie Icchaka i Kajli Lwów, w pośpiechu zapomniane przez ich na wpół obłąkaną córkę Merę, i zaczynała się w nie uparcie wpatrywać, jakby w nadziei, że ulitują się nad jej samotnością i przemówią do niej.

Każda noc była długa jak życie i po to, żeby ją skrócić, Danuta gotowa była odpowiadać im na wszystkie pytania, które przecież sama sobie zadawała. Była to przedziwna zabawa, w której nie istnieli zmarli, lecz sami żyjący.

Żywy Icchak Lew patrzył z ukosa na Danutę, i w jego spojrzeniu przebijała harda, niemal wroga ciekawość. Żywa Kajla Lew uśmiechała się wymuszonym, wstydliwym uśmiechem.

– Wasza Mera wyjechała do Palestyny.... I pan Baruch.... I wasz wnuk Amosik – rzucała Danuta od niechcenia słowa w nocną ciszę, i jej głos, rozbrzmiewający w mroku głośniej, jednoczył i sklejał czas.

Powtarzało się to dzień w dzień. Danuta zasiedlała ciemność tymi, których ją Bóg pozbawił. Zmieniały się tylko osoby, pytania, odpowiedzi. Chwilami zaczynało się jej wydawać, że również ona, tak jak Icchak i Kajla Lwowie, istnieje jedynie na fotografii, nie wywołanej, pogrążonej w ciemności, że również i jej już od dawien dawna nie ma wśród żyjących. Tylko udawała, że żyje, im dłużej to trwało, tym więcej to udawanie kosztowało ją wysiłku.

Siedząc na łóżku aż do świtu i wpatrując się w ciemność, próbowała przypomnieć sobie coś, o co można by zaczepić pamięć, lecz wszystko, nawet najlepsze – młodość, miłość do Ezry wymykało się jej jak cień, który jest widoczny, ale nie da się doknąć; rozpoznaje się go, lecz on pozostaje zawsze nieosiągalny.

Czuła, że przepaść pomiędzy nią a życiem codziennie się pogłębia i nie miała najmniejszej ochoty, aby czymkolwiek ją wypełnić. Pasje, którymi żyły jej dzieci – zwłaszcza Aron – były jej obce. Danuty ani trochę nie interesowało, kto rządzi światem – czy car, czy Smetona, czy Stalin. Jej światem rządziła ona sama oraz kapelusz z przedziwnym piórem; stary, znoszony kapelusz był jej jedynym bogactwem, symbolem jej niezależności, jej ubogiej, ale jakże wspaniałej swobody.

Może właśnie dlatego nigdy nie bała się umierania. Głupi ludzie! Lękają się śmierci, kiedy należy się lękać życia. Nie ma nic straszniejszego niż życie. Bo chyba to, co można utracić, jest ważniejsze, bardziej znaczące od tego, co można zyskać.

Śmierci nie można utracić. Można ją tylko zyskać. Nie darmo Efraim Dudak, teść Danuty, mawiał: „Ten, kto odwraca swoje oblicze od śmierci, ten po to, aby żyć, może się wyrzec własnej matki".

Danucie od ciemności łzawiły oczy, ale nie ocierała ich, było jej przyjemnie, że po jej pomarszczonej twarzy spływają wielkie, zmącone starością łzy. Człowiek podobny jest do pola, myślała, do pola zroszonego łzami. Im więcej łez, tym dorodniejszy kłos.

Jakże dorodne są jej kłosy!

Danuta znowu popatrzyła na fotografie. Trzeba je powiesić na ścianie. Niech wiszą, dopóki Bruchisowie nie wrócą. Ale czy wrócą?

Z ciemności, niczym zza krzaka tarniny, wynurzyli się Bruchisowie – Mera, Baruch i Amos.

Mera cała była przystrojona kwiatami, jak nagrobek.

– Boże! – zaczęła błagać Danuta. – Zbaw ich i zmiłuj się nad nimi!

Przysłuchiwała się, jakby czekając na odpowiedź. Ale słyszała tylko mysi pisk.

Dokładnie tak samo piszczały myszy, kiedy umarł Szachna. Lepiej umierać przy akompaniamencie mysiego pisku niż warkotu werbli. Nieszczęsny Aron! Gdzie go poniosło!...

Jej myśl, która nie oszczędziła Arona, nagle przeskoczyła na synową, na Rejzł.

Chyba pora, żeby urodziła.

Dobrze by było, gdyby się tak złożyło: Danuta urodziła się w czerwcu, i jej wnuk Efraim lub wnuczka Lea, także urodzi się w tym samym miesiącu. Aron zawczasu wybrał dla nich imiona.

Ona proponowała dla chłopczyka inne imię – Ezra, ale Aron się nie zgodził. Powiedział, żeby to Jakub swojemu pierworodnemu nadał takie imię.

Miała również przygotowane imię dla dziewczynki, ale bała się je głośno wypowiedzieć. Zrobi to i Aron wpadnie w furię. Co? Ma się nazywać tak jak żyjący człowiek? Czy ona nie wie, że Żydzi nadają swoim potomkom tylko imiona ludzi, którzy zmarli?

– Ale ja jestem martwa – powiedziała Danuta do syna, lecz ten za całą odpowiedź jedynie prychnął ze złością.

– Rabin nigdy w życiu nie wpisze do ksiąg takiego imienia – wymamrotał, usiłując złagodzić swoją odmowę. – Czy już wszystko zapomniałaś?

Danuta nie zapomniała. Pamięta, jak dwa lata temu rabin w miasteczku kategorycznie odmówił udzielenia ślubu Aronowi i Rejzł. Że niby Aron Dudak jest Polakiem. Polak i Żydówka nie mogą stanąć razem pod ślubnym baldachimem. Dobrze jeszcze, że mogą pod jednym niebem. Ale, do diabła, jaka tam z Danuty katoliczka? Pozostał jej jedynie krzyżyk na szyi. I ten zresztą zardzewiał; wszystko pokryło się rdzą oprócz jej imienia. Całe życie przeżyła jako Żydówka. Zdaniem rabbiego, byle drań urodzony przez żydowską matkę jest lepszy niż ona. Ale czy żydostwo to sprawa ciała, a nie ducha?

Nie, nie zapominała o niczym.

Przez okno księżyc sączył swój zimny wiosenny blask i w ciemności zbryzganej jego światłem roiły się imiona, krzywdy, rozczarowania.

Myszy zamilkły, poukrywały się w swoich norach. Zapadła noc.

W domu nigdy nie było zegara – ani ściennego, ani na rękę, ani stojącego. Czas Danuta zawsze określała według zachowania myszy i cmentarnych ptaków. Kiedy myszy znowu powychodzą ze swoich kryjówek i zaczną smyrgać z kąta w kąt w poszukiwaniu jakiegoś przypadkowego okrucha, rozbłyśnie poranek.

Czasami, im bardziej Danuta wsłuchiwała się w hałas, jaki czyniły te stworzenia, tym częściej przyłapywała się na myśli, że sama podobna jest do wielkiej nieszczęsnej myszy.

Ciemność była jej norą, do której chowała się przed wszystkimi, a rozproszone, bezładne myśli – okruchami, którymi Danuta żywiła się co noc, przez lata, przez dziesiątki lat.

275

W tej chwili najwięcej takich okruchów podrzucał jej Jakub.

Z Aronem sprawa była jasna. Nie uda się go sprowadzić z powrotem, już nie na cmentarz, ale choćby do pracowni krawieckiej na Rybackiej. Żeby nie wiadomo jak go prosić, błagać, żalić się na starość, Aron się nie odzyska. Co znaczy dla niego matka, co znaczą dla niego mogiły ojca i dziadka? Oto dokąd się wzniósł, orzeł! Pod niebiosa! I nie sfrunie stamtąd, dopóki go, głupca jednego, nie zestrzelą.

Jeśli idzie o Arona, wszelkie nadzieje były próżne. Gdy przyjdzie pora, nie odprowadzi jej w ostatnią drogę, nie uroni łzy nad otwartym grobem.

Co innego Jakub.

Ale ostatnimi czasy i on zdradza chęć, aby się stąd wyrwać. Kto ma ochotę przez całe życie oglądać zmarłych? Zmarli nie podziękują, a dla żywych grabarz to straszydło.

Danuta też kiedyś była młoda, rozumie: miłość jest silniejsza niż wszystko na świecie. Przy kołysce władczynią jest matka, natomiast w łóżku królową jest kobieta. Tylko patrzeć, a Eliszeba go namówi. Jeżeli nie na wyjazd do Palestyny, to choćby na porzucenie cmentarza.

I co się wtedy stanie z nią, z Danutą?

Nie wyobrażała sobie życia bez Jakuba. Był dla niej ostatnim oparciem, granicą, którą można przekroczyć jedynie po śmierci. I tak zresztą żyje raczej wśród cieni, chimer, a nie wśród żywych ludzi. Ale żyjąc z cieniami, człowiek z czasem sam przeistacza się w cień.

Jakub współczuł matce, że jest taka osamotniona, że pędzi tak smutny żywot, ale w chwili, kiedy pojawiła się Eliszeba, nie mógł jej żywota ani ubarwić, ani podzielić.

Kiedy tylko zapadał wieczór, zaprzęgał cmentarnego konia i wyruszał do Judgiriaj.

Danuta nie czyniła mu wyrzutów – żegnała go nieomal z radością, z uśmiechem na udręczonej, pokreślonej groźnym piórem starości twarzy, odprowadzała go aż do bramy, przytrzymając się boku furmanki. I witała go też bez słowa wyrzutu. Czyżby Jakub nie zasłużył na to, żeby być szczęśliwym nie tylko z nią, ale i bez niej? Co widział w życiu poza łopatą i gliną? Niechże się nacieszy późną, niespodziewaną miłością. Broniła go przed samym sobą. Ale nie było nikogo, kto by ją mógł obronić. Jakub chciał kupić psa. Danuta jednak zaprotestowała.

– Cmentarz powinien witać zmarłych nie psim ujadaniem, ale anielskim pieniem – powiedziała do syna. Kup mi, Jakubie, anioła

Mimo że Jakub tak się o matkę troszczył, anioła kupić jej nie był w stanie.

– Nie przejmuj się – podniosła go na duchu Danuta. – Dzisiaj aniołowie też ujadają jak psy!

Nie pytał, kogo ma na myśli; niewątpliwie jego brata Arona. Czasami żałowała, że nie zgodziła się na psa. Można by go brać na noc do chałupy i rozmawiać z nim, głaskać i razem z nim płakać.

Danuta próbowała przyprowadzać na noc kozę, przywiązywała ją do nogi łóżka, ale koza była stara, zamykała oczy, zasypiała na stojąco, nie odzywała się; bielała jedynie w ciemności niby zaspa śnieżna i tchnęła nie współczuciem, nie zrozumieniem, ale chłodem niebytu.

Najtrudniej bywało w soboty, kiedy Jakub wyjeżdżał na cały dzień. Samotności za dnia w żaden sposób nie można było porównać z samotnością w nocy. W nocy Danuta mogła sie ukryć w ciemności, ale za dnia, za dnia wszystko dokoła tylko ją potęgowało, czyniąc czymś wręcz nie do zniesienia. W migotaniu słonecznych promieni, w nie milknących ptasich trelach, w zielonym szeleście listowia słyszało się nie hymn życia, ale modlitwę żałobną, pożegnanie. Jutro akurat jest sobota, myślała Danuta obserwując kłębiący się w chacie księżycowy pył. Może powściągnąć dumę, odłożyć stare urazy i wybrać się do Bankweczerów do miasteczka? A może

Rejzł już urodziła? Reb Gedali nie ucieszy się z jej przybycia, nie będzie jej ściskać i całować, ale nie wyrzuci jej za drzwi. Niekochana, ale mimo wszystko nie obca. Ostatni raz była na Rybackiej w dniu ślubu. Więcej jej tam nie zapraszano. Na wesele też jej nie zaproszono. I obejdzie się! Przyjdzie nie proszona, zerknie na małego Efaraima lub Leę. Ma do tego prawo, chociażby przed śmiercią. Tylko zerknie!

Danuta nawet nie zauważyła, jak za oknem zaczęło świtać... Na gałęzi sosny zakrakała obudzona wrona, na grzędzie zagdakały kury, przeciągle zapiał kogut.

Ciemność rozpadła się na wiele części.

Danuta zdmuchnęła lampę, wstała i powoli poczłapała do sieni.

Nachyliła się nad wiadrem, umyła twarz i nagle poprzez jej palce, jak przez kratę, ujrzała teścia swego syna.

W pierwszej chwili była pewna, że coś jej się przywidziało, że Gedali Bankweczer wyłonił się spośród nocnych zjaw, że za chwilę zniknie, rozpłynie się w błękicie czerwcowego poranka, ale Gedali nie znikał, powiększał się, obrastał w ubranie. Opierając się na lasce, powoli zbliżał się do cmentarza. Danuta już wyraźnie rozróżniała nie tylko jego surdut, ale przestębnowaną białymi nitkami siwiznę brody, płaską czapkę na wielkiej głowie. Było dziwne, że reb Gedali wybrał się na cmentarz w sobotę – w święto! Jak opowiadał Aron, Bankweczer nie uznawał świąt, pracował nawet w czasie Pesach i nie uważał tego za grzech. Bóg zezwala pracować w święto temu, kto pomaga ludziom. A czy on, Gedali Bankweczer, im nie pomaga? Tylko nieroby powołują się raz na diabła, raz na Torę.

Niewątpliwie coś musiało się stać, pomyślała Danuta. Teść syna nie bez powodu porzucił szycie. Cmentarz to nie miejsce, dokąd ludzie chodziliby bez powodu.

Gedali Bankweczer przekroczył tymczasem cmentarną bramę i wciąż tym samym, powolnym, ostrożnym jak w szpitalu krokiem skierował się w kierunku kosmatych sosen na pagórku.

Tam właśnie znajdował się grób Pniny.

Danuta znała wszystkie groby na pamięć jak wiersze.

W ubiegłym roku z Ameryki, z Detroit przyjechał syn miszkińskiego woziwody Szmula-Sendera – Bob Lazarek. Przyszedł na cmentarz i w łamanym języku jidysz poprosił, żeby Danuta pomogła mu odszukać grób ojca. Bob czterdzieści lat nie był w ojczyźnie i nie miał pojęcia, gdzie pochowano Szmula-Sendera.

Danuta od razu odnalazła grób woziwody. Jak mogła nie znaleźć, skoro nagrobek dla niego robił Jakub. Wyciosał w kamieniu ulatującego w niebo konia.

Bob Lazarek, zdumiony pięknem wyciosanego w kamieniu konia, rozrzewnił się, sięgnął do kieszeni, wyjął z niej zielone papierki, chrzęszczące jak cukier w zębach, i podał je Danucie, a kiedy ta nie chciała ich przyjąć, zaczął pstrykać dyndającym mu na brzuchu aparatem. Szkoda tylko, że nie ją fotografował, ale konia ulatującego w kamienne niebo.

Właściwie dlaczego nagle przypomniała sobie Boba Lazarka?

Wspomnienia tylko powiększają lęk.

Gedali Bankweczer prawie nigdy nie zachodził na cmentarz. Jego córki – Rejzł i Eliszeba – przychodziły, a staruszek nawet tu nosa nie pokazywał. Nie dlatego, że zapomniał o Pninie, ale dlatego, że bał się śmierci we wszystkich jej postaciach, a poza tym nie bardzo lubił Danutę. Reb Gedali nie uważał jej nawet za swoją powinowatą. Była dla niego kłótliwą, pozbawioną rozumu Polką, którą Bóg jeden wie, jakie wiatry przyniosły na żydowski cmentarz. Danuta ze swojej strony też starała się nie podkreślać żadnych rodzinnych więzów: na Rybacką nie przychodziła, nie narzucała swojej miłości ani Aronowi, ani Rejzł, zadowalała się tym, że się nie kłócą, żyją zgodnie, chociaż była przekonana, że tam, gdzie przebywał Gedali Bankweczer, spokój i zgoda nie mogą długo panować.

Teść syna stał nieruchomo pod kosmatymi sosnami i z daleka można było odnieść wrażenie, iż się modli. Danucie ani w głowie było mu przeszkadzać. Niech się modli, niech przynajmniej tutaj, na cmentarzu, poczuje, że oprócz klientów jest na świecie wszechmocny, groźny, karzący Bóg, któremu nie można zdjąć miary i dla którego nic nie można uszyć, jako że On sam jest i miarą, i odzieżą. Wszystko na świecie się zużywa: jedwab, aksamit, brokat. Tylko to, w co człowieka odziewa Najwyższy, jest nie do znoszenia. Tylko On obnaża i okrywa ludzką nagość.

Nad głową Gedalego Bankweczera krążyły ciekawskie cmentarne wrony. Ich krakanie wplatało się w jego modlitwę, ale on nie zwracał na nie najmniejszej uwagi.

– A sio! A sio! – zawołała Danuta na spokojne kury, które niczemu nie zwiniły, i rozłożywszy mizerne skrzydła, grzały się w gorącym słońcu po przeciwnej stronie podwórza.

– A sio!

Ale ani kury, ani reb Gedali, do którego przede wszystkim odnosił się okrzyk Danuty, nie zareagowali.

– A sio! – niby bicie na alarm roznosiło się nad cmentarzem.

Najłatwiej by było nie odgrywać komedii, tylko podejść do Gedalego Bankweczera, zagadać do niego. Żeby nawet nie wiedzieć jak jej nie lubił, odpowie. Gdzie jak gdzie, ale na cmentarzu odpowiedzi nie przydają ani miłości, ani nienawiści. Cmentarz sam w sobie stanowi odpowiedź na wszelkie pytania.

Danuta jednak nie miała w zwyczaju podchodzić do pogrążonych w smutku, żeby, nie daj Bóg, nie pomyśleli, że oczekuje od nich zapłaty albo wynagrodzenia za swoją pracę. Podejdziesz i natychmiast potraktują cię jak żebraczkę.

Nigdy nie brała pieniędzy od żałobników – zawsze rozliczał się z nimi Jakub. Dla niej pieniądze nie istniały. W każdym razie potrafiła się bez nich obchodzić – odkąd ją ludzie pamiętali w miasteczku, chodziła w jednej i tej samej sukience, w jednych i tych samych, po stokroć łatanych butach, jadła wyłącznie to, co sama wyhodowała w ogrodzie.

Gdyby działo się zgodnie z jej życzeniem, zmarłych też by chowano za darmo, i pilnowałaby ich za darmo.

– A sio! – odpędzając strach, znowu krzyknęła Danuta.

W tej chwili reb Gedali widocznie usłyszał krzyk, odwrócił się, uprzątnął z nagrobka Pniny zrudziałe igliwie i powoli zaczął schodzić z pagórka.

Danuta ujrzała, jak opasła, błękitnawo-czarna wrona z głuchym krakaniem przeleciała mu drogę, jak staruszek wzdrygnął się i zamachnął na nia laską.

Zły znak, pomyślała. Przed śmiercią Szachny taka sama wrona przeleciała jej drogę.

Nagle Danuta przypomniała sobie, z jakim trudem (chyba z większym niż do innych stworzeń) przyzwyczajała się do nich, do tych zagadkowych, krzykliwych, nieubłaganych ptaków, którymi Bóg zasiedlił cmentarz z jednym jedynym zamiarem – żeby przypominały ludziom, żywym i martwym, o ich przewinach. Grzechy nie gruchają jak synogarlice, grzechy kraczą niby wrony; budząc się nad ranem, Danuta słyszy, jak z każdej gałązki ulatuje ku niebu obciążona grzechami dusza.

Czyżby Reb Gedali miał przejść nie wstępując?

Jeżeli nic się nie stało – przejdzie. Jeżeli zaś wydarzyło się nieszczęście, nie ominie chałupy.

Danuta wzięła łopatę, i jak gdyby nigdy nic, zaczęła okopywać grządkę.

Poczuwszy zapach świeżej ziemi kury, w nadziei, że się pożywią tłustym robakiem, zbiegły się z przeciwległego końca podwórka na grządkę.

– A sio! – Danuta zamachnęła się na nie łopatą.

Ale kury były uparte. Żołądek jest zawsze śmielszy niż rozum.

– A sio!

Swoim głodnym gdakaniem kury przeszkadzały Danucie usłyszeć kroki Bankweczera.

– Doprawdy, żyć człowiekowi nie dają, przeklęte – powiedziała, kiedy teść syna podszedł, i w tej samej chwili zawstydziła się czczej pustki swoich słów. Z przestrachu nawet się nie przywitała.

Reb Gedali również nie uznał za stosowne się pokłonić. Milcząc stał przy grządce i laską grzebał w kopczyku świeżo skopanej ziemi, jakby próbując coś w niej znaleźć. Jego źrenice, przez całe życie śledzące bieg igły-karmicielki, były wbrew oczekiwaniom Danuty suche. Najwidoczniej wiele wysiłku kosztowało go bezsensowne patrzenie na stylisko łopaty, ale mężnie nie odrywał od niego wzroku.

– Jakuba nie ma? – zapytał wciąż grzebiąc laską w kupce świeżej, pachnącej popiołem ziemi.

– Nie – odparła Danuta.

Tak już przyjęło się na cmentarzu, że szukano wyłącznie mężczyzn – najpierw staruszka Efraima, potem Szachny, potem Jakuba, czasami nawet Arona, ale jej, Danuty, nikt nie szukał, jakby jej tu nigdy nie było. A przecież kiedy dzieci były maleńkie i Szachna zanurzał się w swój obłęd, ona jedna pracowała łopatą, wykopywała i zakopywała doły. Do tej pory na jej szlacheckich rękach pozostały chropowate, plebejskie odciski. W miasteczku krążyły ponure żarty, że na glinianej pościeli, zasłanej przez grabarza-kobietę, bardziej miękko się śpi.

– Prędko wróci? – zapytał znowu reb Gedali, nie przestając bez celu, lecz zapamiętale grzebać w ziemi.

– Prędko – odparła Danuta.

Nie chciała, żeby zostawał, ale strach ją ogarniał, że reb Gedali odejdzie i uniesie ze sobą wieść, która kazała mu naruszyć wszelkie prawa soboty.

– Prędko – powtórzyła raz jeszcze.

– Poczekam – zdławionym głosem powiedział starzec.

– Może ja mogę w czymś pomóc?

– Nie. Jeżeli ktoś może mi pomóc, to tylko Jakub.

Jego głos brzmiał niezwykle cicho; wydawało się, że reb Gedali rozmawia z samym sobą lub ze swoją sękatą laską; jego oczy były jak dotąd suche, ale ich suchość budziła niejasne, piekące podejrzenie – a może wszystkie łzy zostały już wypłakane? Danuta czekała, kiedy Bankweczer zacznie mówić o domu – o Aronie, o Rejzł, ale staruszek tylko odszedł na bok, wyjął z kieszeni surduta haftowaną chusteczkę i głośno, z jakimś jękiem wytarł nos.

Danuta już niemal nie wątpiła, że zdarzyło się nieszczęście, ale nie śpieszyła się, żeby je nazwać po imieniu. W ciągu swojego długiego życia przekonała się o jednej dziwnej i niewzruszonej prawdzie: nazwiesz nieszczęście po imieniu i owo nieszczęście zjawi się natychmiast.

Tak było ze starym Efraimem, tak było z Szaclmą. Im dłużej żyła, tym lista owych imion bardziej się kurczyła. W tej chwili z całego ich roju pozostało zaledwie kilka: Aron, Rejzł, Jakub.

Z tajoną nadzieją, z zabobonną niecierpliwością Danuta czekała, kiedy dołączy się do nich nowe imię – wnuka lub wnuczki. Czyżby nie przybyło?

Aron mówił, że Rejzł ma rodzić w połowie czerwca.

– Reb Gedali – wkładając cały swój żal w rozrywające krtań pytanie, wykrztusiła Danuta. – Którego mamy dzisiaj?

Bankweczer schował chusteczkę do kieszeni, oparł się na lasce i po raz pierwszy podniósł oczy na teściową córki.

– Czternastego – odparł i po jego nie ogolonym policzku, jak łza, popełzła biedronka. Zaplątawszy się w szczecinę, w żaden sposób nie mogła rozprostować skrzydełek i ulecieć.

– Coś już przybyło?

– Przybyło – odparł Bankweczer.

– Chłopczyk czy dziewczynka?

Danuta zadawała swoje pytania jak w malignie.

– Chłopczyk.

Biedronka wydostała się wreszcie z gęstwiny i uleciała.

– Biedronko, poleć do nieba! – nie zdając sobie sprawy z tego, co robi, nagle śpiewnie powiedziała Danuta. Ogarnęła ją nieprzeparta chęć, żeby sławić Boga, dziękować

Mu za to, że odwrócił od nich najstraszniejsze ze wszystkich nieszczęść – śmierć w świecie przybywających na ten świat, ale brakowało jej słów, żeby wyrazić swoją wdzięczność i chwałę.

– Chłopczyk! Chłopczyk! Chłopczyk! Efraim! Efraim Dudak!

Wszelkie lęki, jakimi się zadręczała od chwili, kiedy Gedali Bankweczer przekroczył cmentarną bramę, ulotniły się, rozwiały; niebo poszerzyło się, stało się tak głębokie i czyste jak przed pojawieniem się anioła; anioł o imieniu Efraim szybował w bezchmurnym błękicie, a obok niego, białego i niewinnego, leciała ona, nie Polka, nie Żydówka, nie staruszka, nie kobieta – grabarz, lecz maleńka szczęśliwa biedronka.

Jedyną rzeczą, której Danuta nie mogła zrozumieć to to, dlaczego Gedali Bankweczer tak długo milczał. Czyżby nie zasłużyła na to, żeby i z nią podzielił się wiadomością? Zmarłej Pninie powiedział, a z nią, Danutą nawet się nie przywitał.

– Efraim się urodził! Efraim się urodził! – wołała, usiłując swoją radością zarazić teścia syna.

Ale Gedali Bankweczer jakby nie słyszał jej radosnych okrzyków. Stał oparty o laskę, i jego plecy garbiły się niczym cmentarny nagrobek.

– Rejzł na pewno chciała dziewczynkę? – ostudziła swoją radość, i strach, bezwiedny, bezimieny strach znowu się zakradł do jej serca.

– Z pewnością – powiedział Bankweczer i obejrzał się.

– Bądźcie spokojni, jak tylko Jakub przyjedzie, zaraz go do was poślę.

– On mi tam nie jest potrzebny.

Gedali Bankweczer zamrugał i z jego starczych oczu na bezpłodną darninę brody trysnęły łzy.

– Rejzł? – przeraziła się Danuta.

Teść syna pokiwał głową.

– Aron?

Głowa poruszyła się jak słonecznik na wietrze.

Imiena Efraima Danuta nie była w stanie wypowiedzieć. Jej gardło jakby ktoś ścisnął kleszczami: oddech stał się urywany; zaczął nią wstrząsać kaszel, chrapliwy, przeszywający; Danuta w żaden sposób nie mogła wykaszlać zbitego w mokry skrzep przerażenia; jej ręce kurczowo, z chrzęstem, zaciskały się na stylisku łopaty. W tej chwili już się nie czuła biedronką fruwającą w niebiosach razem z aniołami – znowu stała się zgrzybiałą staruszką, równie zgrzybiałą, jak żona biblijnego Lota.

Dokoła niej krążyły zamroczone kury, natarczywie domagając się nowych robaków. Kręciły się jej pod nogami, i ta żywa, nieustanna krzątanina wiązała się w myślach Danuty z czymś innym, z na zawsze straconym życiem.

Zagryzła wargi, żeby się nie rozpłakać, ale tym razem łzy nie usłuchały jej. Spływały spokojnie i obficie, i poprzez te łzy bezchmurne czerwcowe niebo wydawało się jedną ogromną i bezgraniczną łzą.

– Aron jest z nimi – z Rejzł i...

Danuta zacięła się.

– Nie.

– A gdzie jest? – zapytała ocierając twarz szorstką ręką.

– W Szawlach, na zebraniu...

– Kiedy wróci?

– Nie wiem. Ale nie będziemy na niego czekać – zwyczajnie, bez jakiejkolwiek pogróżki powiedział Bankweczer.

Łzy zbliżyły go do Danuty. Reb Gedali od dawna wiedział, że nie ma na świecie mocniejszego kleju niż wspólne łzy. Kiedy ludzie płaczą, zawsze są razem.

– Jakże tak, bez Arona... mimo wszystko jest ojcem!

Ojciec! Ojciec to nie ten, kto robi dzieci, lecz ten, kto je wychowuje. Ale reb Gedali nie miał ochoty spierać się z Danutą. Jeżeli Aron wróci na pogrzeb – dobrze, jeżeli się spóźni – przyjdzie na mogiłkę.

– Może wstąpicie do chaty? – nieśmiało zaproponowała Danuta, wciąż jeszcze wydychając z siebie przerażenie.

– Napijecie się herbaty. Mam napar ze wszystkich ziół.

– Dziękuję – odmówił Bankweczer.

– Wiem – rzuciła nagle Danuta. – Nie jesteście zadowoleni, żeśmy się spowinowacili... nie lubicie ani mnie, ani Arona...

Reb Gedali milczał, pamiętając, że mądremu człowiekowi milczenie przynosi radość, a dla głupiego – jest ciężarem. No bo co mógł odpowiedzieć? Mówiła prawdę.

– Trudno! – westchnęła Danuta. – Wszyscy na świecie nie mogą się lubić, chociaż Bóg nam przykazał... Ale ja – z pewnością nie uwierzycie, naturalnie, że nie uwierzycie – ja lubię wszystkich. I zmarłych, i żywych, i Żydów, i Polaków, i Litwinów, i Rosjan. Oni nie ponoszą winy za nasze nieszczęścia.

Znowu zaniosła się kaszlem, odwróciła się od Bankweczera i opuściwszy głowę, długo stała na grządce jak szmaciana lalka. Bo rzeczywiście była taką lalką, tylko że nie pełną trocin, lecz miłości.

– To grzech tak mówić, ale ja, reb Gedali, lubię też nasze nieszczęścia. Jak się tak zastanowić – tylko nieszczęścia sprawiają, że jesteśmy ludźmi. Szczęście demoralizuje.

Danuta pocieszała siebie, Bankweczera, jego córkę Rejzł i Arona, ale przez te pocieszania robiło się jeszcze gorzej, jeszcze ciężej. Często się zdarzało, że próbowała zamówić swoje nieszczęsne życie jak chorobę, jak niemoc, i rzeczywiście życie stawało się wtedy nie tak nieznośne jak dotychczas.

– A oto Jakub – powiedziała Danuta, kiedy cmentarna furmanka podjechała pod samą bramę.

Wbiła łopatę w ziemię, jeszcze raz otarła mokrą twarz i rzuciła się w stronę Jakuba, zostawiając Bankweczera na grządce.

Dawniej nigdy nie wybiegała synowi na spotkanie, czekała, aż Jakub wyprzęgnie konia, odprowadzi go do szopy, zada mu owsa i sam do niej podejdzie, obcy, szczęśliwy, oblepiony źdźbłami słomy jak nocnymi tajemnicami. Ale dzisiaj chciała z nim porozmawiać, zanim do rozmowy włączy się reb Gedali. Ten, oczywiście, zacznie się upierać przy swoim – żeby wnuka Efraima pochowano obok Pniny, tam wykupił też miejsce dla siebie. Gdyby urodziła się dziewczynka – Boże, jakże nie na miejscu jest tu to święte, to radosne słowo „urodziła się!" – Danuta nie sprzeciwiałaby się teściowi syna. Ale chłopczyk, chłopczyk powinien leżeć obok dziadka Efraima, prababki Lei, obok dziadka Szachny i obok niej, Danuty, jeżeli ona dostąpi takiego zaszczytu, żeby pochowano ją na starym żydowskim cmentarzu. To tylko tak się wydaje, że zmarłym jest obojętne, gdzie spoczywają. Nie! Danuta wierzyła, że i tam, w tej gliniastej wiecznej siedzibie wszystko zależy od tego, z kim cię śmierć połączy. I tam człowiek musi się do kogoś przytulić. A czy można się przytulić do swarliwej, skąpej Pniny?

Kiedy Jakub wyprzęgał konia, Danuta zdążyła opowiedzieć mu o nieszczęściu, jakie się wydarzyło

– Biedna Rejzł! Biedny Aron! – powiedział szeptem Jakub.

Ani nie poparł, ani nie sprzeciwił się zdaniu matki, powiedział, że będzie tak, jak zadecydują nieszczęśni rodzice, że nie można się mieszać w tę sprawę – najważniejsze, to zachować rodzinę, nie dopuścić, żeby się rozpadła. Chociaż wielkie nieszczęście zespala – ale wszystkich dziur i tak się nim nie załata.

Danuta nie pytała go, co rozumie przez te dziury; kiwnęła głową w stronę marznącego na grządce Bankweczera, przyłapując się na myśli, że reb Gedali, tak samo jak ona, podobny jest do oblazłej, przewianej wiatrem szmacianej kukły, której nikt się nie boi.

– Dzień dobry – nie wiedząc od czego zacząć, basem powiedział Jakub.

Reb Gedali beznadziejnie skinął głową.

Przybycie grabarza do reszty go przybiło, cały się skurczył, jakby w obawie, że swoim nieszczęściem sprawia ból nie tylko Jakubowi, ale i całemu otaczającemu go światu: i temu bezchmurnemu czerwcowemu dniowi, i tym grzebiącym na grządce kurom, i nawet wronom, które obsiadły gałęzie zamyślonych sosen. Słowa odbiegały od staruszka: w jego krtani było pusto i sucho, i niemota, jaka na niego spadła, wydała się błogosławiona i uzdrawiająca niczym gorzkie, piekące w język lekarstwo. Patrzył na Jakuba spod oka i ani nie mógł się zdecydować, żeby wykrztusić z siebie choć słowo. Myślał: otworzy usta i tchnie z nich raptem nie bólem, lecz zgnilizną.

Jakub też nie kwapił się do rozmowy. Co mu powie? Bankweczer nie potrzebował ani jego współczucia, ani życzliwości. Współczucie w ustach grabarza zawsze brzmi nieszczerze i nie tyle łagodzi gorycz utraty, ile ją zwiększa.

Milczała również Danuta. To, co wydawało się proste i jasne jeszcze chwilę wcześniej, nagle się skłębiło, zaciemniło, utraciło moc przekonania. Danuta poczuła raptem, że nie potrafi się sprzeciwić reb Gadelemu, jeżeli ten się uprze i zażąda, żeby wnuka Efraima pochowano na pagórku. Przecież na cmentarzu nikt się nie będzie o to kłócił.

– Jakubie – powiedział w końcu reb Gedali. – Ja chcę leżeć obok niego... Starczy tam miejsca.

Jakub zasępił się, zmarszczył czoło.

– Przynajmniej on jeden mnie nie opuści. Zostanie ze mną na wieki.

– Wasza wola – burknął grabarz i spojrzał na matkę.

– Miejsca starczy – powiedziała Danuta.

– Pogrzeb jutro – oznajmił surowo Bankweczer.

Odwrócił się, i wbijając laskę w urodzajną cmentarną ziemię, ruszył ku wyjściu.

– Poczekajcie! – zawołała Danuta. – Jakub was odwiezie. Zawieź, synku, reb Gadelego do miasteczka.

– Niech kopie dół – mruknął tylko Bankweczer.

– To w takim razie ja! – powiedziała Danuta. – Poczekajcie!... Zaraz będę gotowa.

Przecinając mu drogę, rzuciła się do stajni, wyprowadziła gniadą, zaprzęgła ją do furmanki, zacięła batem powietrze i wkrótce dogoniła reb Gedalego.

Początkowo Bankweczer za nic w świecie nie chciał wsiąść, ale potem ustąpił. Im prędzej przyjedzie do domu, tym lepiej. Przecież Rejzł jest sama z trupkiem owiniętym w resztki całunu kupionego dla Szachny. Bankweczer zawsze zaoszczędzał przy krojeniu ćwierć, a nawet pół metra płótna.

Droga wiła się wśród pól; reb Gedalemu kręciło się w głowie, wiatr owiewał jego pomarszczoną, pobrużdżoną przez starość twarz; oczy łzawiły od jego porywów, a może wiatr nie miał z tym nic wspólnego? Czym jest wiejący wśród litewskich pól wiatr w porównaniu z tą wichurą, jaka hula w piersi Bankweczera?

Żeby tylko teściowa córki nie zaczęła zamęczać go gadaniną, żeby tylko, na litość Boską, milczała. Wszystko zostało już powiedziane, wszystko omówione. Nie potrzeba mu ani jej miłości, ani współczucia. Miłości i cierpienia sam ma za wiele. I co z tego? Czy jego miłość kogokolwiek ustrzegła od śmierci? Nikogo. Ani Pniny, ani wnuka. Czy z powodu jego współczucia komukolwiek na świecie zrobiło się lżej? Czy czuła teściowa jego córki zastanawiała się kiedykolwiek, dlaczego Bóg jest na górze, a nie na dole? No właśnie. Bo przecież łatwiej jest kochać z góry, z obłoków, a na dole jest błoto i krew, i w dodatku dokładnie z sobą przemieszane.

Danuta, jakby usłyszała tę niemą prośbę, nie niepokoiła reb Gedalego żadnymi pytaniami, siedziała milcząc na koźle, przysłuchiwała się pochrapywaniu konia, jałowemu świstowi bata nad jego nie czesaną grzywą i niewyraźnemu mamrotaniu teścia Arona.

Przy wjeździe do miasteczka Bankweczer poprosił, żeby się zatrzymała.

Nie chciał, by Danuta dowiozła go na samą Rybacką. Przywiezie go tam, wejdzie do domu i zaczną się lamenty, podniesie się płacz. Wystarczy, że jedna ryczy bez ustanku. A łzy tu już nic nie pomogą.

Czekał, kiedy Danuta ściągnie cugle i koń się zatrzyma, ale furmanka jakby nigdy nic dalej toczyła się po jezdni.

A oto miszkiński kościół, maleńki, drewniany, z cienkim krzyżem wbijającym się w niebo, podobny do zgrubiałej igły do szycia.

A oto karczma Joszuy Mandla, katorżnika, który długie lata przemęczył się na Sybirze, tam gdzie w zeszłym tygodniu wywieziono rodzinę Bruchisów.

A oto sklepik Chaskiela Bregmana „Żydowskie wiadomości". Chaskiel wie o wszystkim na świecie, ale o śmierci wnuka reb Gedalego nie ma pojęcia. A przecież on leży nie Bóg jeden wie gdzie, ale obok, po drugiej stronie ulicy. Lecz cóż znaczy śmierć niemowlęcia, które nie przeżyło nawet jednej doby, w świecie codziennych, ustawicznych śmierci i zabójstw?

A oto dom rodzinny, na którym pyszni się blaszany szyld: „Gedali Bankweczer, mistrz krawiecki. Szyje szybko i tanio".

Już w progu do uszu Danuty dobiegł cichy i smutny śpiew. Czy to Rejzł śpiewa?

Tak, to ona śpiewała. Stała nad łóżkiem, na którym ledwo dostrzegalnie wznosił się biały pagóreczek, i śpiewała:

> *Wen dy wern rajch, majn jidełe,*
> *West gy dermonen sich daj mames lidełe.*
> *Rozinkes mit mandłen.*

Gdzie kto kiedy słyszał, żeby zmarłemu śpiewać kołysanki - ni to Bogu, ni to Danucie poskarżył się reb Gedali Bankweczer.
– Zwariować można.

Zdjął surdut, ciężkie buty i położył się na tapczanie w pracowni.

– Rozinkes mit mandłen – to ciszej, to głośniej śpiewała Rejzł i jej wzrok skierowany był gdzieś za okno, gdzieś w inne krainy, gdzie kwitły drzewa migdałowe i w promieniach dopiero co stworzonego słońca nabrzmiewały sokiem kiście winogron.

290

Tam, wśród tych gajów migdałowych i winnic, nie było miejsca ani dla reb Gedalego, ani dla Danuty.

Za oknem przeciągle i tęsknie zarżał koń.

Boże, pomyślała Danuta. Przecież nie może odejść bez jednego słowa, nie pożałowawszy i nie pocieszywszy Rejzł. Ale synowa nikogo nie zauważała, i wydawało się, że niczego poza własnym śpiewem nie pragnie słyszeć. Ten śpiew wypełniał całą jej istotę. Stała pod kaskadą tych prościutkich, pieszczotliwych dźwięków jak pod letnim deszczem, którego każda kropla przynosi nagrodę i rozkosz.

– Rejzł! – szybko, zawstydzona brzmieniem własnego głosu powiedziała Danuta, przedzierając się przez jej śpiew.. – Ty wiesz... ja nigdy nie mówiłam nieprawdy... I dzisiaj też nikt mnie nie zmusi, żebym kłamała... Uwierz mi, kiedy od jabłoni odłamie się gałązkę, to bardzo, bardzo ją to boli... ale nie przestanie z tego powodu rodzić owoców...

Słowa współczucia zabrzmiały jakoś górnolotnie i zawile. Trzeba było krócej i prościej.

Ale krótsze od słów były jedynie łzy.

Rejzł nie zareagowała na pocieszenie teściowej i Danuta uznała, że należy zamilknąć i wyjść.

Postoi trochę i jeżeli nie otworzą się drzwi i nie wejdzie Aron, to żegnaj do jutra, do mogiły.

Drzwi nie skrzypnęły, nie stał się cud, i Danuta cicho wyszła na ulicę.

– Ho-ho-ho-ho! – pokrzykiwała na gniadą, myśląc o tym, że los Rejzł trochę przypomina jej los, z tą tylko różnicą, że przed synową coś jeszcze jest, a dla niej wszystko już minęło, wszystko poza własną śmiercią. A może tak jej się tylko wydaje. Może już dawno, dawno temu umarła. Przecież ludzie umierają nie tego dnia, kiedy się ich grzebie, ale gdy s a m i   s i e b i e   grzebią. Danuta Dudak-Skujbyszewska umarła jeszcze w carskich czasach, w karczmie, w objęciach pijanego totumfackiego hrabiego Zawadzkiego – Judla Krapiwnikowa. Ale dlaczego, jeżeli umarła, do tej pory odczuwa ból? Jak to nieznośnie boli! Czyżby ból był silniejszy i trwalszy od śmierci?

– Jak tam ona... Rejzł? – zapytał Jakub, kiedy matka przyjechała z powrotem.

– Śpiewa.

– Śpiewa?

– Kołysankę zmarłemu... A ty zrobiłeś wszystko, co trzeba?

– Wszystko. Wykopałem dół nieszczęsnemu dziecku jak dorosłemu człowiekowi, jak gdyby przeżył długie, długie życie – powiedział Jakub. – Na pewno nigdy się nie przyzwyczaję.

– Do czego?

– Do grzebania dzieci. Kiedy grzebie się dziecko, zakopuje się jutrzejszy dzień. A ja bym chciał zakopywać tylko wczorajszy.

– Już niedługo tego – przycięła synowi Danuta.

– O czym ty mówisz?

– Przecież wyjedziesz stąd... Eliszeba tak czy owak cię namówi. A może już namówiła?

– Nie zostawię cię.

W jego odpowiedzi Danuta ułowiła nie zaprzeczenie tego, że wyjedzie, lecz potwierdzenie, i to ją zasmuciło.

– Wszyscy synowie tak mówią. A w życiu okazuje się zupełnie inaczej. Bo kimże są synowie i córki? Pożyczonymi przedmiotami. Syna na jakiś czas pożyczasz od tej, która zostanie jego żoną, a córkę od tego, który zostanie jej mężem. Ja cię od Eliszeby tylko pożyczyłam.

Wszystko, co dotyczyło Eliszeby, Jakub utrzymywał w tajemnicy. Na wszelkie pytania matki niezmiennie odpowiadał niechętnym uśmiechem, w którym kryło się jakieś poczucie winy, niezadowolonym pomrukiwaniem. Strach przed utratą Eliszeby prześladował go i przytłaczał. Poza cmentarnym koniem nikt nie powinien był wiedzieć o stosunkach, jakie ich łączą. Nie daj Bóg, dowie się o tym reb Gedali Bankweczer i koniec. W tej chwili, po nieszczęściu, jakie się przydarzyło Rejzł, szczególnie trzeba trzymać język za zębami.

– Powiadasz, że nie zostawisz. Oddasz do klasztoru... Słyszałam, że w Ziemi Świętej jest ich mnóstwo... Ale jak na mniszkę, mam za wiele grzechów. Lepiej przywieź mi z Judgiriaj kamień.

– Jaki kamień? – Jakub udał, że nie pojmuje aluzji.

– Najzwyklejszy litewski kamień. Wycioszesz na nim mój profil. I koniecznie w kapeluszu. Ten kapelusz, to najdroższa rzecz, jaką posiadałam w życiu. Śmieszne, co?

– Nie, nie śmieszne – burknął.

– Prosiłam Boga, żeby mi dał skrzydła, ale okazał się skąpy – dał mi tylko jedno pióro. Czy widziałeś kiedy w życiu ptaka z jednym piórem?

– Nie.

– My wszyscy jesteśmy ptakami z jednym piórem... Codziennie spadamy spod nieba, nie mogąc w nie ulecieć.

Hardo podrzuciła głowę, przybrała dumną postawę i po chwili już najzwyklejszym tonem, prosto powiedziała:

– Ugotować zupę grochową?

Tak jak zostało ustalone, pogrzeb odbył się w niedzielę.

O świcie Jakub zaprzągł konia, pojechał do Judgiriaj i przywiózł Eliszebę. Przywiózł ją jednak nie na cmentarz, lecz do miasteczka, na rodzicielski próg. Przywiezie ją na mogiłę i zaczną krążyć gadki, plotki. Reb Gedali i bez tego nie może darować córce, że nie wyściubia nosa ze wsi, grzebie się w ziemi, jakby się urodziła nie pod żydowskim, ale pod litewskim dachem.

Od miasteczka do samego cmentarza Rejzł niosła martwe ciało synka na rękach.

Szła powoli, tak powoli, że nawet kura by ją prześcignęła.

Dopóki trwa droga, syn jeszcze żyje, ale kiedy tylko się skończy – skończy się wszystko na świecie, nastąpi niczym nie dająca się zapełnić kosmiczna pustka, rozewrze się przepaść, z której Rejzł nigdy, ale to nigdy się nie wydostanie.

Ciągnij się, drogo, ciągnij!

Nikt nie śmiał popędzać Rejzł, która pragnęła tylko jednego – żeby pełna kurzu polna droga nie miała ni krańca, ni kresu, jak nieogarnione niebo nad głową.

Za Rejzł, opierając się na lasce, dreptał Gedali Bankweczer w jarmułce przypiętej do siwych rozwichrzonych włosów szpilką, a obok niego, w czarnej chustce nasuniętej aż na brwi, kroczyła Eliszeba.

Nieco dalej od nich kuśtykał burmistrz Miszkine Mejłach Bloch, nauczyciel i najlepszy przyjaciel Arona Dudaka, i sklepikarz Chaskiel Bregman, który nie opuścił ani jednego pogrzebu. Czując dławiącą bliskość władzy i chcąc się jej przypodobać, spryciarz Chaskiel coś poszeptywał do sąsiada, ale Mejłach opędzał się od tego szeptu, milczał pełen smutku, starając się jak rekrut iść ze wszystkimi w nogę.

Za Mejłachem Blochem wlókł się czeladnik Bankweczera Juozas w głęboko nasuniętej na głowę czapce. Było gorąco i bez ustanku ocierał z twarzy obfity pot.

Skromny i posępny kondukt zamykały trzy staruszki – starzec czy niemowlę, mężczyzna czy kobieta, im było całkowicie obojętne, kogo mają chować. Byle sobie tylko popłakać przy ludziach. Jaki z tego pożytek, jeżeli się płacze w samotności? Pojedynczy płacz nie dociera do Boga.

Im było bliżej do celu, tym bardziej Rejzł zwalniała kroku.

Chwilami pochylała głowę i przytulała policzki do owiniętego w całun ciałka, jakby chciała ogrzać je swoim oddechem.

Kiedy skończyła się polna droga i widać już było wyraźnie cmentarną bramę, Rejzł stanęła.

Zastygł w miejscu cały kondukt.

Wszyscy czekali, kiedy nieszczęsna matka przestąpi bramę, ale ona nie ruszała się, stojąc ze swoim nieszczęsnym brzemieniem, spuściwszy oczy; wydawało się, iż żadna siła nie jest w stanie ruszyć jej z miejsca.

– Rejzełe – odezwał się reb Gedali. – Jeszcześmy nie przyszli na miejsce.

– Nie! – jakby się ocknąwszy, krzyknęła Rejzł. – Nie!

Jeszcześmy nie przyszli – powtórzył reb Gedali i wskazał laską w stronę, gdzie wśród wiekowych sosen czerniały niby zdrożeni pątnicy, równe wobec śmierci nagrobki.

– Nie! – jęknęła Rejzł.

– Jesteś zmęczona. Daj, ja go poniosę – zaproponowała Eliszeba.

– Nie!

Innych słów nie miała, ale i to krótkie jak przedśmiertne westchnienie słowo nic nie znaczyło. Skierowane było nie do nich – nie do reb Gedalego, nie do Eliszeby – ale do lasu, do fatum, do samego Najwyższego, którego potęga objawia się człowiekowi nie w krótkotrwałych, przemijających zwycięstwach życia, ale w bezlitosnym, nieuniknionym tryumfie śmierci.

Nie pomogły żadne namowy – Rejzł za nic nie chciała iść dalej. Nagle zaczęła dreptać w miejscu i na widok tego miarowego, nieprzytomnego dreptania Gedalemu włosy stawały dęba na głowie i przyszpilona do nich jarmułka unosiła się w górę.

Staruszki, które w ciągu swojego długiego życia widziały już najróżniejsze rzeczy, wytrzeszczały wciąż jeszcze bystre, chciwe oczy: Rejzł zwariowała! Naprawdę zwariowała. Pamiętały tyle pogrzebów, ale ani jedna wdowa, ani jedna matka nie wyprawiała czegoś takiego!

Skorzystawszy z chwili odpoczynku, staruchy porozsiadały się na trawie i wyciągnęły przed siebie swoje kurze nóżki – niech odpoczną, niech się pogrzeją na słońcu, może w żyłach znowu żywiej zatętni krew.

Starszy czeladnik Juozas zdjął ze spoconej głowy czapkę – nie ma powodu, żeby on, chrześcijanin, nie wiadomo dlaczego tak się pocił. Wszystko w życiu należy rozdzielić mądrze – i pot, i krew, i łzy.

Na Chaskielu Bregmanie, który przywykł do światowych katastrof, powolny krok Rejzł nie wywierał większego wrażenia. Z powodu nieszczęścia człowiekowi niejedno może zaświtać w głowie. Żebyś szedł nie wiadomo jak, do przodu czy do tyłu, dreptał w miejscu albo pełzł do przodu i tak dojdziesz do tego samego punktu – do dołu grobowego, jako że śmierć to jedyny spadek, jaki otrzymuje każdy – i człowiek prawy, i grzesznik, i biedak, i bogacz, i Żyd, i Turek. Gdyby był tu Aron, obeszłoby się bez tych wszystkich historii.

Mejłach Bloch spoglądał na zegarek. O trzeciej ma spotkanie z naczelnikiem miszkińskiego garnizonu. Czasy są niespokojne, a budowy poligonu w Judgiriaj jeszcze nie rozpoczęto. Przecież to już piętnastego czerwca. Daj Boże, skończą budowę do czterdziestego drugiego roku.

Za bramą cmentarną zamajaczyła koza.

Rejzł nagle przestała dreptać w miejscu, znowu pochyliła głowę nad martwym ciałkiem, wyszeptała z jakimś nieludzkim spokojem.

– Kózka! Jeszcze nigdy nie widziałeś kózki...

Wyszeptała te słowa i ruszyła za białą, nie tającą w czerwcowym słońcu zaspą.

I oto koza przywiodła ją na pagórek, gdzie już czekali Danuta i Jakub.

Nad grobem Rejzł nagle zrobiło się niedobrze. Eliszeba wzięła od niej dziecko, a Danuta szybko odprowadziła synową na bok, Rejzł otwierała usta, czkała głośno, ale nie mogła się pozbyć mdłości; żołądek był pusty, a serce, które nagle stało się niepotrzebne, nie chciało przejść przez wąski przesmyk gardła.

Eliszeba podeszła do grobu, podała martwe ciałko siostrzeńca Jakubowi, który wyrósł obok niej jak drzewo; Jakub ostrożnie, jakby kładł do kołyski, ułożył zmarłe dziecko na dnie dołu, wyskoczył na górę, westchnął i silnymi wytrwałymi zamachami zaczął wilgotną, sypką gliną zasypywać dół.

Kiedy dół był już zasypany do połowy, za bramą cmentarną rozległ się ryk motocykla.

– Aron – wyszeptał Mejłach Bloch.

Nie zdążył wymówić jego imienia, kiedy przez bramę cmentarną wpadł nieszczęsny ojciec. Przeskakując przez nagrobki, ocierał sobie nogi do krwi, pędził na złamanie karku w stronę pagórka, nie wiadomo dlaczego zdzierając z siebie po drodze koszulę i buty. Dyszał niby zagoniony koń, upadał, podnosił się, znowu upadał. Cmentarz, który znał jak własną kieszeń, wydawał mu się bezkresny. Im szybciej biegł, tym cmentarz stawał się większy. Kamienna wroga pustnia, po której będzie krążyć jak Mojżesz przez czterdzieści lat, a może czterdzieści razy po czterdzieści! Zaczarowana wyspa w morzu cudzych łez, w którym na próżno stara się odnaleźć swoją łzę, niepodobną do wszystkich innych.

Niezmordowane wrony, rozcinając skrzydłami powietrze, pędziły za nim, chcąc go zadziobać. To zniżały lot, prawie dotykając jego nagich, lśniących w słońcu łopatek, to znowu wzbijały się w górę i ich krakanie, jak psalm pogrzebowy, prześladowało Arona do samego grobu.

Wbiegł na pagórek, i nie patrząc na nikogo zaczerpnął pełną garść gliny, i sypnął ją sobie na głowę. Potem zaczerpnął następną i jeszcze następną...

– Co ty robisz? – nie wytrzymał Jakub.

Ale gliniany deszcz nie ustawał. Powinien by go zalać, żeby nie było widać głowy, ani twarzy, ani rąk, ani nóg. Glina ściekała z niego jak woda, i Aron w żaden sposób nie mógł się pochować razem z synem.

O, gdyby mu się to udało! Jaki by był szczęśliwy! Przecież szczęście to nic innego jak możność umierania wcześniej od tych, których się kocha.

Jego wzrok zahaczył o Rejzł i nadłamał się jak gałązka.

– Kukułeczko... Po co mi wyliczałaś lata? Po co mi one? Po co?...

Staruszki wzdychały płacząc zgodnym chórem. Ale ich łzy nie wzruszały nikogo. Starość płacze z byle powodu. A tu... Tu były potrzebne inne łzy, takie, jakich Bóg jeszcze nie wymyślił.

Dół był zasypany niemal po sam wierzch. Jakub oklepał łopatą pagóreczek, otarł rękawem pot z czoła i ukrył się za przygarbionymi plecami staruszek, jak za poszczerbionym częstokołem.

Mejłach Bloch podszedł do Arona, objął go i wymamrotał:

– W imieniu własnym i w imieniu władzy radzieckiej...

Ale Aron nie pozwolił mu dokończyć. Nie chciał słyszeć o żadnej władzy. W tej chwili byli poddanymi jednej władzy, od której nie ma i nigdy nie będzie wyższej – władzy wilgotnej, bezlitosnej cmentarnej gliny.

Reb Gedali popatrzył z ukosa na zięcia, na jego nauczyciela Mejłacha Blocha, ujął Rejzł pod rękę i ostrożnie, jakby obawiając się ją upuścić, poprowadził ku bramie.

Za nimi poszła Eliszeba.

– Zaczekajcie! – krzyknęła Danuta. – Chodźmy, napijemy się razem herbaty... Wspomnimy Efraima... Dokąd się śpieszycie? Czyżbyśmy byli sobie obcy? Czy nie spotkało nas to samo nieszczęście?

Reb Gedali nie zatrzymał się, ale Rejzł nagle się obejrzała, uwolniła z rąk ojca i powoli zawróciła.

Nikt nie śmiał się sprzeciwić jej woli.

Siedzieli przy nakrytym białą serwetą stole, jak jedna rodzina, i nie było wśród nich ani sprawiedliwych, ani grzesznych, ani czerwonych, ani białych, ani Żydów, ani chrześcijan, dlatego że nikt pośród nich nie był szczęśliwy.

Danuta podała herbatę i po równo dzieliła cukier.

Staruszki cmokały wargami. Starszy czeladnik Juozas pocił się z zadowolenia. Mejłach Bloch, parząc się wrzątkiem, zerkał na zegarek, Rejzł trzymała filiżankę uniesioną do góry, jakby miała zamiar nią z kimś się trącić. Eliszeba chrupała swoją porcję cukru, Jakub łowił listeczki herbaty niby małe rybki. Aron grzał o filiżankę zziębnięte ręce; reb Gedali modlił się nad herbatą; Danuta, żeby się nie rozpłakać, dmuchała na wrzątek.

Na stole stała jeszcze jedna filiżanka. Ale nikt jej nie zauważył.

Dla Efraima, dla wnuka.

Danuta będzie z niej piła herbatę codziennie – dopóki nie przyleci anioł, który przewróci filiżankę, i nie roztrzaska jej w drobny mak.

A anioł już leci.

1989–1991

Spis treści

Książki z serii Meridian

Drago Jančar: *Eseje*
Wybór esejów w przekładzie Joanny Pomorskiej, w tym nigdy po polsku nie publikowanych, znanego słoweńskiego pisarza.

Eqrem Basha: *Wiersze*
Wybór wierszy jednego z najciekawszych poetów albańskich żyjących w Kosowie, w przekładzie Mazlluma Sanei.

Jerzy Ficowski: *Wszystko to czego nie wiem*
Tom wierszy Jerzego Ficowskiego w wyborze i z posłowiem Piotra Sommera.

János Pilinszky: *Apokryf*
Wybór wierszy w przekładzie Jerzego Snopka. Książka wyróżniona Nagrodą „Literatury na Świecie" za przekład poetycki.

Bohdan Osadczuk: *Ukraina, Polska, świat*
Wybór artykułów i reportaży o ludziach, polityce, podróżach, obyczajach i ideach drukowanych w „Kulturze" na przestrzeni pięćdziesięciu lat.

Izet Sarajlić: *kocham bardzo*
Wybór opowiadań-wspomnień poświęconych zmarłej żonie jednego z najbardziej popularnych poetów bośniackich, nazywanego „sarajewskim Gałczyńskim". Przekład Danuta Cirlić-Straszyńska.

Norman Manea: *Październik, godzina ósma*
Wybór opowiadań rumuńskiego pisarza, opozycjonisty, zmuszonego przez komunistyczny reżim do emigracji (obecnie mieszka w USA). Przekład Halina Mirska-Lasota.

István Szilágyi: *Dudni kamień, dudni...*
Powieść jednego z najważniejszych współczesnych pisarzy węgierskich, mieszkającego w Siedmiogrodzie. Przekład Anna Górecka.

Norman Manea: *O klownach*
Zbiór esejów. Przekład Halina Mirska-Lasota.

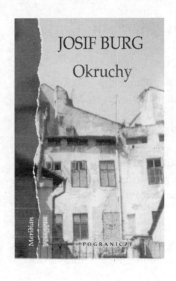

JOSIF BURG

Okruchy

Josif Burg, ostatni Czernowi-
tzer, strażnik kultury jidysz, o której
niektórzy sądzą, że już dawno zagi-
nęła. Dziś ponaddziewięćdzie-
sięcioletni, w dalszym ciągu wydaje
gazetę „Czernowitzer Bleter", za-
chowując ciągłość tradycji słynne-
go kongresu, który w Czerniowcach
w 1908 roku język jidysz, dotych-
czas uważany za żargon biedoty,
ogłosił językiem narodowym, na
równi z hebrajskim.

Krzysztof Czyżewski

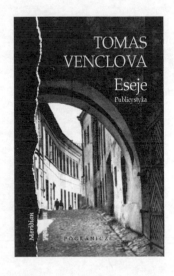

TOMAS
VENCLOVA

Eseje
Publicystyka

Kim jest Tomas Venclova, obcy
w Ameryce, która go troskliwie
przygarnęła, i nie skory do powro-
tu do niepodległej Litwy, o którą
z taką determinacją walczył? Cóż
to za obieżyświat, wprawdzie
ciekawy każdego niepoznanego
jeszcze zakątka świata, ale jedno-
cześnie tęskniący za tym jednym,
wschodnim i prowincjonalnym
zakątkiem Europy? Cóż to za
kosmopolita, który często zabiera
głos jako Litwin, i w którym budzi
się sumienie narodu?

Krzysztof Czyżewski

Wkrótce w serii Meridian

Tomas Venclova: *Eseje. Literatura*
Wybór esejów poświęconych twórczości m.in. Achmatowej,
Cwietajewej, Brodskiego, Pasternaka, Mickiewicza, Miłosza.

Gabriel Liiceanu: *Dziennik z Păltinişu. Pajdeja jako model
w kulturze humanistycznej*
Obszerny komentarz do życia i dzieła rumuńskiego humanisty
Constantina Noiki, napisany przez jego ucznia w formie dziennika
w latach 1977-1981. Przekład Ireneusz Kania.

Jurgis Kunčinas: *Tūla*
Najsłynniejsza powieść wybitnego współczesnego pisarza
litewskiego, której akcja toczy się w legendarnej dzielnicy Wilna –
Zarzecze. Przekład Alicja Rybałko.

Redakcja
Marianna Rant-Tanajewska, Zbigniew Fałtynowicz

Koncepcja graficzna
Krzysztof Czyżewski

ISBN 83-86872-18-7

Wydawca:
Fundacja Pogranicze
16-500 Sejny
ul. Piłsudskiego 37
tel./fax: (0-87) 516-27-65
e-mail: wydawnictwo@pogranicze.sejny.pl
http://pogranicze.sejny.pl

Skład i łamanie: Dariusz Sznejder
Druk: PRESSDRUK, Suwałki